リタ・コルウェル Ph.D.
シャロン・バーチュ・マグレイン　著
大隅典子 監訳・古川奈々子 訳

女性が科学の扉を開くとき

偏見と差別に対峙した六〇年

NSF長官を務めた科学者が語る

東京化学同人

A Lab of One's Own

One Woman's Personal Journey
Through Sexism in Science

by

Rita Colwell, Ph.D. and Sharon Bertsch McGrayne

◆◆◆

チャンピオン・ゴルファー、最高の博学者、熟練したヨットマン、愛情深き父親、
そして最愛の夫であるジャック・コルウェルへ。
彼なくしてはこの本を書くことは決してできなかったし、私の人生がこれほどまでに
祝福され喜びに満ちたものではなかっただろう。

私の夫、ジョージ・F・バーチュへ。
彼なくして、この本を書くことはできなかっただろう。

日本語版読者のみなさんへ

世界は急速に変化しています。特に科学、技術、工学、数学、医学（ＳＴＥＭＭ）の分野ではそれが顕著です。歴史的に、これらの分野を率いてきたのは男性で、女性はテクニカルスタッフ、アシスタント、秘書といった補佐的な役割を担ってきました。けれども、二十一世紀に入って、状況は変わってきました。科学や数学などのＳＴＥＭＭ分野で功績が認められた女性たちがノーベル賞やフィールズ賞を受賞するようになったのです。米国では現在、医学生や多くの主要大学の大学院生の過半数を女性が占めています。社会における女性の役割に関しては、過去には偏見がはびこっていましたが、それが克服されてきたことがこうした変化に現れています。

日本はＳＴＥＭＭ分野の強力なリーダーであり、科学、工学、医学での多数の発見が認められています。しかし、国としての日本は、これらの分野の研究やキャリアにおける女性の参画で遅れをとっています。ＳＴＥＭＭ分野で男女の格差なく仕事ができる機会が与えられれば、日本の女性はもっと貢献できるはずであり、それを活かさない手はありません。日本には優秀な女性たちがおり、ＳＴＥＭＭ分野のリーダーとして活躍することを奨励され、支援されれば、日本に重要な成果と大きな誇りをもたらすことでしょう。

『A Lab of One's Own』が日本語に翻訳されたことを、私は誇りに思うと同時に嬉しく感じています。日本の科学者、エンジニア、医学博士、技術者の方々と長い間親交を深めてきたからです。日本の大学や政府機関で委員や理事を務め、また個人的にも、日本を訪れたり日本で仕事をしたりするなかで、科学、工学、技術が使われている現場を見てきました。ですから、本書がきっかけとなって、日本の若い女性たちが科学者やエンジニアや技術者となり、新しい知識を創造し、新しい企業を立ち上げ、科学、工学、医学の分野でリーダーとなり、あらゆるSTEMM分野で成果をあげて、日本経済がさらに強くなり、日本が世界のリーダーとして大きく発展することを心から願っています。

リタ・コルウェル

女性が科学の扉を開くとき　目次

本書は、リタ・コルウェルの声で語られる物語である。しかし、同様の経験をした人たちの話は、コルウェル博士とシャロン・バーチュ・マグレインが行ったインタビューに基づいている。読みやすくするために、それらもコルウェル博士によって語られる形になっている。

プロローグ　女性科学者はずっと存在していた

イェール大学では、金曜日の午後に著名な科学史研究者を囲むビールパーティーが開かれており、大学院生のマーガレット・ウォルシュ・ロシターは毎回参加していた。ある日ロシターは好奇心から、出席していたお偉方の男性たちに「『女性の科学者』っていましたか？」と尋ねた。一九六九年当時、授業や参考図書では一人も言及されていなかったのだ。

「女性の科学者などいないね。これまで一人もいなかった」との答え。

「キュリー夫人は？」と誰かが尋ねた。「二度もノーベル賞を受賞してますよ」

「ない、ない。一人もいやしない」マリー・キュリーは、夫の実験のためにせっせと瀝青《れきせい》ウラン鉱をかき混ぜていただけ、というのだ。世界をリードする数名の男性学者によると、私たち女性科学者は存在しないのだった。

数年後、相変わらず女性科学者への興味を失っていなかったロシターは、『米国科学者名鑑（American Men of Science）』という人名百科事典にざっと目を通してみた。すると、書名にMenと書かれているにもかかわらず、百人以上の女性が記載されているではないか。ロシターはもっと多くの女性科学者について研究したいと考えて、大学に職を求めたが、興味を示す大学はなかった。さらに、独立にこの研究ど、女性科学者について十分な知見をもつ人がいなかったからだ。

ロシターの資金は乏しかったが、両親の二台目の車――おそろしく旧式のダッジセダン――を借り、数ヵ月かけて猛スピードで米国北東部を横断して、女子大学の記録保管所を次々に訪ねた。それから探索を米国全体にひろげ、図書館の地下室に保管されていた記録文書の箱や屋根裏部屋のファイリングキャビネットを調べ、至るところに女性科学者が存在していた証拠を発見した。ある下院議員は議会でロシターを非難し、女性科学者についての論文を書くことは税金の無駄遣いだと主張した。ところが結果としてそれが周知につながり、さらに多くの人々が彼女の使命について知るところとなった。そこでロシターは本にまとめて出版する計画を立てたが、ハーバード大学のある教授には「すごく短い本になるだろうね」と皮肉られた。そして、十あまりの出版社が、女性科学者など存在しないことは誰もが知っている、という理由で出版をはねつけた。

それにもかかわらず、一九八二年にロシターの三巻にわたる歴史書の一冊目、『米国の女性科学者(Women Scientists in America: Struggles and Strategies to 1940)』が出版され、これまで透明人間として扱われてきた女性科学者たちの存在が記録され始めたのである。私たち女性科学者は、この本を読んで自分が一人ぼっちではないことに気づいた。重要な研究を行った女性は過去連綿と存在しており、私たちは彼女たちの後継者だったのだ。ロシターは科学の世界を広げ、新しい研究分野を創設したことにより、マッカーサー財団の「天才助成金」を獲得して、コーネル大学の主任教授になった。

◆◆◆

これから、私の科学者としての人生を、人間的な側面から語ってゆく。男性支配の世界、女性はいないも同然の扱いを受ける世界に女性が入っていったとき、どのようなことが起こるかを話そう。そこでは、今日でも、高度な科学研究を行う能力はY染色体に書き込まれていると男女問わず多くの人が信じていて、同等の経歴ならば女性より男性の方が有能とみなされる。男性科学者は高いポジションにつくほど女性研究者の教育をしたがらなくなり、大学はこうしたエリート男性の研究室から若手教員を採用する。そんな世界の話だ。

しかし、初めに言っておくが、延々と不満を書き連ねているわけではない。私はほぼ六十年間にわたり自分自身の研究室をもっていたし、科学への道を阻んだ男性もいたが、助けてくれた男性はその6倍いた。それにもかかわらず、科学の世界は今も変わらず非常に保守的で、部外者——あらゆるタイプの女性、アフリカ系アメリカ人の男性、ラテン系アメリカ人、それ以外の非白人、移民、ＬＧＢＴＱ（性的マイノリティ）、障害のある人、あるいは白人男性の天才のステレオタイプにあてはまらないすべての人——を拒絶する力を持つ男性（と一部の女性）に牛耳られている。

科学は過去を捨てきれずにいる組織だ。そして、「もっと多くの女性を科学界に招き入れなければならない」という言葉を聞くたび、それが心からの善意で発せられたとしても、いら立ちを感じる。女性に科学への興味をもたせる必要などまったくなかったのだ。私が見てきたどの場所にも、すなわち、夫の研究室で、または男性の同僚の研究室で、医学博物館や図書館で、政府機関で、あるいは職位の低い教育職でひっそりと働く、いない者として扱われる女性たちがいた。科学者になりたいと願う有能な女性たちは、つねに存在していたのだ。

しかし、女性を受け入れようとしない男性権力者も少数だがつねにいた。数十年経った今でも、才能のある女性たちが情熱を追いかけるのを自分が阻んでいるとは毛ほども思ってもいない男性たちがいる。

そこで、この本では、女性科学者に機会の扉を開くためにこれからやるべきこと、女性たちが自分の力でそうした扉を開けるにはどうしたらいいかについて、いくつか提案をする。なぜなら、敵対する勢力にもめげずに女性たちが声を上げれば、私たちはやり遂げることができるからだ。私たちはやり遂げなければならない。安全保障、経済力、社会の安定は、世界のすべての国の運命であり、私たち全員の肩にかかっているのだから。

1　女の子はだめ！

一九五六年五月のうららかな春の日。私は、ハンサムな婚約者と二人で、パデュー大学のキャンパスを歩いていた。彼、ジャック・コルウェルはドイツから帰還して大学院卒業をめざす身長一メートル八十八センチの元米国兵士。数週間前に初めてデートしたとき、私たちは二ヵ月後に結婚することに決めた。それは嵐のような激しいロマンスだった！　もちろん、当時はそれを知るよしもなかったが、私たちの結婚式は、その後六十二年間の幸せな結婚生活の始まりとなるのだった。

そんな時だった。私たちはヘンリー・コフラー教授にばったり出会った。

コフラー教授は小柄だが、大学の実力者であり、精力的な生物学研究者だった。同僚たちでさえ、特に近くに寄ってきて話しかけられたりすると、畏縮してしまうことがある。学部生がコフラー教授と話をするのは容易ではないので、私はこの偶然の機会を利用して、道端で彼に嬉しいニュースを伝えることにした。「婚約者のジャックが化学の修士号を取得する間、私は医学部進学を延期して大学院で細菌学を専攻することにしました。それにはフェローシップ〔訳注：奨学金〕が必要なのです」と。

しかしコフラーは「女子学生にフェローシップを与えるような無駄はしない」とさも当然といった口ぶりで言った。

この発言の不当さとそのそっけない言い方に私はがっかりしたが、すぐにそれは怒りに変わった。経済的支援がなければ、研究を続けることはできない。しかし、私がどれほど狼狽《ろうばい》しているのかをコフラーに知らしめて、彼を喜ばせるつもりはなかった。彼は私には科学者としての未来がないと考えているようだった。よし、それなら、と私は自分に言い聞かせた。「彼が間違っていることを、ぜったいに証明してみせる」

◆◆◆

私の両親はイタリアからの移民だった。父、ルイ・ロッシは、マサチューセッツ州ビバリー・ファームの建設会社の石工兼景観現場監督だった。父はボストン北部のウォーターフロントの広い地所に、テニスコート、スイミングプール、防波堤、さらには馬術用の障害飛越競走場まで建設した。父がイタリアで高校教育を受けるには、ローマカトリックの神学校に入学し、聖職者となるための修業をするしか道がなかった。叙階《じょかい》される時がくると、父はすぐさま町を飛び出し、アメリカ合衆国行きの船に乗った。その後、洗礼、結婚式、葬式を除いて、二度と教会に足を踏み入れることはなかった。父は子供たちに自分の日曜日の仕事は夕食をつくることだと言っていた。母のルイサ・ディパルマ・ロッシは、ローマ近郊の小さな町の小学校を卒業したが、上の学校へ進むことは許されず、おばのキャンドルショップで働くようになった。母は父とイタリアで結婚し、父が米国に渡ってから数年後に母もこちらに移ってきた。私たちを教会に連れて行ったのは母だった。

大恐慌の間、父は三千ドルの現金を枕カバーに詰めて、夫婦のベッドの下に隠しておき、大胆にも、良い学校のあるヤンキー地区〔訳注：ニューイングランド出身者が多く、言葉や保守性の面でその気質が色濃い地域〕のビバリーに三つのベッドルームがある家を購入した。ビバリーは一六二六年にイギリス人の入植者によってつくられた湾岸の町だったが、二十世紀初頭には、多くのイタリア系移民がその地域の建設業や製靴工場などで働くようになっていた。当時はイタリア系アメリカ人にとっては苦難の時代だった。それより数年前に出された連邦政府の報告書は、「特定の種類の犯罪性がイタリア系人種に内在している」と警告しており、一方、人気の週刊誌サタデー・イブニング・ポストは、「米国が、南欧や東欧出身の奇妙で風変りな雑種民族を締め出さなければ、米国市民はやがて矮小《わいしょう》化されて、雑種化していくだろう」と論じた。私の父が米国に到着して間もなく、一九二四年の移民法により、これ以上のイタリア人の入国が制限された。私が誕生する一年前にプリンストン大学で行われた白人男子学生を対象とした調査では、イタリア人はイスラム教徒のトルコ人とアフリカ系アメリカ人に次いで、米国で三番目に不快な民族グループに挙げられた。

そういうわけで、私たちカトリック教徒の大家族が、素敵なヤンキー地区のビバリー・コーブの新しい家に引っ越した夜、玄関のドアがノックされた。父がドアを開けると、そこには市議会議員が立っていた。彼は自己紹介をし、「この地域を代表して来ました」と言った。住民たちは、私たち一家がここから引っ越すならば、父が払った頭金の返済を誓約する請願書に署名したという。「私はこの家を買ったのです。すでに支払いは全額すませています」と父は答えてドアを閉めた。私、リタ・バーバラ・ロッシは、その三年後の一九三四年十一月二十三日に、マサチューセッツ州ビバリーのコーニングストリート一一三番地のこの家で生まれたのだった。

私の両親は、合計八人の子供を持つことになる。八人には、一九一八年のインフルエンザの流行で亡くなった女の子と、私の直前に生まれて（母はその出産後、産後うつになった）二歳になる前に肺炎で亡くなった男の子が含まれる。私は生き残った子のうちの五番目の子供だった。弟と私が学校に入学した後、母は地元の工場で働き始めた。

母と父は献身的な親だったが、当時、女の子に対しては伝統的なしつけをするのが当たり前だった。放課後、姉たちと私は家の中でベッドメイキングや家事をしなければならなかったが、兄弟たちは屋外の雑用をした。兄弟たちはよく口げんかをしていたが、私の話などまったくとりあってもらえないのは不公平だと感じていた。人形の乳母車なんか好きではなかったけれど、兄弟が勝手に乳母車を分解してゴーカートを作り、さらにそのゴーカートやリンカーン・ログ〔訳注：木製の組み立ておもちゃ〕で私が遊ぶのを許してくれないのはずるいと思っていた。さらに、日曜日の夕食に親戚の家を訪ねると、兄や弟は羽根の頭飾りやおもちゃのトマホークなどの贈り物をもらうのに、姉たちと私は皿洗いや後片付けをさせられるのも不満だった。五歳のときにはすでに、いつの日かぜったいに逃げ道を見つけると心に誓っていた。「今は文句を言えないけど、永遠にここにとどまるつもりはない」と。

子供の頃、世間知らずの私は、隣人たちは中流階級だと思っていた。後になってようやく、彼らのほとんどが労働者階級であることに気づいた。警察官、市職員、大きなお屋敷の管理人、公立学校の暖房炉を管理する用務員とその夫を「エンジニア」と呼ぶ彼の妻などだ。ほとんどの夫婦は子供が二人か三人しかおらず、妻たちは私の母に話しかけることはなく、自分たちのパーティーに招待することもなかった。彼らが受け入れなかったのは私の母だけではなかった。父は前庭に花を植え、裏庭で果樹や野菜、鶏やウサギを育てていた。しかし、父が私道にディナープレートくらいの大きさのダリアを植えたとき、隣人たちは鼻をフンと鳴らした。ゼラニウムならＯＫだが、ダリアはだめというわけだ。一番上の姉のマリーの同級生は、お下がりを着ていることで姉をあざ笑い、放課後のプライベートな「クラブ」に姉を呼ばなかった。二番目の姉のヨランダは絵が得意で、ある同級生にお絵かき教室に招待されたことがあったが、その同級生の母親は「うちにはイタリア人は入れません」と言ってヨランダを追い返した。このように傷つけられることが起こったときはいつでも、父は私たちにこう言ったものだった。「怒っちゃだめだぞ。しっかりとした良い教育を受けなさい。彼らがおまえたちから奪うことができない唯一のものは、おまえたちの頭の中にあるものだ」。私はまだ幼かったけれど、この言葉になるほどと思った。

幸いなことに、子供の可能性を見いだしてくれる人はかなりいて、隣に住んでいたエマ・ボーデン夫人が私の必要としていた隠れ家を提供してくれた。ボーデン夫人の家の前を通りかかると、夫人はよく窓をこんこんと叩いて言うのだった。「タピオカプディングをつくったの。入っていらっしゃいな、一緒にジグソーパズルをしましょう」。ボーデン夫人の側でパズルをしているうちに、私が一生懸命に理解しようとしている人生の不当さは巨大なジグソーパズルのように見え始めた。年をとるにつれて、私は科学もこのように見るようになった。自然はパズルのピースを差し出し、科学者たちはそれらのピースをどのように組み合わせたら意味のある絵ができるのかを考えるのだ。そして、誰かがパズルを解くことができるなら、私にも絶対できるはず。十分に粘り強ければ、ばらばらでつながりがないように見えたピースの意味を理解することさえできるだろう。この姿勢、つまりあきらめないことが、科学者になってからだけでなく、私が科学者になるのにも役立つことになる。

ボーデン夫人のほかに、エイミー・ストリリー先生も私の味方だった。十二歳になるまで、教室が四つだけの学校に通っていたが、ストリリー先生はそこの校長だった。学校ではしょっちゅう試験があり、六年生のときに、おそらくIQテストだったと思われる試験を受けた。その後すぐに、校長室に呼ばれたので、私は心の底からおびえた。校長室に呼ばれるのは何か悪いことをして退学させられるときだけだ。そっと校長室のドアを閉めると、ストリリー先生は私に指を振った。「リタ・ロッシ」と先生は言った。「あなたには果たさなければならない務めがあります。あなたはこのテストで最高点をとりました。大学に行かなければなりませんよ」。私はとても怖かったので、どんなことでも約束しかねなかった。実際、「はい、わかりました、そうします」と答えた。とにかく、早く校長室から逃げ出したい一心だった。しかし、ストリリー先生はそこで終わりにはしなかった。父は、外国語の授業として校長先生の夜の英語のクラスを受けていたので、先生は父にも同じことを話した。ストリリー先生の言葉は、その後の年月に、しばしば私の支えになってくれたのだった。

　この町の子供たちは夏休みの間、自由にのびのびと過ごした。家事を終えて、お弁当を持ち、外に遊びに行く。暗くなり始めてようやく、夕食に間に合うように駆け足で家に帰るのだった。今日のように家の前のビーチを囲う人は誰もいなかったので、愛犬のニッピーとビバリー・コーブの入り江に沿って長い散歩をした。また、町の素晴らしい公共図書館で本をむさぼるように読んだ。学年度中、マーガレット・マリー先生は四年生の教室にたくさんの本を置いてくれて、四冊読むごとに一冊もらえた。私は言葉が好きだったので、最初にもらった本は『ロジェ類語辞典』だった。

　夏の間、自由に過ごせたので、友達も自由に選ぶことができた。ユーモアのセンスがあって、機知に富んでいて、創造力豊かで、興味深いことについて語り合える子が好きだった。服や見た目のことばかり気にして時間を費やす子たちはあまり好きではなかった。いつの間にか、ビバリーの線路の両側に住む子たちと仲良くなっていた。ジューンの母親は看護師として働いていたが、父親はいかれている、とジューンは言っていた。毎週日曜日に教会には行くが、あとのほとんどの時間は酔っぱらっているからだ。ジューンの家を訪れれば、十分な食べ物があるとは限らないことは誰の目にも明らかだった。

ジューンと私は近くの小川でカエルを捕まえたり、お小遣いをためて土曜日の昼間の割引上映で映画を見たりした。もう一人の親友ジーンは、いわゆる婚外子で、シングルマザーの母親は、シルバニア社の照明器具工場の生産ラインで身を粉にして働いていた。ジーンと私は図書館で本を読み、人生とクラシック音楽について時を忘れて語り合った。彼女はのちにニューヨーク・フィルハーモニック管弦楽団のチェロ奏者と結婚した。

私の人生が一変したのは十五歳のときだった。一九五〇年三月二十九日の夜、五十一歳だった私の母は胸に痛みを感じた。イタリアの歌を歌いながらアイロンをかけ、バス停で友達に私の通知表を見せびらかす母。ぎゅっと抱きしめたくなるほど大好きな母だった。父と私が母をかかりつけ医のレナード・F・ボックス先生の診療所に連れて行くと、先生は母に家に帰って休むように言った。一九五〇年代には、心臓発作を起こした男性に対する標準的な治療は病院での絶対安静だった。だが当時、女性が心臓発作を起こすとは考えられていなかったのだ。

翌朝、私はいつものように学校に行った。帰宅すると、母は洗濯を終えて、私たちに昼食を用意し、椅子に腰かけて私の帰りを待っていた。しばらくおしゃべりをしていると、突然、母はひどい痛みに襲われ、横になった。ボックス先生に電話をかけると、アヘン剤であるパレゴリックを飲ませるよう言われた。私は自転車に飛び乗って一キロ半ほど離れたドラッグストアまで走り、パレゴリックを手に入れ、風のように戻ってきた。私がいない間に、母は必死に父と兄弟に電話をかけようとしていた。携帯電話が普及するのはまだ数十年先のことで、母は放課後アルバイトをしていた兄一人にしか連絡できなかった。兄は急いで家に戻り、母の死に目に会うことができたが、私は間に合わなかった。

いま思うと、ボックス先生は、私の母が換気の悪い工場で靴を接着していたことによる肺気腫のせいで苦しんでいるだけだと考えていたのではないかと思う。もしボックス先生が、母の心臓発作に気づいたとしても、一九五〇年には母を救う手立てはなかったかもしれない。それでも、私はボックス先生に三時ごろに電話をかけ、先生が六時ごろに現れるまで待った。そこで先生が行ったのは母の死を宣言することだけだった。また、教区司祭であるマクナマラ神父も待たなければならなかった。マクナマラ神父が到着したとき、私は悲しみに打ちひしがれて一人で座っていた。「立ちなさい」と神父様は言った。「これを乗り越えるのです」。父は悲しみ、何も言わなかった。私たち子供には話す相手はなく、家族のほかに私たちを支えてくれる人もいなかった。母が亡くなったときに一緒にいた兄は、ショックのせいで何日も寝込んでしまった。もうやめた、今日から私はカトリック教徒をやめる。科学研究者か医師になって、母が得られなかった医療を貧しく無力な人々に提供するのだ、と私は心に誓った。

高校生活が始まり、私は自分の怒りをあらわにするか、それを飲み込むかのどちらかにしようと決心した。友達の多くが自分で自分のニックネームを決めていたので、ずっと嫌いだったリタという名前をやめて、リッキーと称し、明るく元気な女子高生のふりをすることにした。女子バスケットボール代表チームでプレーすることも、怒りをいくらか和らげた。身長は百六十三センチしかなかったが、闘志満々だった。三年後、私は卒業アルバムに「最高のスポーツ選手」「やるべきことをリタはぜったいやってのける」と書かれていた。けれども一番そのときの私を表していたのは、「大学に行き、『大学の化学研究者』になりたい」という言葉だった。

二人の兄は米国陸軍と米国沿岸警備隊で技師になるための教育を受けたが、姉のマリーは、家族の世話をする役目を負わされた。姉は看護師になりたかったのだが、母は、「秘書になりなさい、秘書なら一日中立っている必要がないから」と反対した。数年後、マリーは大学の夜間部に通い、学士号を取得することになる。六歳年上の二番目の姉、皮肉屋でひょうきんなヨランダは、幼い頃からずっと私の味方だった。ヨランダは芸術家になりたかった。それならいい。両親はラファエロとミケランジェロを崇拝していた。ところが、母は友人から、芸術家はヌードを研究するのよと警告された。そのためヨランダは美術の教師にならざるをえなかったが、制作活動も続けた。やがて彼女の並外れた才能が証明され、世界中の一流のアートギャラリーで版画や絵画が展示されている。そして私はストリリー先生との約束を果たした。

母が亡くなった後、おせっかい焼きのおばのブリジダが、頼まれも望まれもしないのに、毎週やってくるようになった。洗濯を手伝ったり、私が大学に行きたがっていることについて父に文句を言ったりするためだ。若い女性は家にいるか、秘書学校に通うものだというのがおばにとっての常識。ある日、おばがわめき散らしているのを聞いてしまった。おばが帰った後、私はおずおずと父に近づき、「私、本当に大学に行きたいの」と言った。

「もちろん、おまえは大学に行くのさ」と父は答えた。「なあ、私はこれまでおばさんの言うことを聞いたことがないだろう。なぜ今になって、言うことを聞かにゃならんのだ？」。数年後、私が一冊目の本を出版したとき、父はその本を居間のコーヒーテーブルの上に飾った。

高校の最終学年に大学の出願書類について調べたところ、科学者になるには、科学の教師からの素晴らしい推薦状が必要だということがわかった。しかし、その頃はまだ「だめだめ、女子は科学者にはなれない」と言われた時代だった。私の兄や弟は高校で、野球やサッカーをしたり、車の修理を学んだり、技術工作の授業をとったり、流木で電気ランプを作ったりできた。私はタイピングと料理を学ばなければならなかった。生物の教師は、女子に科学を教えるよりもサッカーのコーチをする方が好きだと公言していた。物理の教師は、自分のクラスに女子がいることを嫌い、私の知る限り、彼の教員生活全体を通して教えた女子はたった一人だった（それは私ではない）。化学の教師は私のために推薦状を書くことを拒否し、そして後で知ったことだが、私の女友達の何人かも断られた。「女子には化学は無理だ」と先生は当然のことのように言った。私はそれを私個人に向けたメッセージと受け取ったが、先生はただ、当時あたり前だと思われていたことを述べたにすぎなかったのかもしれない。その二十年後でも、米国の約四千人の大学化学教員のうち、女性はわずか四十名。全体の約一％にすぎなかった。

高校の科学教育から女子を締め出す姿勢は、ビバリー高校に限ったことではなかった。宇宙望遠鏡計画で重要な役割を果たし、「ハッブルの母」と呼ばれる天文学者のナンシー・ローマンは、高校の指導教師に、五年目のラテン語ではなく二年目の代数をとる許可を求めたときのことを思い出す。「先生は私を蔑んだ目で見て冷笑し、『淑女がラテン語の代わりに数学をとるなどということはありえません』と言った」。その時代の成績上位の高校卒業生で大学に進学しなかった者の九十七〜九十九％が女子だったのも不思議ではない。私は当時まだ初心《うぶ》で、こういうことの中に隠れた偏見に、あるいは人類の才能が無駄にされていることに、気づいていなかった。ただ、目先の問題を何とかすることだけを考えていた。結局、女性に、私の英語の教師に、助けを求めたのだった。彼女の推薦状で、私は女性を受け入れるニューイングランドのいくつかの大学に出願した。

それらの大学のうち、スミス大学は経済的支援をまったく提供せず、ラドクリフ大学は千二百ドルの授業料に対して八百ドルしか提供しなかった。ラドクリフに行くなら、実家に住み、アルバイトをして、ケンブリッジまで毎日往復数時間電車に乗って通学しなければならなかっただろう。また、ラドクリフはハーバードの「姉妹大学」だったにもかかわらず、ラドクリフの学生を含む女性は、ハーバード大学の学部生向けのラモント図書館を使用できなかった。

この頃までに、私の家族は社会での地位を確立しつつあった。父は日雇い労働者から現場監督になり、そのあと自分の建設会社を興して社長となった。ヘンリー・カボット・ロッジ・ジュニア上院議員（父はひそかに「ヘンリー・キャベツ・ロッジ」と呼んでいた）のような裕福で政治的に力のある顧客を抱えていた。私にとって最も重要だったのは、姉のヨランダがインディアナ州にあるパデュー大学のフルブライト奨学生だった物理学者と結婚しており、姉も同大で美術を教えていたことだった。ヨランダは私の高校が知っているべきなのに知らなかったことを知っていた。パデュー大学の工学部は全米一の規模で、学長は優秀な理系学生の獲得に熱心だということを。姉は私に出願を勧めてくれた。パデュー大学が部屋代、食事代、教科書代を含めた奨学金を提供してくれ、ビバリーから出ることができるとわかったので、私はパデューに決めた。ハーバード大学卒の歴史の教師は、中西部の公立大学の工学部のためにアイビーリーグ〔訳注：米国北東部の名門私立八大学〕のラドクリフを蹴るなんて信じられない様子だった。しかし、私はその決断を後悔したことはない。

◆◆◆

私はボストン地区の外に出たことがなかったが、一九五二年の秋にインディアナ州ウェストラファイエットで電車を降りたとき、目に入ったのは、父親の仕事を思い出させる大規模な建設現場だった。連邦政府は、パデュー大学のような公立大学を洗練された研究センターに変えていた。米国は、原子物理学、レーダー、電子工学、コンピューターなど、ヨーロッパでの科学的発見の助けを借りて第二次世界大戦に勝利することができた。そこで議会と軍は、外国のノウハウに依存せず、これからは自力でいくことを望んでいた。パデュー大学には四千八百万ドル（今日の約五億ドルに相当）の建設費が与えられ、また、多くの退役軍人が大学に通うことを可能にした復員兵援護法（いわゆるGI《ジーアイ》法）によって、同大の学生数は二倍の九千人に膨れ上がった。何年かは、女子学生一人に対して九人以上の男子学生が在籍していた。

私が選んだ専攻は化学だったが、その学科での講義は主に農業に関するものだった。さらに、講堂に学生が三百五十人も入るので、早めに行って席をとらないと教授や黒板を見るには高倍率の双眼鏡が必要になるほど後ろになってしまう。少人数制の授業では学生は十五人くらいだったが、教員の多くはドイツ生まれの大学院生で、ドイツ語なまりが強くて私にはほとんど理解できなかった。それに、教員たちからデートに誘われるのも面倒だった。

ひどく落胆した私は、科学と医学の夢を捨てて、専攻を英文学に切り替えようかと考えた。できるだけ多くの文芸創作、詩、劇作の選択科目を受講した。それらの授業は、のちに八百編以上の科学論文を書いたり、学生の論文に手を入れたりする際に役立った。私は学生自治会に志願し、パデュー大学の二流の弁論部を強くするために活動に励んだ。弁論部では、議論に勝つための鍵は事実をなるべくたくさん集め、合理的な方法でそれらを整理することだと学んだ。けれど、実生活でその教訓を生かしていなかった。哲学の教授が私のレポートにBをつけ、授業にほとんど現れなかった花形クォーターバックにAを与えたとき、私は教授のオフィスに乗り込んで、自分はもっと良い成績に値すると力説し、授業ノートを教授室のゴミ箱に捨ててその場を去った。もちろん、教授は私の成績を変えたりはしなかった。怒りを抑えることができないと、相手は折れるどころかもっと頑《かたく》なになるだけだということがだんだんわかるようになった……そうはいっても、なかなかうまくはいかないものだ。

何よりもいら立ちを覚えたのは、科学に関する考えや意見を、男子学生に比べてまともにとりあってもらえないことだった。一九五三年、生物の遺伝暗号がＤＮＡに書き込まれていることが発見された。ある日私は、菌類遺伝学の教授に、「なぜＤＮＡを使って細菌や菌類などの微生物の種を決定しないのですか？」と尋ねた。現在、これは生物学では日常的に行われていることだが、そのときの教授の反応は、君の考えなどばかばかしくて話にならんというものだった。質問するために手を挙げても、授業で指名されることがめったにないのは、こういうことなのかと思った。

科学に携わっている女性からのアドバイスが必要だった。しかし、第二次世界大戦中の人手不足が解消されたいま、どの科学部門も女性教員はほぼ皆無で、わずかに残っていた女性もほとんどが立場が不安定で抗議できずにいた。科学助成金は男性の雇用機会を大幅に拡大していたが、女性の助教、准教授、ましてや教授はまれだった。プロローグに登場した歴史家のマーガレット・ウォルシュ・ロシターによれば、一九六〇年代は、男性科学者にとっては政府支援の黄金期だったが、女性科学者にとっては暗黒時代だった。

米国の研究所で働くほとんどの女性は修士号しか持っておらず、男性教授の助手として働いていた。性的な対象とされることは珍しいことではなかったが、まだ性的捕食、性的搾取といった言葉はなかった。著名な教授が妻と魅力的な学部生と三人婚の関係を築いており、さらに外国生まれのポスドクを誘惑していることを知ったとき、私は学部長に知らせるべきだと思った。男子学生は黙っているよう警告し、「みんな知っているんだ」と言った。「担当者は何もしやしないさ」。また、公にしようという女子学生もいなかったし、抗議するために団結することもなかった。ある晩遅く、マサチューセッツ州ウッズホールにある有名な海洋生物学研究所で、男性の大学院生が女性の同僚に襲いかかり、シャツを引き裂いて床に押し倒した。彼女は彼を押しのけて、なんとか逃げることができた。しかし、彼女はこのことを、他の大学院生や自分の指導教員や大学当局に訴えようと思いさえしなかった。やがてカリフォルニアのポモナ大学で生物学の教授になったローラ・L・メイズ・フープスは、数年後にようやくこの暴行について口を開いたが、彼女は、当時、他の女性に話したとしても、「ウインクとうなずきを返されるだけだっただろう」と語った。

パデュー大学でひとりぼっちだと感じていたのは、たぶんいろいろな点で本当にそうだったからだろう。大学のほとんどの女子学生は家政学または栄養学を専攻していた。生物学、植物学、遺伝学、細菌学はまだ「生命科学」として統合されていなかったため、私たちは分野ごとに分かれて仕事していた。動物学者と植物学者はそれぞれ別の建物で働き、さらに別の建物の地下にいる細菌学者との交流もなかった。また、女性が科学者として生きていけるのかどうかも私にはわからなかった。前述のように姉のヨランダは物理学者と結婚していて、彼や彼の友達は、きっとできると励ましてくれたが、彼らにそれを証明する確たる証拠があるわけではなかった。

◆◆◆

このとき、四人の女性科学者がすでに二十世紀後半の科学の基礎を築いていた。疾患の遺伝学研究、原子核の構造、DNA、いずれ「動く遺伝子（トランスポゾン）」として知られるようになるものの研究リーダーたちだ。しかし、四人のうち二人は、おそらく自分たちだけでは生計を立てることはできなかっただろう。

一人目はチェコ生まれのガーティ・ラドニッツ・コリである。彼女とオーストリア生まれの夫カールが米国に移住したとき、二人が一緒に働くことは米国では通例に反しており、カールのキャリアを台無しにするだろうと言われた。コリ夫妻はこの警告を無視し、私が中学生だった一九四七年に、細胞が栄養素をエネルギーに変換する仕組みを示した功績により、ノーベル生理学・医学賞を共同受賞した。夫が科学行政に携わるようになった後、ガーティは一人で研究を続け、セントルイスのワシントン大学医学部の自身の研究室でさらに六人のノーベル賞受賞者を育て、遺伝性疾患の遺伝学研究を開始した。しかし、ノーベル賞を受賞するまで、彼女は研究助手として働き、夫の給料の五分の一しかもらっていなかった。ガーティは、一九五七年に骨髄疾患で亡くなる数週間前まで研究室で働いていた。おそらく、研究生活の初期に実験でX線に被曝したことが疾患の原因だったのだろう。

もう一人はドイツで育ったマリア・ゲッパート・メイヤーで、原子核に関する現在の知識に貢献した。メイヤーはモテモテの美女でパーティーが大好きだった。まわりの男性たちよりもはるかに賢く、彼らの多くを魅了した。彼女はアメリカ人化学者に恋をし――彼がコンバーチブルを持っている町で唯一の男性だったからと言う人もいた――物理学研究者になる夢を抱いて彼と共に米国に渡った。それから三十年間、彼女は米国を代表する三つの大学で無給ボランティアとして働き、最終的には「ボランティア教授」に昇進した。彼女が一九六三年にノーベル物理学賞を受賞したとき、地元紙は「ラホーヤの母がノーベル賞を受賞」という見出しでこのニュースを報道した（今日、女性科学者についてそんなふうに書く人はだれもいないと思うかもしれないが、実はそうではない。通信衛星を軌道に打ち上げることができるようになったのは、ロケット科学者イボンヌ・ブリルが発明したロケット推進システムのおかげなのだが、二〇一三年にニューヨーク・タイムズ紙に掲載されたブリルの追悼記事は「彼女がつくるビーフストロガノフは絶品だった」という文章で始まるのである。料理をしない人にとって、ビーフストロガノフは最も簡単な家庭料理の一つであり、一九七〇年代には多くの働く女性が缶詰のビーフストロガノフを購入していた)。

残りの二人の女性科学者、バーバラ・マクリントックとロザリンド・フランクリンは未婚だったため、雇用しやすかったが、どちらも同じ男性、ジェームズ・ワトソンと衝突した。フランクリンがＤＮＡの構造と遺伝の分子基盤を自分一人で発見しようとしていたまさにその時、ワトソンは、彼女の許可なしに、あるいは彼女が知らないうちに、フランクリンが撮ったＤＮＡのコイル状構造を示す見事なＸ線写真を見る機会を得たのだった。ワトソンは、この写真のことを研究室のパートナーであるフランシス・クリックに話した。クリックには結晶構造解析の経験があった。クリックは、博士論文で研究したウマのヘモグロビンを思い出し、ＤＮＡの二本のコイル状の鎖が互いに反対方向に伸びていることに気づいた。ＤＮＡは二重らせんだったのだ。ワトソンが「発見の鍵となったのはフランクリンの写真だった」と公に認めたのはやっと、一九九九年になってからである。フランクリンは三十七歳で卵巣がんで亡くなった。ノーベル賞が死後に与えられることはないため、四年後にノーベル賞を受賞したのは、ワトソン、クリック、そしてもう一人のＤＮＡ専門家、モーリス・ウィルキンスだった。その後ベストセラーとなったワトソンの『二重らせん』では、きらめく機知とフランス仕込みの上品さを備えた驚くほど容姿端麗な女性であったフランクリンは、魅力のない無能な未婚女性として描かれていた。ワトソンにとって、女性の外見と年齢は重要だった。三十九歳のときにラドクリフ大学の二年生と結婚したワトソンは、友人たちに「十九歳がいまや私のもの」と書いたはがきを送った。二〇〇七年に女性の見た目がどうして重要かと尋ねられた彼は、「それは重要だからだ」と答えている。

バーバラ・マクリントックは、ミズーリ大学から、彼女の指導者が去ったら解雇すると宣告されたため、ミズーリ大学をやめて、ロングアイランドのコールド・スプリング・ハーバー研究所に移った。のちにワトソンがコールド・スプリング・ハーバーの所長になったとき、マクリントックは、ワトソンが自分のことを「長い間コールド・スプリング・ハーバーをうろついている老いぼれ」と呼んでいると友人から聞いた（ワトソンは、二〇〇七年にアフリカ系アメリカ人の知性についての不適切な発言をしたことにより、同研究所の名誉職を剥奪された）。カーネギー研究所からの助成金によって、マクリントックは財政的にワトソンのご機嫌をうかがう必要なく研究を続けることができた。そして、染色体は流動的で、動き、変化する、複雑に制御されたシステムであり、遺伝子はある染色体から別の染色体に移動することができるという革命的な発見をした。この発見は、当時どこでも高く評価されたわけではない。パデュー大学大学院でトマトの遺伝学の授業を担当していた教授は、「『動く遺伝子』説について話さなければならないが、この説を提唱した女性は頭がおかしいと考えられている」と言っていた。一九八三年に、マクリントックは八十一歳でその説に対してノーベル賞を授与された。その頃には、この説は事実として確立されていた。

これらの四人の女性はスターだったが、彼女たちのキャリアを見ても、私のような女性が科学者として生計を立てることができるとは思えなかった。存在するはずのない例外のように感じた。私はその時点で医学部に進むべきか、科学の博士号を取得すべきか迷っていた。科学を愛していたが、医師ならば経済的に自立できると同時に人々を助けることができるだろう。四年生のときにパデュー大学のブルセラ症研究室でアルバイトをしていたのだが、そこのテクニカルスタッフからアリス・キャサリン・エバンスの話を聞いた。エバンスは自活できただけでなく人々の命も救った細菌学者だった。

第一次世界大戦の少し前、エバンスは、低温殺菌されていない牛乳を飲んだり、感染した動物を扱ったりすると、ブルセラ症にかかる可能性があることを発見した。ブルセラ症は痛みを伴う慢性疾患で、波状熱またはマルタ熱とも呼ばれ、命にかかわる場合もある。エバンスが一九一七年にそれについて報告すると、医師、獣医師、乳業の代表者、およびその他の細菌学者から抗議の嵐が巻き起こった。エバンスは女性で、政府の公衆衛生研究所の職員で、博士号を持っていなかった。ウェールズから移民してきたペンシルベニア州の田舎の農家の娘だった彼女は、「大学に行く夢はお金がなかったために打ち砕かれた」と書いている。しかし、研究結果を疑う人々にとって、伝統的な学校教育を受けていないことよりも、彼女の性別のほうが大きな問題だった。もしエバンスの説が正しければ、男性がすでに発見をしていただろうとある男性研究者は言った。男性科学者たちが繰り返し彼女の研究結果を検証して初めて、彼女の説は医学界と乳業界に受け入れられた。何十年にもわたって、彼女の先駆的な科学研究は膨大な数の人命を救ってきた。そして今日、彼女の研究は二十世紀で最も重要な医学的発見の一つとされている（エバンスは、一九二八年に米国微生物学会の最初の女性会長となったが、皮肉なことに、彼女が研究したまさにその病気で入院していたために、会長就任式に出席することができなかったのである）。

私はまだ学生でしかなかったが、エバンスに親近感を覚えた。彼女の細菌への興味、忍耐力、そして公衆衛生における偉大な業績。ロールモデルという言葉を知るずっと前から、彼女は私のロールモデルとなった。

◆◆◆

意外にも、私は自分の居場所をデルタ・ガンマ女子学生寮で見つけた。寮のルームメイトの一人、マリリン・トリーシー・ミラー・フィッシュマンは、今でも私の親友だ。彼女はやがて著名な眼科医になり、小児の先天性眼疾患を治療し、世界中の外科医を育成した。私が大学三年生のとき、彼女は四年生で、卒業後の人生を視野に入れ、医学部に行こうか、それとも自然科学分野の博士号を取得するかを真剣に考えていた〔訳注：米国では四年制大学卒業後に医学部に進学する〕。私は、科学の授業は暗記ばかりだし、教室はぎゅうぎゅう詰めでがっかりよ、と打ち明けた。肉眼では見ることができない小さな生物を研究する細菌学に対して持っていた興味は、入門科目でかなり薄れてしまっていた。担当するもったいぶった教授の授業は退屈で、実験ときたらおそらく一九三〇年代にひな形がつくられて以来、毎年変更なしで使用されていた。「でも、決断を下す前に、パウエルソン教授の細菌学の授業を受けてみたら？素晴らしい先生よ」とマリリンは勧めてくれた。

ドロシー・メイ・パウエルソン准教授は、パデュー大学で——実際には全米で——科学分野の最高ランクにいる女性だった。一九六〇年まで、米国の上位二十の主要な研究大学において、科学分野で正教授として雇用されていた女性は二十九人のみで、各大学に一人か二人しかいなかった。パデュー大学で、パウエルソンは上級実験コースを教えていた。

今でも彼女の姿を思い浮かべることができる。ドロシー・パウエルソンは背が高くて美しい女性で、きらめく目ととても素敵な笑顔を持ち、物腰もやわらかかった。やや遠慮がちに、実験室で仕事を優雅にこなしていた。年齢はおそらく四十歳くらい、ジョージア大学で学士号と「ファイ・ベータ・カッパの鍵〔訳注：成績優秀者に与えられる〕」を取得し、ウィスコンシン大学の名門細菌学科で博士号を取得した、意思の固いフェミニストだった。授業は当時としては目新しい少人数制でざっくばらん。学生は六人から十人くらいで半数は女性だった。パウエルソンは各自に最高の状態の一〇〇〇倍の光学顕微鏡を割り当て、人間の腸内細菌である大腸菌のような一般的な細菌から、柄や芽を形成したり、とてつもない高温や低温で増殖する実に奇妙な細菌まで、当時知られていたほとんどすべての細菌種を見せた。「顕微鏡で覗《のぞ》いて――何が見えますか?」と彼女は私に尋ねた。レンズを通して見ると、微生物の優雅な世界と、そのすべての複雑な構造が、ほとんど奇跡のように目の前に現れた。顕微鏡下でうごめくそれらの小さな生物に私は魅了された。彼らは何者? 彼らは何をするの? 解くべきパズルはたくさんあり、私は夢中になった。すぐに専攻を細菌学に変えることに決め、一九五六年に学士号を取得して優秀な成績で卒業した。

パウエルソンから個人的なアドバイスを受けた記憶も、個人的な会話をしたという記憶もない。彼女がアコーディオンを演奏し、「あらゆるスポーツ」、スケッチ、ガーデニングが好きだったことを後で知った。しかし、当時、教授たちは学生よりもはるか高みにおり、学生が教授とおしゃべりしたりアドバイスを求めたりすることはなかった。しかし私にとって、パウエルソンという科学者が存在することを知っただけで十分だった。パウエルソンは、私が知るだれよりも多くの女性に影響を与え、微生物学分野へと導いた。こういうわけで、あの五月のうららかな日に、私はヘンリー・コフラー教授から、君には科学者としての未来はないと言われたのだった。

本当のところ私はコフラーが好きではなかったし、尊敬さえしていなかった。大学院生の友人たちは、男女問わず、コフラーが論文のテーマをころころ変えてしまうので、博士号を取得するのに十年くらいかかりそうだとこぼしていた。さらに悪いことに、コフラーは、ドロシー・パウエルソンをパデュー大学から追い出そうとしている男たちの一人だと言うのだ。パウエルソンの科学における経歴はコフラーと同じくらい際立っていて、パウエルソンはコフラーよりも高度な授業を教えていた。それなのに、コフラーは正教授に昇進し、パウエルソンは教授になれなかった。噂《うわさ》によると、パウエルソンは十分な助成金を得ていなかったらしい。彼女はカリフォルニアのスタンフォード研究所（現ＳＲＩインターナショナル）に移った。パウエルソンの死から二十年後の二〇〇八年に、スタンフォード大学の二人の男性研究者がある論文の冒頭で、彼らの研究を始めるきっかけとなったのはパウエルソンの研究だったと書いたが、それはたったの一文だった。

それでも私は、コフラー教授が、私が大学院で研究するために経済的支援を必要としていることを理解してくれるだろうと信じていた。私の両親と同じく彼も移民で、十代のときにオーストリアから単身で米国にやって来たのだ。同化して、名前をハインリッヒからヘンリーに変えた。コフラーは私がほぼすべての科目でAをとっていることを知っていた。彼ならきっとわかってくれるだろうと思っていた。

しかし、コフラーはわかってくれなかった。そして、別れ際にさらに一撃を加えた。「学位なんて無理だね。君の将来は、病院の産科病棟で母親になることしかないよ」。これでこの話はおしまいだというように。

私の隣で、ジャックが凍りつくのを感じた。彼は私がキャリアを築きたがっていることを知っていて、それを助けようと心に決めていた。心の中で怒りをたぎらせ（なので、コフラーは自分が私を押しつぶしたとは思わないだろう）、私は自分に誓った。私はぜったいに学位を取得すると。アドレナリンがみなぎり、頭をフル回転させて、なんとか戦略を立てようとした。私は三つの医学部に合格していたが、入学を延期できたので、パデュー大学に残って、ジャックが卒業するまでの間に修士号を取得することができるはずなのだ。ただ、コフラーがこの計画を邪魔するのではないかと不安だった。

そこで、信頼できる男性教授で、学部時代の指導教員だったアラン・バーディック遺伝学教授に相談した。私は、コフラーに言われたことを彼に話した。

アラン・バーディックは優れた、非常に示唆に富む科学者だったが、学内で力があるわけではなかった。私の話を聞いて彼は微笑み、私が生涯決して忘れない言葉を言ったのだ。「彼らの損失は私たちの利益だ」と。バーディックは続けて、実験用ショウジョウバエを管理する人が必要だと言い、リサーチ・アシスタントとして雇ってくれた。というわけで翌年は毎週、糖蜜と酵母とトウモロコシ粉を混ぜた甘いにおいのする餌を、バーディックのショウジョウバエに与えた。研究室に私を訪ねてきたジャックは、ショウジョウバエに寄生していたダニにかまれて、その後何時間もかゆみに悩まされた。私はダニには慣れてしまっていた。遺伝学は私の初恋の相手ではなかったが――初恋は細菌学だった――それでも皮肉なことに、私がアラン・バーディックの下で書いた遺伝学の論文が、私を二十一世紀へと見事に導いてくれたのだった。だが、それはまだまだ先の話だ。

コフラーはその後、マサチューセッツ大学アマースト校の総長となり、アリゾナ大学の人気学長になった。何年も後に、私に言ったことについて尋ねられたとき、彼は、女性に対する偏見はないと否定したものの、言ったことについては否定しなかった。「リタはぜったいに嘘をつかないと思うので、私はそれを否定しようとは思わない」と彼は言った。

修士論文を書き終えた後、ジャックと私は楽天的な気分でシアトルのワシントン大学に向かった。そこは、私たち二人を大学院生として迎え入れてくれる数少ない大学の一つだった。私はワシントン大学医学部に合格していたが、太平洋側北西部の合法的居住者になって一年経たないと入学を許可されなかった。そこで私は、代わりに生物学の博士課程に進むことにした。

科学の世界で女性が生きていくことに関しては知らないことだらけだったが、このとき女性科学者になるための一つ目の知恵を学んでいた。どこかに本物のヒーローは必ずいる。ただ、見つけるのが難しいだけなのだ。

2　ひとりぼっち　つぎはぎの教育

シアトルのワシントン大学に入学する各大学院生には、指導カウンセラーのような役割をする教員が割り当てられた。私の担当者はワイン醸造で博士号を取得した微生物学者だったが、ワイン醸造は私がやりたい研究課題ではなかった。

それでも私は、一九五八年九月、その微生物学者が、学位論文と将来のキャリアを導いてくれる博士課程指導者《メンター》に紹介してくれるのではないかという期待を胸に彼のオフィスを訪れた。まず自己紹介をし、パデュー大学の教授が、遺伝学者のハーシェル・ローマンの下で研究したらどうだろうと提案してくれたと話した。すると彼は表情をくもらせ、即座に態度が冷ややかになった。博士課程を始める前から、ひとりぼっちになってしまったのだった。

彼のオフィスを出てから、何人かの先輩大学院生に、何かまずいことをしてしまったのかと尋ねてみた。

「とんでもないことをしでかしたな」と彼らは言った。私は反目し合う二人の教授の間に挟まれてしまったのだった。二人はその後、関係を修復したが、この時点では、仇敵《きゅうてき》の間柄だった。

親切にもアラン・バーディックは私のためにハーシェル・ローマンに手紙を書いてくれていたので、私はローマンのオフィスを訪ね、彼の研究室に入ることを許可された。私は二学期間そこで働いたが、教授は男性の大学院生の研究や学位論文の指導はしても、女性のテクニカルスタッフや私にはぞんざいに指示を出すだけで、質問したり学問的な貢献をしたりするチャンスはまったくなかった。結局、ローマン教授のところで博士課程の研究をしつつ微生物学の大学院生でいることは制度的にも無理があることがわかったので、ローマンの研究室を去ることにした。しかし、博士課程の指導者がいなかったために、私のキャリアはスタートラインにすら立てていなかった。科学の世界で成功するには、才能と勤勉、そして優れた研究があれば十分だと思っていたが、おそらくそうではないことに気づき始めていた。

◆◆◆

科学系大学院の教授は全権力を握っていると言っておこう。学生を研究室に受け入れ、学生たちの研究に資金を提供し、奨学金を支払い、彼らの論文を承認する（または却下する）。これらは教授個人の考えに基づいて行われる。連邦政府からの助成金の出現により、自身の研究をより発展させてくれるであろう学生をとるようになり、女性は結婚して子供ができたら辞めるのだから、時間と費用をかけて教育するに値しないと考えられた。その結果、米国の大学には、公然と、臆面もなく、合法的に、学生のために二つの異なるコースが用意されていた。一つは男性用、もう一つは女性用だ。男子学生は博士号と素晴らしい仕事、研究費の大半を手に入れる。女子学生は修士号を取得し、男性が運営する科学研究所や医学研究所のテクニカルスタッフとして働けるようになる。幸運な女性は、大学で入門科目を教えることができたが、教授としてではなかった。

こうした閉鎖的なやり方は、仲間うちで適当に決められるものだった。私が博士課程に進む数年前に、ワシントン大学は遺伝学者を必要としていて、ある教授が、知りあいの植物遺伝学者たちに「だれか若手の男性研究者はいないか」と手紙を書いた。遺伝学における史上最高の巨人の一人であり、将来のノーベル賞受賞者であるバーバラ・マクリントック（前の章で紹介したのを覚えているだろう）は、その頃ミズーリ大学から結婚したら解雇すると言われて激怒し、大学を飛び出していた。「もちろん、この分野で世界最高の研究者はバーバラ・マクリントックだが、女だから雇えないのは残念だ」と一人の遺伝学者が学科長に言ったという。ミズーリ大学はマクリントックの代わりに、私をつらい目にあわせたハーシェル・ローマンを推薦し、ワシントン大学はよく調べもせずに彼を雇った。

もちろん、女性に対する差別は目新しいことではなかった。しかし、一九五〇年代から六〇年代におけるそのスケールは前例のないものだった。なぜなら、連邦政府の奨励により、大学を卒業するアメリカ人女性の数が二倍に膨れ上がっていたからだ。世界史上最大の社会的変化である職業の脱性別化が進行中だった。それでも、差別的な傾向を指摘したり、あるいは、そういう傾向を見つけても、それと戦おうとする女性はほとんどいなかった。

今回も大学院生たちが教えてくれたのだが、私以外にも、ワシントン大学の微生物学科でティーチング・アシスタントや実験助手として働きながら修士号を取得した四、五人の女性が、近年、博士課程から追い出されていた（全員が有能な学生で、他の大学に移った後、博士号または医学の学位を取得することに成功した）。マーガレット・A・ホールの『ワシントン大学における女性の歴史』によると、ある大学院生は、博士課程から不当に追い出されたとしてハーシェル・ローマンに対して法的措置をとると脅しさえした。私は法的手段をとろうとまでは考えていなかった。しかし、微生物学や遺伝学の教授たちの中で女性の大学院生、とりわけ、前の研究室を飛び出した女子大学院生をとろうとする人は一人もいないことだけはわかった。さらに、私は北西部に住んでからまだ丸一年経っていなかったので、ワシントン大学の医学部に入学することもできなかった。同医学部には入学許可をもらっていて、ティーチング・アシスタントとして医学生に遺伝学と細菌学を教えることができ、実際に教えてもいたのだが。

もしも前述のホールの論文を読むことができていたなら（一九八四年まで完成していなかったが）、ここシアトルで何が起こっているのか、もっとよく理解できただろう。当時、米国の大学の二割（プリンストン大学やジョージア工科大学などのトップクラスの大学）は、男性にしか博士号を授与していなかったので、ワシントン大学は女性が科学者になるのに良い場所のはずだった。しかし、ホールは自身が著した論文の中で、二十世紀の前半に、ワシントン大学の経営陣が「アップグレード」を試みて、教授陣を意図的に男性でかためたと書いている。私がワシントン大学に移ったときは、教授陣の八十五％が男性だった。女性科学者がいるのは家政学、看護学、女性体育などの「女性」分野に限定され、他の学部では女性は低賃金の「講師」のレベルを超えることはめったに許可されなかった。ホールと彼女の夫、同大学の著名な遺伝学者であるベンジャミン・D・ホールは、綿密に書かれた彼女の論文はみなの反感をかったと信じていた。彼女はどの大学にも教員として採用されなかった。彼女の夫は、女性運動のピーク時に書かれた彼女の論文のせいで、何人かの同僚との関係が悪くなったと述べた。

私を混乱させたのは、このようなワシントン大学の実状にかかわらず四人の女性科学者がワシントン大学で名をあげたことだった。そのうちの二人は、新しい、残念ながら短命だった教育ＴＶというテクノロジーのおかげで、外部からの支援を受けてそれを実現した。人類学科長のアーナ・ガンサーは、北西部のネイティブ・アメリカンの芸術を世界中に広め、ラジオ番組のレギュラーを務めたり「ミュージアム・チャット」というテレビ番組に出演したりもし、ワシントン州立大学人類学博物館を建てた。彼女には熱心なファンがついていたので、大学が彼女から館長の地位を剥奪しようとしたことで、州全体に及ぶスキャンダルとなった。海洋科学者のディキシー・リー・レイは、別の公共テレビ番組「アニマルズ・オブ・ザ・シーショア（海辺の動物たち）」の司会を務め、近隣の三角州を野生生物の保護区として保存した。彼女は権威あるグッゲンハイム奨学金を獲得し、米国国立科学財団（NSF）から海洋科学研究のために数百万ドルを獲得したが、大学の動物学科は発表論文が少ないという理由で、彼女の終身在職権《テニュア》を二度投票で却下した。レイが一九七六年にワシントン州知事に選出されたとき、ワシントン大学からの予算要求を冷たくあしらった。

他の二人の女性科学者は私の指導者になりうる専攻だったが、キャンパス内で非常に低いポジションにあったため、科学者としてのキャリア構築を導いてくれるとは思えなかった。ドラ・プリオール・ヘンリーはフジツボ研究の世界的専門家であり、ヘレン・リアボフ・ホワイトリーは大学のスター微生物学者だった。しかしどちらも、夫が大学の教授で、州の反縁故法と大学の規則により親族の雇用が禁じられていたため、「助手」だった。現代の反縁故主義の規則では、単に親族は親族を監督することはできないとしている。しかし、二十世紀のほとんどの期間、米国の大学では、ほぼすべて教授陣の妻に対して反縁故主義の規則を適用していた。兄弟、息子、甥は例外として扱われた。この規則は女性科学者にとって特に厳しかった。女性科学者の多くは当時も今も、科学者と結婚しているからだ。共通の興味をもち、研究で共に過ごす時間が長いのだから当然といえば当然だ。ワシントン州の反縁故法は特に厳格で、事務職、秘書、実験助手でない限り、妻が大学内で有給の仕事に就くことが禁じられていた。何人かの女性教員は同僚と結婚した後、解雇された。

ヘレン・ホワイトリーが低いポジションにいたことは、とりわけばかげていた。大学の上層部は毎年彼女のポジションを承認していたのだから。まず、微生物学科長が助手としての契約を更新するための書類に署名した。その後、その書類は医学部長に送られ、医学部長はそれに署名して学長に送った。学長も同様に署名し、承認のために理事会にまわした。さらに悪いことに、ホワイトリーと夫はこれを支援と感じ、誇りに思っていたのだ。幸いにも、私がワシントン大学で博士号を取得した直後の一九六五年に、ホワイトリーの人生は変わった。米国国立衛生研究所（ＮＩＨ）は、彼女にリサーチ・キャリア・デベロップメント賞を授与し、終身教授である場合に限り、彼女のこの先の給与の半分を支払うとしたからだ。大学は金を手に入れたがり、独自のルールを忘れて、すぐにホワイトリーを助手から、助教、准教授、最終的に正教授へと四段階、格上げした。ホワイトリーが、綿花とタバコを自然に耐虫性にする遺伝子をクローン化した後、彼女が米国科学アカデミーに選出されることは当然と思われていた。だが、そうはならなかった。噂《うわさ》ではアカデミーのメンバーの一人が彼女に反対投票をしたらしい。

ワシントン大学在学中、ヘレン・ホワイトリーに会いに行って博士課程の指導者になってもらうことは可能だっただろうか。いや、不可能だった。愛情あふれる夫のアーサーでさえ、妻を「厳格」と描写しており、妻は自分の助けにはならなかったことで女性運動を認めておらず、科学において本当に優れた女性は助けなど必要ないと信じていたと述べている。ホワイトリーは女性の大学院生を受け入れていなかった。ようやく二人の女子大学院生をとったのは亡くなる数年前だった。

実のところ、ヘレンとアーサー・ホワイトリーはどちらも厳格だった。子供がいなかったホワイトリー夫妻は、何年もの間、毎週金曜日に自宅で、三人の「独身」の教員と夕食をとるのを習慣にしていた。二人の男性とディキシー・リー・レイだ。まわりには、このグループを派閥と呼ぶ人たちもいた。しかし、レイが原子力発電の支持者として積極的に発言し始めると、アーサーはレイにもううちには来ないようにと言った。ヘレン・ホワイトリーは、私が助けを求められる相手ではなかった。

◆◆◆

結婚がキャリアの助けとなるのか、それとも妨げになるのかは予測できなかった。フリーダ・B・タウブは、私と一年ほど前後してワシントン大学に在籍するようになったが、彼女はすでに博士号を取得していた。ここシアトルに来るまでは、彼女にとって夫がいることが研究とキャリアに役立っていた。多くの学者は、自分の研究室に女性がいるとスキャンダルの種になるのではないかと恐れていた。女性の秘書やテクニカルスタッフならOKだが、女性科学者はだめなのだ。ニュージャージー州のラトガース大学で、タウブの博士課程指導者は、「君を採用したのは既婚者だからだ。それなら妻も反対しないだろうと思った」と彼女に告げた。また別の教授は、タウブがある講座で一週間の現地調査旅行に行かなければならなかったとき、彼女の夫に、「君が同行して付き添うなら、Aをやろう」と約束した。さらに別の教授は、彼女と委員会の共同委員長を務めることを拒否した。その教授の妻が二人が一緒に旅行することに反対したためだった。

しかしシアトルでは、結婚は明らかに重荷となった。ワシントン大学の何人かの学科長は、結婚していることを理由にタウブを雇うことを拒否した。彼女の夫は教授陣ではなかったにもかかわらず、だ(彼はボーイング社のシステムアナリストだった)。そして、雇用された後でも、専門職の女性に対する偏見がやむことはなかった。タウブは、シアトルで妻が職業を持つ夫妻が養子をとることを許可された最初の例となった。それ以前は、養母候補の女性は、子供が十八歳の誕生日を迎えるまで仕事を持たないと約束しなければならなかった。差別はすべて「かなりオープン」だった、と彼女はのちに語った。

「当時の女性はみな、自分が男社会の中にいて、大変なことになるだろうと覚悟していたので、わざわざそれについて話す意味はなかった。自分がどういう世界に入ろうとしているのかわかっていたから」

その結果、私たちは単独で行動した。女性たちが小さなグループをつくって一緒に活動したり、問題や成功を分かち合ったり、リスクを冒したり、自分たち自身を信じようしたりすることはなかった。サポートが必要であることはわかっていた。特に男性のサポートが必要だった。やがて私の博士号の指導教員になる、素晴らしく思いやりのある男性ジョン・リストンは、私だけでなくタウブともう一人ジョイス・C・ルーウィンを救った。誰も雇ってくれないときに、彼女たちに海洋学科と水産学科のポストを見つけてくれたのだ。ルーウィンは珪藻《けいそう》を専門とし、タウブは水生生物群集の生態学を研究していた。タウブは最終的には正教授になった。それから五十年以上経った二〇一九年にタウブがワシントン大学で講演を行ったとき、その男性教授は、彼女の結婚の日付と彼女の夫と子供たちについての素敵なコメントで彼女の紹介を始めた。うれしいことに変化は起きていた。ワシントン大学のその時の学長は女性で、タウブの話をビデオ撮影した水生生物水産学部は、その紹介部分を不適切と判断して削除した。

◆◆◆

ワシントン大学に移って間もなく、パデュー大学で心乱される出来事が起こっていると耳にするようになった。それらの出来事によって、科学における平等のための戦いは長く困難なものになると思い知らされた。そのうちの三つは、数十年にわたって少しずつ明るみにでてきたものだ。自分の母校で起こったことであり、私がもしそこにとどまっていたなら、自分にも似たようなことが降りかかった可能性があるので、その後の動向を知るためにつねに目を光らせていた。

最初の話は、ホロコーストを生き延びたアンナ・ホワイトハウス・ベルコビッツとヘンリー・コフラーの対決である。ヘンリー・コフラーは、私のフェローシップを却下してから三年後に、生物科学科長になった。これですべての生命科学分野は彼の管轄下におかれることになった。

アンナ・ベルコビッツが十三歳のとき、彼女の家族はドイツ人に逮捕されてアウシュビッツに送られた。そこから彼女はビルケナウに移送され、次にドイツのマクデブルク近くの強制労働収容所に送られ、そこでスウェーデン赤十字が彼女を解放するまで地下の弾薬工場で働かされた。戦争を生き延びたのは、アンナと姉妹の一人と母親だけだった。それ以後ずっと、ベルコビッツは生き残ったことを無駄にしてはならないと感じていた。彼女は無益な人生を送ることに我慢できなかった。夫が一九六二年にパデュー大学で希望していた職に就いたとき、彼女は博士号取得を目指して、二人の息子が学校に通っている間に授業を受け始めた。のちに、夫が英国で一年のサバティカル休暇〔訳注：定まった期間在職した者に長期休暇を付与する制度〕を過ごしたときには、彼女はユニバーシティ・カレッジ・ロンドンのゴールトン研究所で世界最先端の人類遺伝学プログラムに参加し、週五日、九時から五時まで、講義を受けた。

パデュー大学に戻った彼女は博士号取得のための研究を再開したが、最先端の遺伝学の知識を身に付けたことによって、コフラーの彼女に対する評価が変わった。コフラーは彼女をオフィスに呼んで、「君は博士号を取れないよ。英国で学んだ遺伝学を学生に教えなさい」と言った。彼女は自分自身でその研究がやりたかったのに、学科はその研究のやり方を他人に教えろと言うのだ。「でも、教えながら博士課程を修了することはできないでしょうか？」とベルコビッツは尋ねた。それはごく簡単なことに思えた。大戦後、難民のオペア〔訳注：外国の家庭に無料で滞在させてもらう代わりに家事手伝いなどをしながら言葉を学ぶ若い女性〕として二年間過ごしたので、英語は堪能で、高校、大学の卒業証書、および「ファイ・ベータ・カッパの鍵」も獲得していた。「多くの大学院生が博士課程にいながら教えています。だったら私だって？」と彼女はコフラーに言った。

コフラーはノーと言った。博士号を取得すれば、職はないよ、と。教員の妻は、同じ大学で職に就くことはできない。そしてコフラーからの推薦がなければ、どこか別の場所で仕事を得ることもできない。選択肢は二つ、博士号を取得して無職のままでいるか、学術界のはしごの一番下で博士号を持たずに教えるか、のどちらかだ。アンナの夫もユダヤ人だったので、一九六五年に彼が他の大学で良いポジションに就ける可能性は低かった。さらにこうも言われた。「きみの夫は別の学科の正教授だから、経済的な心配は無用じゃないか」

もちろん、実際には選択肢などないも同然で、彼女は博士号をあきらめた。それからの三十五年間、アンナ・ベルコビッツは遺伝学実験コースを運営し、十～十五の科目に四五〇～五〇〇人もの学生がいることもよくあった。彼女は新しいコースを設計し、学部内で最も授業時間数が多く、十六回ベスト・ティーチャー賞を受賞したが、一度も昇進することはなかった。その代わりに、専任講師という低いポジションで終身在職権（生涯契約）を与えられた。

ベルコビッツが二〇〇三年に七十三歳で引退したとき、学科の教員たちは晩餐会を開き、名誉講師の賞状を授与した。晩餐会でのスピーチで、彼女は、優れた仕事をしても決して昇進できないいら立たしさについて語った。そこで同僚たちは、彼女に名誉教授の称号を授与した。全キャリアを通して、彼女の給料が新しく雇われた男性または女性の助教の給料に近づいたことは一度もなかった。私が引退した後、大学は私の代わりに四人も雇ったのだとベルコビッツは言った。

パデュー大学発の不快な話その二は、バイオレット・ブッシュウィック・ハースに関するものだ。彼女の夫は、一九六二年にパデュー大学に一流の数学科をつくるために雇われた。二十一人の数学者を自由に雇う権限が与えられていたので、自分の希望する人なら誰でも雇うことができた。ただし、マサチューセッツ工科大学（ＭＩＴ）で数学の博士号を取得し、彼と同じくらい優れた数学者である彼の妻を除いて。幸いなことに、パデュー大学の反縁故主義の規則は緩かったので、夫が学部長を務めていた理学部では働くことができなかったものの、電気工学科の職に就くことができた。これは良い解決策のように思えたのだが、教員全員が男性である工学科は、彼女の採用にひどく憤慨していることが判明した。オフィススペースとして割り当てられたのは小さなクローゼットで、工学科全体で助成金を申請する場合にも、ハースだけが除外された。ハースが辞任すると脅すと、ようやく彼女は教授に昇進することができた。

ハースはパデュー大学で女性のために懸命に戦った。理工系分野の女性グループを結成し、毎月会合を開いて、実際の問題やこれから問題になりそうなことについて解決策を話し合った。アンナ・ベルコビッツは毎回会合に出席しており、ハースは問題が起こるといつもベルコビッツに相談していた。そして一九八三年、ハースは国立科学財団（ＮＳＦ）プログラムにより客員女性教授としてＭＩＴで一年間過ごした。そのときハースは履修登録の週にアダルト映画を上映したりする毎年恒例の男子学生の「伝統行事」のことを知り、抗議した。これにより、この伝統を終わらせることができたのである。

パデュー大学のあるインディアナ州ウェストラファイエットは、一九六〇年代には企業城下町だった。連邦高速道路と格安航空券が登場するまで、アンナ・ベルコビッツとバイオレット・ハースは、どんな仕事であれパデュー大学が提供する仕事に就くしかなかった。結婚や家庭生活を守るためには、パデュー大学を離れて他の場所で仕事を探すことができなかったのだ。

しかし、男性と女性が、結婚、子供、同じ分野での教授職のすべてを望んだとしたらどうだろうか。パデュー大学から漏れ聞こえてきた三番目の話は、私の友人で元クラスメートのJ・アルフレッド（アル）・チスコンと、彼の妻のマーサ・O・チスコンに関するものだ。二人とも生物学者で、優れた教師であり、彼らの革新的な授業は全国的に評価されていた。しかし、夫婦一緒に雇ってくれるところはパデュー大学以外になかった。ある日、テキサス大学からアルに電話がかかってきて、「うちでポストを一つ用意したいと考えています」と言われた。アルは「私たちのどちらに?」と尋ねた。テキサス大学からの答えは、「まあ、どちらでもいいのですが、給与は一人分しか払えません」だった。

チスコン夫妻は結婚するためにパデュー大学から許可を得なければならなかった。一九六九年、二人はヘンリー・コフラーに会いに行き、「私たちが結婚した場合、どちらか一人はもうここにいられなくなりますか?」と尋ねた。マーサは科学界の女性研究者についての全米初の講座を担当しており、学生たちから悲痛な話を聞いていた。科学の世界にとどまるために、何人かは結婚したい相手との結婚をあきらめていた。結婚したり子供を産んだりせずにパートナーと暮らしている人や、独身のままの人たちもいた。だが時代は変わりつつあった。女性運動は科学にまで広がっていて、より多くの女性がキャリアを追求する権利を要求していた。コフラーは政治的に目先がきき、譲歩しなければならない時期だと悟っていたのだろう。それで、チスコン夫妻は結婚することができ、三人の子供をもうけ、どちらも生物学の教授になり、生涯で六万五千人以上のパデュー大生を教えた。マーサはまた、理学部の副学部長にもなったが、その給与は男性副学部長よりも三万五千ドル少なかった。彼女が職を退いたとき、その後任として三人が雇われたが、それぞれの給与は彼女よりも多かった。

◆◆◆

私の場合、ワシントン大学では、パデュー大学でやる寸前までいったのと同じことをする以外に、前進する方法はなかった。科学をあきらめ、英文学の学位を取得することだ。私は十六世紀と十七世紀の英国の詩（形而上詩人たち）を研究する計画を立てた。まるで生態学への賛歌のように読める、アンドリュー・マーヴェルの詩「庭」に触発されたのだ。

The mind, that ocean where each kind,
Does straight its own resemblance find,
Yet it creates, transcending these,
Far other worlds, and other seas;
Annihilating all that's made,
To a green thought in a green shade.

心はあの大洋、陸上の種がことごとく
おのれに似た種を直ちに見出せるところだが、
心はこれら有象無象を超えて創造するのだ、
遥かに異なる他の世界、他の海を、
ありとあらゆる被造物を消去しては
緑の木蔭の緑の思想に変える。

『アンドルー・マーヴェル詩集』〔星野徹 編訳、思潮社〕より引用私はその詩の背後にある現代科学を探求したかった。五感の庭を、自然や人間の命に宿る心と魂、そして狭い縁どられた日陰以上のものを期待するやり方を理解したかった。しかし、頼るべき人のいない私には、そのようなチャンスはないように思えた。

欲求不満が積もりに積もって、ジャックにも辛く当たった。しかしすぐに、スコットランドの若手研究者が研究室を立ち上げるためにテクニカルスタッフを探しているという話を耳にした。彼はワシントン大学の水産学科にちょうど移ってきたばかりだった。私はお金が必要だったので、その仕事を引き受けた。彼が必要とする器具を選んで注文し、工事を監督し、テクニカルスタッフを雇う手伝いをした。父が建設プロジェクトを計画するのを見ていたので、どれも難しいことではなかった。数ヵ月で、スコットランド男のジョン・リストンは仕事を始める準備が整った。

リストンは、自発的に行動できる人物を気に入るたちだった。私が礼儀正しく（誠意をもって、と彼は思ったらしい）、自分がしている仕事について説明すると、彼はふふっと笑いさえした。ある日、彼は、「きみはぼくの助手なんかではもったいない、大学院生になるべきだ」と言った。

リストンは、海洋細菌学はまだ始まったばかりの分野で、広く門戸が開かれており、競争はほとんどないと語った。彼自身はおそらく世界で五、六人しかいない海洋細菌学者の一人だった。大学の水産学科は、魚の病気と腐敗の原因に関するリストンの研究によって州の鮭産業を支援したいと考えていた。しかし、スコットランドで生化学の厳しい教育を受けてきたリストンはすでに、海洋微生物学の博士号を提供する許可を交渉により得ていた。私はそのプログラムの最初の学生になる。リストンは、妻がスコットランド漁師から得た経験から、海洋学も漁業も「ハンター」タイプを引き付けるんだよと私に告げた。ワシントン大学は、海洋学科において女性に研究クルーズへの参加を許可する米国では数少ない大学の一つだったので、リストンは、機会があれば日帰りなら私を調査船に乗せると約束した（噂によると、初期の頃の学科長が、愛人を同伴したいがために、女性の乗船許可に関する規則を変更していたらしい）。

私はあまりに無知で、指導者《メンター》を持つことの価値、あるいは指導者《メンター》がどういう存在であるかすらほとんど知らなかった。女性科学者の中には孤独で無力な人もいれば、見下されている人もいることは知っていた。私は敬意を持って自分に接してくれて、細菌の遺伝学を学ばせてくれる博士課程の指導者を求めていた。さらに、大西洋岸で育った私のような人間にとって、海洋細菌は魅力的だった。私は自然環境で微生物を研究し、それらの生活環《ライフサイクル》と、さまざまな種が自然の網にどのように組み合わさってはまり込むのかを明らかにするだろう。私は即座にリストンの最初の博士課程の学生になりたいと意思を伝え、五回目、そしてほぼ最後の進路変更をした。これまで化学、英文学、細菌学、医学、遺伝学を勉強してきた。これからは、海洋学と、魚類、甲殻類、無脊椎動物などの海洋生物に関連する細菌を研究することになる。最初のうちは、魚の解剖をして腸内の微生物を研究する際に、背が足りない私は流しに届かないので箱の上に乗って作業しなければならず、それを水産学科の学生たち（すべて男性）に冷ややかされていたが、数ヵ月するうちに、彼らに負けない仕事ができるようになった。すると「頭の切れるやつ」と呼ばれるようになった。

リストンは素晴らしい指導者だった。熱意にあふれ、型破りで反骨精神を持つスコットランド人で、ほとんどの学生より十歳ほどしか年上でなかったため、彼の言葉どおり、「私たちは普通の人間同士のように交流することができた」。パーティーでは、スコッチを五杯飲んでも、しっかり立って「古きアバディーンのオーロラ」というスコットランドの歌を歌っていた。熱心なクリケット選手で、優れた科学者でもあった。座右の銘は「すべてのルールは破られるためにある」だ。

博士課程二年のある日曜日の早朝、リストンが電話をかけてきて、「具合が悪くなった。今週フィラデルフィアで開かれる微生物学会で講演する予定なんだが、病気でとても飛行機に乗れそうもない。きみが発表してくれよ。いずれにせよ、きみはその論文の共著者なんだから。飛行機の中でぼくの講演の草稿を読んだらいいよ」。というわけで、私はそのとおりにした。後で、彼はおそらく病気ではなかったのだと気づいた。学会で論文を発表したと履歴書に書けるよう、お膳立てしてくれたのだろう。

ジョン・リストンは女性に対してまったく偏見を持っていなかった。女性科学者の心強い支援者であったが、エミー・クラインバーガー＝ノーベルという名前の女性科学者に関しては面白おかしく話をするのが大好きだった。彼女は周囲（の男性）からは「ちょっと変わっている」と思われていた。ロンドン王立協会の会議に、スライドが詰まったブリーフケースを携えてやってきたものだ。彼女は、細胞壁のない細菌であるマイコプラズマに関する先駆的な研究を行っていた。強いドイツ語なまりの――彼女いわく「大陸風な」――英語で話しながら、次々にスライドを見せていく。クラインバーガー＝ノーベルは「ちょっと変わっている」と見なされていたかもしれないが、実はそうではなかった。ナチズムから逃れたユダヤ人難民であり、のちに回想録に次のように書いている。「もし、私の家族がナチスによってあれほど悲劇的な死を遂げなければ、私は英国で毎日を心から幸せに暮らしていただろう。しかし、もちろん、これを忘れることはできないし、忘れるべきではない。そして、無意識のうちにも、それはいつも私の心の奥底に存在する」。ナチの犠牲者であることに加えて、クラインバーガー＝ノーベルは性差別の犠牲者だった。リストンはよく、女性科学者がその洞察力を認められようとして、かえってひどい扱いを受ける悲劇について言及した。

◆◆◆

私が博士課程の研究を始めたとき、微生物学における主な目標は、私たちが種と呼んでいるものに細菌を分類することだった。伝統的な分類学者、特にラテン語とギリシャ語の複雑な科学命名法で訓練を受けた分類学者たちは、顕微鏡下での外観に従って付けられた、生物の種やグループの名前をめぐって論争したものだった。しかし、初期の微生物学で使われていた光学顕微鏡の下では多くの細菌がよく似て見えるため、これは難しい仕事だった。そこで私は、生化学的試験と生理学的試験も多用して、細菌が糖を発酵させたり、タンパク質を分解したり、極端な温度で成長したり代謝したりする能力を調べた。非常に多くの細菌種と菌株にこれらの試験を適用したため、これまで誰も発表したことがない微生物に関する膨大な量のデータを得ていた。その頃、ある英国の科学者が、コンピューターを使用して、共通する形態学的および生化学的特性に基づいて生物間の類似性を見つけ出し、それらの結果に基づいて植物と動物を分類していることを知り、私もワシントン大学初の「高速」コンピューターＩＢＭ６５０を試してみることにした。この驚異のコンピューターは、サイズは大型冷蔵庫三台分、ストレージ容量は電子レンジのマイクロプロセッサー一個分という代物で、大学の化学棟の屋上のあずまやに設置されていた。大学院生は深夜から午前六時までしかＩＢＭ６５０を使用できなかった。大学はまだコンピューター・プログラミングを教えていなかったが、夫の同僚でカナダ人ポスドクのジョージ・コンスタバリスは、化学産業で働いていたときにコンピューターを使用していたことがあり、親切にプログラミングを教えてくれた。私は機械言語を使用して、環境から分離された細菌を識別するための最初のプログラムを書き上げた。菌株ごとに別々のＩＢＭカードを打ち抜かなければならず、テクニカルスタッフの助けを借りずに、プログラムを実行するためにコンピューターのボードを配線した。

この研究に関する論文は、一九六一年に著名な学術誌ネイチャーに発表された。私はコンピューターの天才ではなかったが、コンピューターは単なる高次計算機ではないことはわかっていた。コンピューターは必ず科学に革命を起こすだろう。私の学位論文の合否を決定する教授たちは、コンピューターについてほとんど何も知らなかったので、私のソフトウェア・コードを論文に記載し、二枚のＩＢＭパンチカードを四十一ページに貼り付けた。大学の中で、このソフトウェアの特許を取得しようと考えた人はいなかった。私たちは公共の利益のために働いていた。私は自分が行っている科学研究に、心からわくわくしていた。

海洋細菌の同定などといった狭い分野のトピックに特化することの利点の一つは、おそらく、その分野の巨人たちと競争しなくてすむことだ。私の学位論文では、ある特定の細菌、自分で採集した試料から分離した緑膿菌《りょくのう》に焦点を当てる予定だった。緑膿菌は、水や土壌中によく見られる細菌で、抗生物質に対して危険なほど強い耐性があることが知られている。あるとき、当時一流の細菌学者で緑膿菌の権威であるロジャー・スタニエが、このテーマについてバークレーで講演するよう招いてくれた。私は海洋細菌への情熱を分かち合える人々と交流できるのを楽しみにしていた。しかし、私が話し始めて数分すると、スタニエは私をさえぎって話し始めた。最初は彼が本当に何か言いたいのだろうと思ったので、礼儀正しく彼が話し終わるのを待っていた。すると彼は私の結果を批判し始めたのである。私は講演を続けたが、混乱し、腹が立った。なぜ若い科学者に公然と嫌がらせをし、その研究を嘲笑するのか。それを理解するまでに何年もかかったが、今ならその理由がわかる。私は彼の学生ではなく、彼の研究室の一員でもなく、それなのに明らかに彼の専門である細菌に手を出したしたからだ。私が男子学生だったら同じ目にあっただろうか？　おそらくあわなかっただろう。批判したとしてももっと建設的で、実際にのちの研究に役に立つような発言をした可能性が高い。

学会などで再びスタニエに対面する可能性を無視できなかった。全国的な場で批判されれば、私のキャリアは危機に瀕するだろう。私は研究対象を他の微生物に変えて、彼の邪魔をしないことに決め、六度目の専門分野の変更を行った。振り返ってみると、スタニエは私にものすごく良いことをしてくれたのだ。彼のおかげで、私は研究テーマをビブリオ菌に切り替えたのだから。ビブリオ菌は、特に沿岸部や海の表層水など、水生環境で最もよく見られる細菌の仲間だ。一部のビブリオ菌は人間にとって非常に危険な病原菌であり、大変興味深いことが判明した。

分野を変えることは科学者のキャリアにとって望ましいことではないとされていたが、私はそのおかげで、ある分野の興味深いアイデアを別の分野に適用するやり方を学んだ。たとえば、酵母の遺伝学やショウジョウバエから学んだ技術を、海洋微生物の遺伝学や生態学の研究に応用することができた。それはパッチワークのようなつぎはぎの教育だったが、自然界の仕組みを大局的に見るやり方を学ぶことができた。結果、私は分子微生物生態学者になり、当時はほとんど耳にすることがなかった、ホリスティック・サイエンス〔訳注〕や学際的共同研究の推進者になった。絶望の苦い経験から始まった研究プロジェクトは、私がこれまでに行った中で最高の決断の一つになった。その決断により、五十年後のいま、私は生命科学で最もホットと考えられているマイクロバイオーム（微生物叢《そう》）という分野で活発に研究を続けていられるのだ。マイクロバイオームとは、人間の腸、食物、川や海の水など、とにかく特定の環境中にあるすべての微生物の遺伝物質を調べる研究だ。

最終的に、海洋生物に生息する細菌に関する私の論文は、微生物学科や海洋学科ではなく、水産学部によって承認された。「些細《ささい》なことにこだわる奴らだ」とリストンは言った。私は、水産学科、海洋学科、医学科の融通の利かないお偉方が何と言おうと、リストンの海洋微生物学の博士号プログラムに所属していたのだ。

◆◆◆

ジャックと私が博士課程を修了したとき、ジャックは、化学物理学のポスドク研修にはオタワにあるカナダ国立研究機構が一番だろうと言われた。私たち二人はそこでのポスドク研修を申請し、どちらも採用の手紙を受け取って喜んでいた。しかし、しばらくして、私は二通目の手紙を受け取った。今度の手紙は研究機構の学科長ノーマン・E・ギボンズからで、いい知らせではなかった。反縁故主義の規則により、ジャックと私の両方にポスドクのフェローシップを授与することはできないと書かれていた。国立研究機構は夫が収入を得るべきだと決めてかかってはいなかったが、私はすぐに悟った。結局のところ、ジャックはそのような手紙を受け取っていなかったのだ。

またしても、私は動揺し、失望した。しかし、今回の挫折では、キャリアの早い段階で経験したこととは異なり、科学をあきらめようとは思わなかった。私を含むある種の人にとって、科学は想像しうる

〔訳注〕ホリスティック（holistic）という言葉は、ギリシャ語で「全体性」を意味する「ホロス（*holos*）」を語源とし、body–mind–spirit をまとめて人間と見る医学観に基づく。狭義には、アロマセラピー、リフレクソロジー、タラソテラピーなど、補完・代替療法の分野を指すこともあるが、より広い意味では、ホリスティック・サイエンスは、ライフサイエンスやバイオテクノロジーに関する科学と技術の進展をはかり、これにより人や地球にやさしいバイオ駆動型の社会を目指す学術領域を包括している。

限り最もエキサイティングな専門的な取り組みだ。女性たちが科学の扉をノックするのは（実際には、どんどんと大きな音を立てて叩くのは）、実験室や野外で研究を行い、発見をし、新しい原理を学び、自然がどのように働くのかを解き明かすのが好きだからだ。プリンストン大学の学長になった最初の女性で、最初の生物学者であるシャーリー・M・ティルマンは、その気持ちをうまく表現している。「私の最初の大きな発見は、文字どおり電撃的だった」と彼女は書いている。「心臓が激しく鼓動し、後頭部の髪の毛が逆立った」続けて彼女はこう述べた。「何物も、私が科学者になるのを妨げることはできなかった」。私も同じように感じていた。しかし、研究室がなければ、科学者として働くことができない。

しかしすぐにオタワから三通目の手紙が届いた。今回の手紙ではギボンズはいい知らせをもたらした。ギボンズたちは、増殖と代謝に塩を必要とする細菌を研究していた。私が研究していたのは主に塩水に棲む細菌だった。そこで親切で寛大なギボンズは私に無料の実験室スペースを喜んで提供し、器具や倉庫の試薬を自由に使っていいと申し出てくれた。

ギボンズからの手紙をジョン・リストンに見せると、彼はすぐに「仕事」に取り掛かった（いまにして思えば、リストンが私のためにギボンズに話をつけてくれたのだろう。二人は友人同士だった）。リストンは見事な官僚的手腕で、私たち二人のために国立科学財団（ＮＳＦ）の研究助成金を申請してくれ、寛大にも当時二十六歳だった私を共同研究者として指名してくれたのだ。次に、私をリサーチ・アシスタントに任命するようワシントン大学の学部長を説得し、さらに休職扱いでオタワで働けるようにしてくれた。一九六〇年代に女性科学者を失職させないために必要な管理上の裏工作の鮮やかな例だった（指導者としての素晴らしさは言うまでもなく）。これは一九六一年のことで、ＤＮＡの構造は私がまだ大学生だった六年前に解明されたばかりであり、コンピューターを使った海洋細菌の遺伝学研究は新しい分野だった。その後十年から十五年間、私はＮＳＦから継続的に資金提供を受けて海洋細菌間の進化的関係を研究する唯一の微生物学者となる。ジャックと私はカナダで新しい生活を始めることにとても興奮していたので、修了証書を受け取るのも忘れて車でシアトルを出発した。

オタワでは、ＮＳＦの助成金により、実験の実施と試薬の準備を手伝ってくれるテクニカルスタッフを雇うことができた。私は、マーガレット・ブリッグス・ゴッホナウアーを雇った。ゴッホナウアーは私よりも十六歳年上で、高等教育上の学位と経験は私よりも格上だった。デパートで働いて生活を支えていたシングルマザーに一人っ子として育てられたゴッホナウアーは、重度の失読症にもかかわらず、カリフォルニアのサンノゼ州立大学を卒業し、マサチューセッツ州のウッズホール海洋研究所とカリフォルニア州のホプキンズ臨海実験所で夏の調査を行った。彼女は、科学研究と子供たちがたくさんいる家庭の両方を手に入れたいと考え、一九五〇年に夫のトーマスと結婚した。スタンフォード大学の修士論文で、彼女は二種の雌雄同体の線虫（のちに彼女の名前にちなんで *Rhabditis briggsae* と *Caenorhabditis briggsae* と名付けられた）を発見し、その生活環を説明した。

ゴッホナウアー夫妻はウィスコンシン大学に移り、夫のトーマスはそこでミツバチの研究で博士号を取ろうとしていた。しかし、彼女が見つけることができた指導教員はエリザベス・マッコイだけだった。これは問題だった。マッコイは既婚女性は妊娠すると辞めてしまう人が多すぎるから、既婚者を教育することは時間の無駄だと信じていた。そこで、ゴッホナウアーは結婚していることを秘密にして、学位を取得した。

私が出会った頃、彼女は職探しに必死だった。案の定、三人の子供がいることが大学側に知れるとクビになったのだ。私の助成金は米国からのものであり、カナダの反縁故主義の規則に抵触しなかったので、彼女を雇うことができた。というわけで、北米の反縁故主義の犠牲者二人が、私の小さな研究室で一緒に楽しく働き始めた。私の頭の中では、ビブリオ菌は水中で生き、繁殖する海洋生物だという考え方が固まりつつあった。のちに私のキャリアの中心となるコレラ菌もビブリオ菌の仲間だ。私がオタワを離れた後、ゴッホナウアーは二度と長期的な研究職を確保することができなかった。彼女も、才能があるにもかかわらず過小評価された女性科学者の一人だった。

ポスドク研究者となって二年目、長女のアリソンを身ごもった。ある日、研究室を共同で使用していた、とても親切な微生物学者ドン・クシュナーが私に尋ねた。「妊娠したんだね。手伝ってくれる人は決まっているの?」。私は産休をとるつもりはなかった。当時、産休を申請した場合は、永久休暇が与えられただろう。しかし、ジャックと私は人を雇うことも考えていなかった。幸いなことに、クシュナーは育児の手配に関してベテランで、彼と教授職の妻(将来は大学の学長になる)の間には、三人の男の子がいた。彼は自分の家の家政婦の友人であるキット・ゴッドソンを推薦してくれた。ある日、このイギリス人女性は小さなノートを携えて面接に現れ、「いつ朝食を召し上がりますか? お子様のためのご夫妻の計画は?」など、大邸宅の女主人に尋ねるような質問をした。ゴッドソンの母親は彼女が十六歳のときに亡くなり、父親が再婚したとき、新しい妻はゴッドソンと幼児を含む六人の子供を家から追い出した。ゴッドソンは一番下の子の面倒を見て、他のきょうだいたちは仕事を見つけた。きょうだいたちが全員独立してから、彼女はプロの乳母になった。彼女は私たちを7年間支えてくれた。ジャックと私がキャリアと普通の家庭生活を持つことができたのはみんなキット・ゴッドソンのおかげだった。二人の娘たちはミス・キットが大好きで、引退して英国に帰ってからは、私たち家族は彼女が亡くなるまでほぼ毎年夏に彼女に会いに行った。

◆◆◆

オタワでのジャックのフェローシップが終了しつつあり、私は米国微生物学会の年次総会に出席した。今もそうだが、年次総会は科学会議であると同時に、若い科学者のための就職説明会でもあり、私は長期雇用のポジションを探していた。そこで、友人で研究仲間のオレゴン州立大学のディック・モリタに偶然出会った。彼にどこかに空いているポジションを知らないかと尋ねたところ、掲示板に貼られた小さな通知を指差した。「ジョージタウン大学の新たに就任した生物学科長が微生物学の中心的教員メンバーを募集している」。その学科長はモリタの友人だった。

私はこの話に興味をもった。ジョージタウン大学はワシントンDCにあり、ジャックはそこの国立標準局（現在は国立標準技術研究所）で物理学のポジションを得たばかりだった。会議が行われていたホテルのロビーで、ジョージタウン大学の生物学科長のジョージ・チャップマンに会った。彼は切羽詰まっていた。学長から、学科の規模を二倍にし、大学院プログラムを立ち上げて研究を開始し、そしてもちろん、助成金の獲得は必須であり、すべてを一年以内に行うこと、と厳命されていた。私は彼に、自分は助成金を持っていて、何編か論文を発表しており、さらに何編か論文が書けるデータもあると話した。彼はその場で私にポストを提供してくれた。私たちは握手をし、それで完了。面接も客演講義もなし。モリタが私の身元保証人になったのだった。

私は十年をかけて博士課程とポスドクのフェローシップを終えるつもりだったが、八年でそれをやり遂げた。準備は整った——と私は思った。ジョージタウン大学はイエズス会系で、一九六九年まで男女共学ではなかった。私は元カトリック教徒で、生物学科で唯一の女性教員だった。しかし、チャップマンもジョージタウン大学の学長も気にしなかった。チャップマンの雇った人のほとんどは熱心なカトリック教徒ではなかったし、彼は強い女性に慣れていた。夫を亡くした彼の母親は奉公人として働いて息子をプリンストン大学に進ませた。若くしてハーバード大学の教員になったとき、彼はサラ・P・ギブスという女子学生を大学院生として採用した。彼女の最初の指導教員は、彼女に十年後どうしていたいかと尋ねた。「先生の研究室にいたいです」と答えると、指導教員は博士号を取るという夢はあきらめるようにと助言して、彼女をクビにした。「代わりに、高校のカリキュラムか生物学入門科目を教える準備をしたらどうだね」。翌日、ギブスはチャップマンのオフィスを訪れ、チャップマンは博士課程の学生として彼女を受け入れることを承諾した。ギブスはのちにモントリオールのマギル大学の教授になった。

チャップマンは親切で思いやりのある上司だった。私が、「夫のジャックはヨットレースが好きで、週末は研究室へ行かず一緒にヨットに乗ってほしいと言うんです」と話すと、彼は「行きたまえ。ジャックを幸せにしてやれよ」と答えた。一九六五年、私が次女のステイシーを出産したとき、チャップマンは病院に見舞いに来てくれた。だが、本当のことを言うと、敬愛するわが上司には、実験のために胎盤を回収するという目的もあったのだ。

ジョージタウン大学の生物学科は、ほぼ十年にわたり、私を心地よい繭の中に包みこんでくれた。研究を発表している限り、物議をかもす科学理論が私のキャリアに影響を与える可能性を心配する必要はなかった。自然の仕組みを自分で自由に「解明する」ことができた。ハーバード大学やカリフォルニア工科大学にいたら、精力的な男性研究者たちと競争しなければならなかっただろうし、つねに知的合戦に対処しなければならなかっただろう。ジョージタウン大学では、生物学科の教員の半数は、生物学科が学生を教える以外にほとんど何もしていなかった頃からいる人々だった。「古い保守派」のある教員は、生物種を分析するために私がコンピューター・ソフトウェアを作成していることは「単なる機械作業」だと批判した。彼は、コンピューター・プログラミングには数学と抽象的な推論が必要なことを知らなかった。

二人の幼い娘がいて、夫も仕事で忙しかったため、かつて学者にとって通例だった一年間のサバティカル休暇をとることができなかった。その代わりに、私は一、二週間ずつ、国内外の研究室を訪ねて、共同研究者を探したり、最新の開発のニュースを学生たちに持ち帰ったりした。子供たちが待っているので、観光に余分な時間をさいたことはなかった。一度、ジャックと私が両方とも学会で二週間不在だったとき、ミス・キットが生後六ヵ月のアリソンを連れて空港まで迎えにきてくれたことがあった。私は両手を広げて娘を抱こうとしたが、娘は私にもジャックにも抱きつかなかった。ミス・キットのほうがよかったのだ。ひどいショックを受けた私は、それ以後、旅行をなるべく短く、数日程度に制限することにした。また、娘たちは大きくなると私の旅行日数を集計し、半年も家を空けていると主張した。私はぜったいそれは違うと抗議した。しかし、二人はカレンダーに印をつけていた。半年とまではいかなかったが、かなり近かった。私は再び、はっとさせられ、それからは旅行を短くし、どうしても仕事に必要なものだけに限定することにした。

私が参加した多くの学会やワークショップはほぼ男性だけで占められていて、この分野に女性がほとんどいないため、共同研究者も大半が男性だった。数年後、西海岸の（男性の）競争相手は、私を「場慣れした若い女性」と覚えていて、「彼女のたくらみは多くの男性を説得して共同研究者にすることだった」と言った。とはいえ、すべてうまくいったわけではない。ジョン・リストンと米国微生物学会の会議のためにシカゴに行ったときのこと、私たちは一流の微生物学者であるエイナー・レイフソンと夕食を共にした。レイフソンはテーブルの向こうから、みんなに聞こえる大声で私に向かって言った。「旦那さんは、きみが今どこにいるか知っているかね？　家で子づくりでもしていればいいのに」。私は最新の最高倍率の電子顕微鏡を使用してビブリオ菌の構造を調べた論文を発表したばかりだった。レイフソンは我慢できずにこう述べた。「お嬢さん、細菌を同定するのに電子顕微鏡など使えないのだよ。人間の目と脳を使わねばならないのだ」。彼は、細菌を見る唯一の方法は、自分が開発した染色法を用いて、昔ながらの光学顕微鏡で観察することだと言った。

しかし、そのような粗探しは、助成金を失うことに比べれば深刻な問題ではなかった。私はその頃、米国食品医薬品局（ＦＤＡ）に詳細な助成金提案を提出し、食用魚介類の安全性に関連する微生物の研究を継続するために、三十万ドルから五十万ドル（当時としては多額）を請求していた。提案に対する審査結果はきわめて良好で、ＦＤＡは現場訪問のために四人のチーム（当時はそれが一般的だった）を派遣してきた。四人のうちの一人は、シアトルから飛行機でやってきたジョン・リストンだった。もう一人は、マサチューセッツ大学アマースト校から来た。私は彼らに、二人の大学院生、卒論を書いている二人の大学生、そして二人のテクニカルスタッフで混み合っているジョージタウン大学の研究室を見せた。私はまだ女子用トイレを改造して研究室のスペースを広げる許可を得ていなかった。視察団は私とほぼ丸二日を過ごした。私はプレゼンテーションを行い、方法や作業計画についての通常どおりの質問を受けた。うまくいったと思っていたが、その後、視察チームが助成金申請を却下したという知らせを受けた。リストンが電話で、マサチューセッツ大学アマースト校の教授が反対したのだと説明した。

視察団の他のメンバーは彼と議論したが、意見を変えさせることができず、私の提案を不採択とするしかなかったのだった。一番痛烈だったのは、その教授が反対の理由を言わなかったとリストンから聞いたことだった。彼はただ女性の科学者が好きではなかっただけなのだ。振り返ってみると、個人的な理由で若い人のキャリアアップが妨げられることがたくさん起こっていたと私は確信している。サイエンス誌の最初の女性編集者であり、米国科学アカデミーの最初の女性会長である地球物理学者のマーシャ・K・マクナットは、最近ハーバード大学の博士号を取得した若い女性が、自身の博士論文の研究について講演を行った後に、議長が即座に「いま発表された結果はだれもがあり得ないことだとわかっているので、質問を受け付けません。では、次の発表者に移ります」と述べたことが忘れられないという。

ジャックと二人の素晴らしい子供たちがいなければ、とうてい私の助成金申請がＦＤＡに却下されるというこの理不尽な出来事を乗り越えることはできなかった。週末を家族で過ごし、ヨットレースをしたり、チェサピーク・オハイオ運河沿いの引き船道をハイキングしたり、家からポトマック川の向こう岸に巣をつくっているワシを観察したりした。ジャックや娘たちとの時間が私の心を静め、幸せにしてくれた。

これは一九六〇年代のことだった。私はジョージタウン大学生物学科の唯一の女性であり、ワシントンＤＣ地域の微生物学教授のポストは多くなかった。近くのジョンズ・ホプキンズ大学の科学系学部には二人の女性しかいなかった。私が自分の教授職を保持することができる唯一の方法は、多数の論文を発表し、私の研究が正確で再現可能であることを実証することだった。それでも、資金がなければ、批判してくる人々が間違っていることを証明するのは難しい。

その時までに、六人の大学院生と数人の大学生インターンが私の研究室に加わっていたので、研究助手を雇うことにした。ジャニー・ロビンソンは、私より十歳年上のアフリカ系アメリカ人女性で、背は三十センチも高かった。ロビンソンは研究棟の管理人で、私たちの研究に魅了され、空いた時間に研究室にやってくるようになった。私が研究助手の募集を告知したとき、彼女は自分も応募できるかどうかきいてきた。「もちろんよ」と私は答えた。

私の研究室マネージャーであるベティ・ラブレースの指導を受けたロビンソンは、優れたテクニカルスタッフとなった。ロビンソンは、染色用の色素を使用して微生物の形や正体を明らかにする方法を学んだ。寒天やゼラチン培地の入ったシャーレで微生物を何年も維持する方法を学んだ。高圧と蒸気を組み合わせて器具を滅菌するオートクレーブという装置を操作する方法を学んだ。ロビンソンは私たちの門番役として、引退するまで二十年間私の研究室で働いてくれた。

◆◆◆

ジョージタウン大学には秘められた風潮があり、私はそれを不快に思っていた。私が働き始めたばかりの頃に、若い女性を博士課程の学生として受け入れていたら、私とその学生両方の評判が下がっていたことだろう。若い男子学生も指導しているという事実は無視して、私が二流の科学者であり、女子学生しか引き付けることができないと考える人もいただろう。同様に、その女子学生もまた、男性教員に指導してもらえるほど優秀ではないという烙印《らくいん》を押されただろう。私がまだ新参者だった頃にジョージタウン大学で公式に指導した唯一の女性大学院生ミニー・R・ソチャードは、すでに熟練した科学者であったが、その能力を正当に評価されていなかった。ソチャードは、『タンパク質のアミノ酸配列と構造のアトラス、一九五四〜六五年（Atlas of Protein Sequence and Structure, 1954–65）』の著者だった。この本はタンパク質アミノ酸配列の最初のコンピューターベースのコレクションであり、多くの生物学者によって研究に利用されていた。私は非公式にアートリス・バレンティン・ベイダーも指導した。ベイダーは、国立衛生研究所（ＮＩＨ）ですでに研究を行っていた才能あるアフリカ系アメリカ人の女性科学者で、博士号を取得するために休暇をとっていた。彼女は私と同年齢でジョージ・チャップマンが指導する博士課程の学生だったが、私は彼女の博士論文を承認した委員会のメンバーだった。私はベイダーにジョージタウン大学での常勤のポストを受け入れるように説得を試みたが、彼女はＮＩＨにとどまることを希望した。のちに多くの女性たちが生物学科の博士課程に受け入れられるようになり、ＮＩＨや他の大学、そしてさまざまな企業で卓越した仕事をするようになったことは、ジョージタウン大学の功績である。

一九七一年、ジョージタウン大学の終身雇用教員として七年間働いた後、私は正教授に昇進する予定だった。イエズス会の司祭である同僚の教員もそうなるはずだった。問題が起こるとは予想していなかった。チャップマンは教員の会議で公に、私はこの学科の最も生産的なメンバーだと述べていたし、私はジョージタウン大学に来てから三年という短い期間で終身在職権付きの准教授になっていた。助成金は学術的名声の普遍的な通貨であり、私は米国海軍、ＮＳＦ、ＮＩＨ、（そしてまもなく微生物生態学研究のために米国環境保護庁からも）総額で百万ドル以上の資金を得ていた。私には豊富なデータ、研究、そして必要とされる論文があった。

要するに、チャップマンのオフィスに呼ばれて、残念なニュースがあると言われたとき、心の準備がまったくできていなかったのである。「今年、きみを昇進させることはできそうもない、イエズス会の司祭が昇進し、きみは来年昇進できるよう推薦する」とチャップマンは言った。精力的な仕事、才能、そしてデータに裏打ちされた新しいアイデア――将来を保証してくれると信じていたものすべて――だけでは十分ではなかったのだ。

そうこうしているうちに、私の研究室に入りたいという学生が増えていたが、彼らを迎え入れるスペースがなかった。ジョージタウンよりもっと大きな研究科ならば、広いスペースと設備を提供してくれるだろう。先に進む潮時だと私は思った。

ジャックの仕事のために、私はワシントン地域にとどまらなければならなかった。この地域で最も著名な研究大学であるボルチモアのジョンズ・ホプキンズ大学は、まだ男女共学ではなく、一九六〇年代のすべてのアイビーリーグの大学の例にもれず、女性の教員をほとんど雇用していなかった。一方、近くにあるメリーランド大学は、男女共学で新進気鋭であり、歴史的に定評のある微生物学科があり、研究を行うには理想的なキャンパスとなりそうだった。そこで同大の信頼できる研究者仲間に電話して、「カレッジパークのメインキャンパスに空きはないかしら?」と尋ねた。

「ちょうど電話してくるとは、実に興味深い」と彼は言った。「きみの専門分野の微生物学教授が、今年退職なんだよ」

3 女性同士の連帯が必要

私が喜んでメリーランド大学に移る少し前、同大の優秀な非常勤講師が、ポストの空きが七つあったにもかかわらず採用を見送られた。彼女は、同僚の男性臨床心理学者に、なぜ私はそのうちのたった一つにさえ候補者として考慮されなかったのだろうと尋ねた。

「仕方ないさ。きみは女にしては強すぎるんだよ」と彼は言った。

その夜、バーニス・R・〝バニー〟・サンドラーが自宅で泣いていると、「その学科には、強い男はだれもいないのか？」と夫がつぶやいた。

「みんな強いわよ」と彼女は答えた。

ということは問題はバニーではなかったのだ。弁護士の夫が、「それは、性差別だよ」と言った。もしその学科が弱い男ばかりで、彼女だけが強いとしたら、彼女の強さが拒絶されるだろう。だが、みんなが強いなら、強さのせいで拒絶されているのではない。女性だから反対されているのだ。

この「性差別だ」というシンプルな一言がきっかけとなって、科学界の女性たちの長い旅が始まった。女性同士の連帯を築き、データで武装し、阻止するには手遅れになる時点まで誰にも気づかれないようにこっそりと、目の前の障壁を一つずつ取り除いていったのだ。私たちがこの使命を達成するために、バニー・サンドラーと一人の女性議員が手を差し伸べてくれることになる。

議会は、一九六三年の同一賃金法と一九六四年の公民権法の同一労働同一賃金規定から、ホワイトカラーの専門職を除外していた。しかし、その三年後、リンドン・B・ジョンソン大統領は、連邦政府の請負業者が雇用の際に女性を差別することを禁止する大統領令一一三七五を発した。サンドラーは、この問題に関して調べているとき、この大統領令の脚注に目を留めた。「学者はね、脚注を読むんです。だから最後までページをめくって脚注を読んだのです」と彼女は言った。そこで彼女は自分のような女性たちが前進するための道を見つけた。メリーランド大学（および連邦政府から助成を受けているすべての研究大学）は、連邦政府の資金を受けることで、連邦政府の請負業者になっていたのだ。「まさに『ユーレカ（発見）』の瞬間でした。実際に声に出して叫んでしまいましたよ」

サンドラーは、教育機関の経済的・法的問題に焦点を当てるオハイオ州の小さな団体「女性エクイティアクション連盟」と協力して、メリーランド大学をはじめとする二百五十の米国の大学に対して集団訴訟を起こした。全米の女性たちから送られてきた雇用、終身在職権の決定、昇進、給与における偏見の証拠に基づいて、多くの訴訟を起こしたのである。サンドラーはこれらの訴訟のいくつかで勝利するが、ジョンソンの大統領令には強制力がなかったため、せっかくの勝利も手放しには喜べなかった。違反した大学に課される罰則や不公平を是正するための手続きはなかったからだ。幸運にも、話はそこで終わりにはならなかった。

雇用における差別の問題は静かに議会へと移っていった。オレゴン州選出の民主党議員で、元教師のエディス・グリーンは、教育における女性の平等に強い関心を抱いていた。年功を積んで下院教育小委員会の委員長を務めるまでになったグリーンは、学問における性差別について公聴会を開いた。次にグリーンは巧妙な手を打った。のちに「タイトルナイン（Title IX）」として知られることになる法案を議会で通したのだ。これは非常にひそかに行われたので、ほぼ誰も――これに票を投じた男性も、この法律に従う教育機関も――何が起こっているのかわかっていなかった。

グリーンは水面下で自らの軍団を組織し、サンドラーを雇って学問の世界での男女差別についてスタッフに指導させ、その一方で、好意的な連邦政府の専門家、労働省のヴィンセント・マカルーソからこっそり戦略のアドバイスをもらった。同じく労働省のモラグ・シムチャックは、誰も読む気を起こさない恐ろしく専門的な修正案を起草した。サンドラーは、「シムチャックは一度、修正案の作成を行っていることを上司に報告したが、再度報告する必要はないと感じた」と皮肉まじりに報告している。数ヵ月後、グリーンは下院の同僚に自分のしていることの意味を悟らせずに、シムチャックの短い文書（連邦政府の援助を受けるあらゆる教育プログラムにおける性差別を禁止するという内容）を、のちに一九七二年教育改正法となるものの中に潜り込ませた。この一節が法案に盛り込まれると、グリーンは女性団体のリーダーたちに、タイトルナインの実行を求めるロビー活動をしないよう命じた。男性議員にその重要性を気づかせたくなかったからだ。そうして、タイトルナインの本当の意味を迂闊《うかつ》にもよく理解しないまま、議会は、教育における女性差別を違法とし、それによって女性たちは、個々に職を維持するために大学を訴え、終身在職権や雇用の決定に抗議し、同一賃金を要求できる力を手に入れたのだった。

大学の体育系は、一九七二年の教育改正法を「非常にマイナーな法案」と考えていた、とサンドラーはのちに説明する。「スポーツ」という言葉が含まれてさえいなかった。一ヵ月後、ウォールストリート・ジャーナル紙のジョナサン・スピバックが、巧みに控えめな見出しで、その真相を伝えた。「性差別条項で論争に火がつくかもしれない」

連邦政府からの資金援助が途絶えることを危惧した大学の弁護士は、すぐに手っ取り早い解決策を講じた。教員の妻を雇うことを禁じる旧来の反縁故主義の規則は、親族が親族を監督することを禁じる現代的な禁止令に取って代わった。ほぼ一夜にして、助手から教授へと三段階も昇進した一流の科学者が何人かいる。その中には、前章に登場したパデュー大学工学科の優秀な数学者バイオレット・B・ハース、ワシントン大学のフジツボ専門家ドラ・プリオール・ヘンリー、そしてハーバード大学の優秀な研究員たちも含まれる。何千人もの女性が突然、説明もなく、大幅な昇給を受けたのだ（大体のところ未払い賃金の支給はなかった）。教育機関は初めて、公募による求人を行い、大学院やプロフェッショナル・スクール〔訳注：医学部や法学部や経営学部など高度専門職業人を養成するため高等教育機関〕への入学に際しての男女別定員を廃止し、大学院生には男女同額の奨学金を支払わなければならなくなった。しかし、白人男性が名誉あるリサーチ・アシスタントシップ〔訳注：教授の研究を手伝う代わりに、授業料と生活費を出してもらえる制度〕を獲得し続ける一方、科学分野の女性などのマイノリティは格下のティーチング・アシスタントシップに甘んじ続けた。

何にもまして、タイトルナインは私たちに変革は可能だと信じさせてくれた。しかし、タイトルナインが科学における性差別を取り払ってくれることを願った人々は、すぐに落胆することになる。

◆◆◆

古い考え方を変えることがどれほど難しいことなのか、一九七二年当時の私たちには見当もつかなかった。しかし、その後数十年の間に、ある科学者が、科学者の偏見の深さと持続性を例示するユニークな存在になる。なぜなら彼、スタンフォード大学医学部神経生物学科の主任教授だった故ベン・A・バレスは、人生の前半の四十三年間はバーバラ・A・バレスとして知られていたからだ。

バレスは女の子として育てられていたが、子供の頃から自分は男の子だと感じていた（何年も経ってから、母親が流産を防ぐ薬を投与された影響で、ミュラー管欠損症という障害により子宮も膣もない状態で生まれたことをバレスは知った）。恥ずかしくて、混乱した気持ちを誰にも相談できなかった彼女は、科学の世界に慰めを見出した。家は裕福ではなく、両親は大学に通ったことはなかったが、ニューヨーク近郊に住んでいたので、ラトガース大学、コロンビア大学、フィリップス・アカデミー・アンドーバー、そしてベル研究所の若者向け先端科学プログラムに参加することができた。これらのプログラムを通じて、バレスは「研究への強烈で抑えきれない情熱」を持つようになった。

一九七〇年代、まだほとんど男子学生しかいなかったマサチューセッツ工科大学（ＭＩＴ）の学生となったバレスは、他の学生と同じく科学オタクだった。ノーベル賞を受賞した物理学者が性差別的な発言をしたり、授業中にヌード写真を見せたりしても、彼女は抗議せず、ただ講座を変更した。それは若い男子学生ばかりの人工知能の授業を受講したときのことだった。教授が、宿題に出した数学の難問を「誰も解くことができなかった」と発表した。しかし、バレスは解いており、授業後その答案を教授に見せた。教授は冷笑を浮かべ、彼氏に解いてもらったんだろうと彼女を非難した。「教授は多くの男子学生が解けなかった問題を、女子学生が解いたことが信じられなかったのだ」と、のちにバレスは語っている。（四十年後の二〇一七年、カリフォルニア州立大学の一年生の女子学生が、最初の学期で同じような経験をした。数学の教授から、隣に座っていた若い男子学生に試験問題の正解を見せてもらったに違いないと責められたのだ。試験でその男子学生は間違った解答をしていたにもかかわらず、だ。女子学生は自分のティーチング・アシスタントにその事件を報告し、その教授は学期末にひそかに退職した)。

バレスの成績はとびぬけて優秀だったにもかかわらず、ほとんど男性だけのMITの教授陣の中に、自分の研究室にバレスを迎え入れて研究機会を与えようとする者はいなかった。ハーバード大学で大学院生になったバレスは、インパクトの高い科学論文を六編発表していたが、キャリアを後押ししてくれるはずの権威あるフェローシップ・コンペで負けてしまった。勝者は質の高い論文を一編しか発表していない若い男性だった。そして、一九九七年九月のある日、バレスはサンフランシスコ・クロニクル紙に掲載された「男性になった女性」という記事を目にした。男性から女性への転換が可能であることは知っていたが、その逆も可能であることに初めて気づかされたのだ。すぐに、バレスはテストステロン治療を始め、「安堵《あんど》感で満たされた」。生まれて初めて自分自身に居心地のよさを感じたのだった。

性転換してベンと名前を変えた後、バレスは科学における女性差別が本当にどの程度のものであるかを測れるユニークな存在となった。バーバラ・バレスとベン・バレスが同一人物であることに気づいていなかったある男性科学者が「今日のベン・バレスのセミナーは素晴らしかった……彼の研究は、妹の研究よりはるかに優れているね」と話しているのを、バレスは通りすがりに聞いたことがある。バーバラとして行った科学研究はベンとして行った研究に劣らないものだ。しかし、バーバラが行った研究の価値を認めようとしない人もいたのだ。バレスはまた、性転換後、人々がより敬意をもって自分に接するようになったと感じた。「途中で男性にさえぎられることなく、最後まで話せるようになった」と彼は言った。そして、バレスは一度こんなふうに語ったことがある。「性転換をしたこと以外で、自分のキャリアに悪影響を及ぼすかもしれないと思いながら行動を起こしたのは、女性の学者たちの幸福のために戦い始めたときだけだ」。この言葉に、私は今も心をかき乱される。

悲しいことに、バレスは二〇一七年に膵臓《すいぞう》がんでこの世を去ったが、それまでの彼の科学者としての人生は四十五年に及ぶ差別の歴史だった。それはすべて、女性の問題を解決してくれるはずの法案だったタイトルナインが施行された後のことだったのだ。

◆◆◆

フェミニスト運動が科学にまで浸透するのは遅かったが、一九七〇年代には、女性科学者たちは問題を話し合うために、上司の嫌味な視線の届かない互いの家で個人的に会合を持つようになっていた。なかには、自分が直面した不公平についての体験記を書いている人もいたが、このような動きに批判的な人たちからはしばしば、攻撃的で不愉快な問題児と呼ばれていた。しかし私たちは、自分たちが経験していることを説明し、自分たちは一人ではないことを実感するために、互いの話を必要としていた。

タイトルナインにもかかわらず、一九七〇年代から八〇年代にかけて権力を握っていた男性の中で、組織としての科学が全面的な改革を必要としていると考えていた人はほとんどいなかった。助成金を維持するのに十分な程度に法律の条文を遵守するために、男たちは非常に優秀な女子学生を入学させながら、法律や組織のルールが許す限りできるだけ速やかに追い出してしまうという作戦に出た。プロローグに登場した歴史家のマーガレット・ロシターはこれを「回転ドアの時代」と呼ぶ。

生物学者のサリー・フロスト・メイソンは、タイトルナインが施行された年にパデュー大学で大学院生になった。その年、生物学科は男女半々の特別多人数の入学を許可した。女子学生全員の指導教員は同じ男性で、その教員は女子学生たちと個別に面談し、後でわかったことだが、一人一人に同じことを言ったのだった。「きみたちを入学させたのは、連邦政府からの資金援助がなくなるのが心配だったからだ」と。大学側は、女子学生が将来科学者として成功しようがしまいがまったく気にかけていなかった。その屈辱的な言葉を無視して、メイソンは一九七四年にパデュー大学で修士号を取得し、同大で博士課程の指導教員を探し始めた。そして、たった一人だけ見つけることができた。しかし、その指導教員が突然亡くなると、他の教員は誰も彼女の指導を引き受けようとせず、メイソンはパデュー大学を去って、別の大学で博士号を取得しなければならなかった。しかし、嬉しいことに、のちに甘美な報復のストーリーが待っている。二〇〇一年、メイソンは、パデュー大学の事実上の業務最高責任者である学務担当学長として、パデュー大学に戻ってきたのである。その後、アイオワ大学の学長として、米国において大学学長の成功の指標とされる十億ドル以上の寄付を集めた。

タイトルナインの本当の意味での実行を回避するための「回転ドア」のもう一つの手口は、若い女性を比較的低賃金で形ばかりの教員として雇用し、その女性が昇進できないようにすることだった。リン・カポレイルという優秀な女性が、ジョージタウン大学の生化学の助教のオファーを受けたのは、私が正教授になるにはあと一年待たなければならないと言われた頃だった。彼女の学科には、女性の同僚を持ったことがある男性がほとんどいなかった。カポレイルが三百人の医学生に初めての講義をすることになったとき、ある男性教授から「親切な」アドバイスをもらった。「緊張しているなら、透け透けのブラウスを着たらどうかな」。カポレイルは緊張していなかった。これまでにも大勢の聴衆を前に講演をしたことがあったし、講演台でストリップショーをする気はさらさらなかった。だから、その同僚ににこやかにこう尋ねた。「あなたは透け透けのブラウスを着て講演するんですか?」。女性なら誰でもこの言葉の意味を理解するだろう。しかし、その教授は彼女の返答に心から戸惑った顔をしたのである。

カポレイルは、所属する学科の誰よりも多くの助成金を獲得し、学生からは非常に優秀な教員として、ジョージタウン大学のゴールデンアップル賞を授与された。しかし、カポレイルが同分野の男性研究者をセミナーに招いたところ、大学はその研究者を彼女よりも高い、年収一万ドルで雇ったのだった。そして、テニュアトラック・ポジションという終身在職権を得られる可能性のあるポジションの選考の時期が来たとき、彼女は不採用になった。「なぜ？」と彼女が問うと、「きみは『生化学教授』という器じゃないんだよ」と同僚の一人が個人の意見として答えた。カポレイルがその決定を不服として学部長に訴えると、学部長は「学科がきみを入れたがらないのに、なぜきみはそこに入ろうと思うんだね？」と言った。まるで大学は社交クラブだとでもいうように。カポレイルは学科長の意図をくみとり、製薬会社メルクでもっと給料の良い職を得た。しかし、そこでも同じようなことが起こった。多くの女性がそうであるように、彼女も将来の見込みがない事務職に追いやられてしまったのだ。新薬を開発したり、特許をとって収入を得たりできる研究室のポストを与えられることはなかった。

アラスカ大学の海洋学者リタ・ホーナーは、よりによって機会均等担当官のターゲットになってしまった。タイトルナインが制定されて二年経った頃、アラスカのフェアバンクスの雇用均等局が彼女を呼び出し、減給しようとした。「なぜあなたは同じ学科の二人の男性ポスドク研究員より高い給料をもらっているのか」と彼らは尋ねた。「私は助教なので、彼らよりもポジションが上だからです」と彼女は答えた。しかし、その二人は結婚して妻を養っていると学科長は言った。「私が誰を養っているかご存じないでしょう」と、ホーナーは言い返した。その闘いには勝ったが、研究室の一部を男性研究者にまわされたため、ホーナーはあきらめてワシントン大学に移り、非教員の研究者という立場で数十年間、海藻の研究を行った。

偏見にはさまざまな形がある。タイトルナインが施行されて二年後、動物学者のスー・V・ロッサーは、第二子を妊娠した。そのとき、彼女はウィスコンシン大学のある教授の下でポスドク研究員として働いていた。ある日、フェローシップの担当教授から、第二子の妊娠によって研究室の助成金申請スケジュールに支障が出るから、中絶するよう言われた。ロッサーは子供を産み、科学を辞め、サンフランシスコ州立大学の学務担当学長となり、研究大学で学務担当学長となった最初の女性たちの一人となった。こうした経験談を聞けば、一九七〇年代に名門大学の女性教員の数が減少したことは当然と思えるだろう。

大学に残った多くの女性は、セクハラだらけの環境で働かざるをえなかった。教授は好きなように学生の落第や解雇、推薦や採用を決められるため、教授と学生の間には激しい力の不均衡があったからだ。物理的な距離の近さ、深夜の勤務、現地調査旅行などが、性的捕食・性的搾取の機会を広げた。私が「セクシャル・ハラスメント」という言葉を知ったのは、この言葉が生まれた翌年の一九七六年のことで、メリーランド大学のある女子大学院生が、「X教授には気をつけろ」と女子学生たちが互いに注意し合っていると打ち明けてくれたときだった。「お尻をつついたり、つねったりするんです」。その男性教授はそうした行動に対して、いっさい罰を受けなかった。

私はまもなく、大学は、他の強力な組織と同様、結束のし方を知っていることを思い知らされることになる。一九八〇年代、私はメリーランド大学システムで女性としては最高の地位である学術担当副学長を務めていた。二人の学部長を含む女性管理職グループから会議の要請があり、人文科学のある学科長が、女子学生たちを落第させると脅して性交渉を持っていたという連続性的捕食事件についての報告を受けた。州全体のシステムの職員であった私には、一つの特定のキャンパスで起こった事件を調査する法的権限がなかった。最終的に内部調査が行われたが、彼は早期退職を許され、年金は給付された。

◆◆◆

同僚たちと共に、このような不公平にどう立ち向かうのが効果的かを考え始めたとき、「シャークレディ」というニックネームを持つ優秀な海洋生物学者の話は、有能で評価の高い女性科学者でも差別の犠牲になる可能性があることを示す例だった。

私がメリーランド大学に移ったとき、ユージェニー・クラークは理数系で数少ない女性准教授だった。当時は学科が独立していたため、私たちの道が交わることはあまりなかった。クラークは、才能豊かで華やかな日系アメリカ人の魚類学者で、米国海軍からの助成金によりミクロネシアで行われた毒魚研究のためのダイビングに関する『銛《もり》をうつ淑女（Lady with a Spear）』『淑女とサメ（The Lady and the Sharks）』という世界的ベストセラーを書いていた。彼女は海中調査のためにスキューバダイビングの装備を使用したパイオニアであり、サメの間を泳いで、サメの繁殖、睡眠、呼吸、学習のやり方を明らかにした。資金調達にたけていて、ヴァンダービルト家から資金を集めてフロリダ南西部にモート海洋研究所&水族館を設立し、エジプト初の国立公園の創設にも尽力した。メリーランド大学の学長の一人は、クラークはフットボールチームよりもキャンパスの評判を上げていると語った。

しかし、ユージェニー・クラークがいくら優秀でも、十年間、准教授のままおかれ、たいていの場合新任の男性教員のほうが給料が高かった。メリーランド大学の女性教授たちが、給与の改善を求めて団結したとき、クラークの法律顧問は、マスコミの標的にされるから参加しないようにと警告した。「新聞の見出しが見えるようだよ、『シャークレディ、餌をやる人の手を噛《か》む』とね」。しかし、女性教授グループはクラーク抜きで運動を続け、自分たちとクラークの昇給を勝ち取り、男性教員の給料とほぼ同額にすることに成功した（残念ながら、微生物学科はメリーランド大学キャンパスの別の場所にあったので、私は彼女たちの努力を知らなかった）。クラークはその後、正教授に昇進した。

また、科学界で成功した女性の中にも、男性と同じように偏見を持つ人がいるという問題もあった。彼女たちは、ある学科、いや大学で唯一の女性科学者であったため、他の女性たちを協力者としてではなく、差別が行われていないことを示すためのお飾り的な地位を争う競争者と見なしていた。前章で紹介したヘレン・ホワイトリーは長い間、ワシントン大学の女性科学者に支援は必要ないと考えていた。また、ある女性（非常に権力がある人物なのでその正体が明かされることはなかったが）は、女性科学者への支援に関心がないことをこういう言葉で表している。「敗者のために時間を費やすのは無駄です。優秀な人なら、きっと成功するでしょう」。米国内分泌学会の女性たちは、ノーベル賞受賞者のロザリン・ヤロウを学会会長に選出するために奔走したが、ヤロウは会長演説で、女性科学者への支援に興味がないと明言し、自分を当選に導いてくれた女性たちに感謝さえしなかった。その代わりに、「学会の女性幹部グループが、特別な利益団体であり続けることを選んだのは残念だ」と述べた。

◆◆◆

互いに体験を打ち明けることで、孤独感は少し薄らいだが、私はただ悲しくて空《むな》しい物語を語るだけに終わらせず、何か行動を起こしたいと考えていた。まわりの女性たちも同じように感じていた。しかし、仕組みを理解していないのに、それを変えるための戦いができるだろうか？　そこで私たちは、性差別がどうして起こるのか、それが女性の精神と銀行口座にどれほどの被害を与えているのかを示す厳密な科学的データが必要だと考えた。私たちの強みは、事実を把握することだ。

何人かの活動家がワシントン地域で集まるようになり、私もできる限り参加した。他の女性科学者も私と同じように、このシステムを変えなければならないと思っていることを知り、心強く感じると共に安堵した。ある会合で、ハーバード大学医学部のアリス・S・ファンという若い助教が行っている小規模な調査のことを耳にした。ファンは中国で生まれたが、十歳のときに、両親は彼女を単身で米国に送り、ニュージャージー州バーリントンにあった米国聖公会の全寮制女子校で教育を受けさせた。彼女の父親は聖公会の主教で、セント・メリーズ・ホール（現ドアン・アカデミー）は、女子にも男子と同等の教育を行う米国初の学校として知られていた。両親がまだ中国にいた間の三年間、校長はファンの法定後見人となり、ファンは校長と校長の二人の姉妹と共に暮らしたこともあった。

アリス・ファンは美しい女性で、ウェルズリー大学を卒業後、ボルチモアの百貨店でモデルをして学費を工面し、ジョンズ・ホプキンズ大学医学部で微生物学の博士号を取得した。ファンはすぐに動物ウイルス学で頭角を現した（その間に飛行機のパイロット免許もとった）。やがてハーバード大学医学部の助教に採用されたが、そのすぐ後に、十四人のリサーチ・アシスタントや助手が自分たちのポジションについての不満を言い始めた。男性教授たちはファンに調査を依頼した。それは通常の業務以外の、無償の仕事だったが、彼女は承諾した。

一九七二年から一九七三年にかけて行われたファンの調査は、非公式かつ未発表だったが、その結果は非常に心をざわめかせるものだった。ハーバード大学では生物学、医学分野の助手や講師のほとんどが女性で、なかにはハーバード大学の男性の同僚よりも優秀な人もいた。彼女たちとランチをとりながら一対一で面談すると、泣き崩れる人もいた。彼女たちは、これまで誰にも自分の経験について尋ねられたことはなかったし、情報交換し合ったこともなかった。「女性たちは、自分たちがあからさまに他の女性を助けると、それが汚点となり、さらなる差別を受けるのではないかと恐れていた」とファンはのちに語っている。ファンは女性上司から「女性を雇わないように」と言われたこともあった。

ハーバード大学の助手の多くは、ハーバード大学の反縁故主義の規則の犠牲者だった。タイトルナイン以前には、この規則により教員の妻を雇うことが禁じられていたからだ。四人は夫の研究室で、秘書、テクニカルスタッフ、器具洗い、アシスタント、さらにはラボマネージャーとして、しばしばマルチタスクをこなしていた。彼女たちは、無給（または基準以下の給与）で、雇用保障や年金やサバティカル休暇もなく、同等な研究室スペースも大学院生も名声も与えられず働いていた。離婚や死別はキャリアの終了を意味していた。なぜなら、教授が研究室を去ると、その教授の助手や妻は研究室を受け継ぐことができないからだ。独身女性の場合も、公然と彼女たちを見下す男たちがいなくなるわけではなかった。カナダの著名な心理学教授ハンス・セリエは、著書『夢から発見へ』の中で、女性科学者を「干からびて……、不機嫌で、敵意に満ち、威張りちらして、想像力のかけらもない」と描写し、「ほとんど例外なく上司に恋している」と書いている。

ファンは、生物学分野の女性たちは、厳密な科学的調査、つまり本当の意味での全数調査を行って、自分たちは何者で、自分たちに何が起きているのかを示す必要があると考えた。苦境にあるのは自分たちだけではないことはわかっていた。ビジネス界、芸術界、政府機関などで働く多くの女性が、同じような問題に直面していた。しかし、科学者には一つの抜きんでた特質があった。問題を測定し、記録する方法を知っていたのだ。そして、終身在職権を持つ者は、比較的損害を被ることなくその結果を発表することができた。また、生物学分野ではかなりの数の女性科学者が活躍しており、この素晴らしい女性集団から有益な情報を得るべきだということは自明かつ適切なことだった。

そこでファンと三人の女性微生物学者――ハーバード大学医学部のエヴァ・ルース・カシュケット、ジョージ・ワシントン大学医学部のメアリ・ルイーズ・ロビンス、国立衛生研究所（ＮＩＨ）のロレッタ・リーヴ――は、博士号を持つ女性生物学者がキャリアの過程で直面する問題について、初めて統計学的に精緻なコンピューターベースの調査を実施した。素晴らしいことに、米国微生物学会はこの研究に資金を提供してくれたのである。仕事の後に互いの家に集まってパンチカードにデータを打ち込む手伝いをしてくれる女性がどんどん増えていった。そして、一九七四年、研究成果は米国の主要な科学誌サイエンスに発表された。

この研究の結果、女性の昇進は男性よりも遅く、どの段階でも給与は女性のほうが低く、職業的地位が上がるにつれて、この給与の男女格差は拡大することがわかった。男性の給与一ドルに対して、同じ学位を持つ女性の給与は平均して六十八セントだった。男性科学者の大多数は結婚して子供がいたが、女性教員はほとんど全員が未婚で子供もいなかった。意外なことに、このデータは、男性教員たちは博士号を持つ独身男性を規範から外れた人間として扱い、通常は女性が就くポジションにとどまらせることを示したのである。「あの研究結果はもう過去のものだと言えればいいのですが、残念ながら、その結論の概要は、今でも変わっていないのです」と、二〇一三年にファンは語っている。最近の研究では、科学、技術、工学、数学、医学（ＳＴＥＭＭ）の分野でキャリアを積もうとする有色人種の女性が直面するさまざまな障害について調査している。

私は、一つの先駆的な調査だけで多くの男性を納得させられるとは、期待していなかった。しかし、データを常にアップデートして、一般の人々の目に触れるようにするために、ファンとその仲間たちは見事なアイデアを思いついた。米国微生物学会の年次総会の出席者全員（学士号を取ったばかりの学会員から教授に至るまで）に、男性は青、女性はピンクの画鋲《がびょう》で、廊下に掲示した巨大なグラフに自分の階級と給料を匿名で示してもらったのだ。多くの男性が参加した。すると、ピンクとブルーの線がどんどん離れていくのが、グラフの前を通りかかる誰の目にも明らかになった。「なによりも、あのグラフが人々の意識を高めたのでしょう」と、のちにファンは語った。「演説をする必要もなく、公に抗議する必要もなく、何も言わなくてもいい。ただ眺めるだけでよかったです」

女性のためにほかに何かできることはないだろうか。ファンは助言を求めて、ロールモデルになる女性を探したが、そういう人は多くないことがわかった。「個人的に知っている何人かは、教授に昇進することなく、数年でこの分野を去っていた」ことに彼女は気づいた。しかし、この国で最もパワフルな女性科学者、メアリー・バンティングなら、何か助言をくれるかもしれない、と彼女は思った。

メアリー・〝ポリー〟・バンティングは、ラドクリフ大学の学長で、家庭の事情で仕事を辞めざるを得なかった女性のキャリア復帰を支援するために、ラドクリフ独立研究所を設立していた。バンティングは、科学研究を続けようとしている既婚女性が直面する差別を、身をもって知っていた。彼女はウィスコンシン大学で微生物学の博士号を取得していたが、夫がイェール大学の教員になったため夫婦でコネチカットに引っ越すと、そこで研究を続けるには実験助手か講師のポジションしかなかった。

バンティングは率直にファンに語った。「アリス、いま、女性の支援に時間を使ってはだめよ。まずは、自分のキャリアに専念なさい。権力を持って初めて女性を助けることができるのよ」。言い換えれば、まず、権力者と話ができるようにならなければ、誰も耳を傾けてくれない、ということだ。ファンはバンティングの助言に従った。米国微生物学会の会長を務めるなど、自分のキャリアに集中し、一九九一年にニューヨーク大学の理学部長になった後、科学界の女性のための公の活動を再開したのだった。夫のデイビッド・ボルティモアが一九九七年にカリフォルニア工科大学の学長に就任すると、ファンは自分の研究室を閉めた。しかし、彼女は米国科学振興協会会長に就任し、男女が平等に家事や育児の責任を負うことを積極的に提唱した。

ファンはすぐにバンティングが正しかったことを認識した。彼女は当初、「叫び声をあげて、私たちの窮状に関するデータを人々に見せれば、みんなすぐに変わってくれるだろう」と考えていた。しかしファンをはじめとする女性活動家は、「変化はすぐには起こらない」ということを実感するようになっていった。タイトルナインも膨大なデータも、それだけでは科学界の慣例を変えることはできなかったが、私たちは、団結すればどこかにたどり着けるかもしれないと信じ続けた。そして、ファンの言葉を借りれば、「どこかで少し得るものがあれば、次はもう少し多くを得られる」のだ。

◆◆◆

真剣に話を聞いてもらうためには、権力のある立場から発言するしかないとしたら、公の場で声をそろえて発言できる女性科学者のグループが必要だと私たちは考えた。そこで、一九七一年の米国実験生物学会連合年次総会中のある晩、二十七人の女性がホテルのワインバーが閉まった後に残って、「女性科学者協会」を立ち上げた。この組織は、医科学分野の女性が中心となっていたが、あらゆる分野の女性とその支援者に開かれたものだった。血液学者のジュディス・グラハム・プールと内分泌学者のニーナ・B・シュワルツは、終身在職権を持ち、キャリアも安定していたので、共同会長に就任した。プールの血液凝固に関する発見はすでに血友病の治療に革命を起こし、多くの命を救っていた。シュワルツが一九五三年にシカゴのイリノイ大学医学部に採用されたのは、「(生理学)教室の唯一の女性が妊娠したため、学科長のジョージ・ウェーカリンが『妊娠後期の女性が医学生に講義するのは不適切だ』と考えたから」だと彼女は語っている。シュワルツの発見の中で最も注目されたのは、卵巣でつくられて卵の放出を抑制する働きをするインヒビンというホルモンだった。男性の研究者はヒトの月経周期を調節するホルモンを見つけるために、雄の実験動物を何年も使い続けてきたが、シュワルツは、雌の動物にも目を向けてみる価値があると考えたのである。思ったとおり、彼女はインヒビンを発見した(のちに、男性の体内でも少量のインヒビンが生成されることが判明した)。シュワルツは、重要な発見をなしとげたにもかかわらず、女性でユダヤ人であることへの差別や、レズビアンであることをカミングアウトすることへの不安と闘わなければならなかった。

女性科学者協会が最初に問いかけた疑問の一つは、医科学分野の女性が、当然もらえるべきはずの助成金を獲得できていないのはなぜか、というものだった。女性科学者協会はすぐに重要な一つの理由を発見した。国立衛生研究所(NIH)の助成金申請の勧告を行う諮問委員会のメンバーのうち、女性はわずか二%しかいなかったのだ。乳がん研究委員会には、女性委員はわずか二名、そしてほとんどの委員会では女性は一人もいなかった。そこで女性科学者協会が、NIHを監督する連邦健康教育福祉省を差別で訴えると脅したところ、数ヵ月しないうちに、こうした重要な委員会に占める女性の割合が二%から二十%に跳ね上がった(最新のデータでは、女性が男性ほど頻繁に研究助成金に応募していないことも示されている。女性が正当な割合で助成金を受給するのを妨げている他の原因については、さらなる分析が必要だ)。

バニー・サンドラーと女性科学者協会の成功は、頼みの綱を探す女性科学者たちに、裁判も一つの手だと思わせたようだ。しかし、こうした訴訟の多くが長引き、女性の雇用主に有利な判決が下されたり、わずかな金額で和解させられたりしていることが間もなくわかってきた。それでもくじけず、女性科学者協会は、女性の擁護活動を続けている。

◆◆◆

私たちが直面する大きな障害の中には、私たちが会費を払い、ボランティアとして参加している学会に起因しているものがあることが、しだいに明らかになってきた。たとえば、一九七〇年代後半、私は米国生態学会の会議に出席していたのだが、そこで同僚が、ほとんど裸の女性が挑発的なポーズをとっている、愚かしいスライドを見せた。第二次世界大戦中には、軍隊が訓練中の兵士の目を覚まさせるためにピンナップを使用していたというが、大人の科学者の間でそんなことが必要なのだろうか？　招待講演者として、目立つ最前列中央の席に座っていた私は、すっと立ち上がり、静かに講堂を後にした。無言の抗議だった。しかし、私の後に続く人は誰もおらず、その後、何かを言う人もいなかった。まあ、誰かそうしてくれると期待していたわけではなかったが。当時、もし女性がこの不快な行為に対して言及したら、「まったく、ユーモアのわからん奴だな」と返されるのがオチだった。

その五年後、米国微生物学会の年次総会でも、同じようなことが起こった。米国微生物学会は、当時も今も生命科学の世界最大の組織であり、会員数は三万五千人、そのうち三分の一が女性だった(二〇一九年には会員の半数以上が女性)。当時の会長であったベイラー医科大学のロバート・P・ウィリアムズは、女性の問題には理解があるという定評があり、男女の給与や地位の差を示すためにファンと共同研究者たちが作成したグラフを掲載するよう、頑固な雑誌編集者たちを説き伏せた人物でもあった。それなのに彼は、会長講演の際、他のスライドに混ぜて、アイスクリーム・コーン二個で胸を隠した全裸に近い若い女性が描かれたマンガのスライドを見せたのである。「物事は見た目ではわからないものだ」と彼は言った。男の聴衆は忍び笑いした。女性たちは黙って座っていた。しかし、講演後、おそらくフェミニズムの流れに後押しされたのだろう、二人の女性が、五年前だったらほとんど考えられなかったような苦言を呈したのである。ハーバーUCLA医療センターの菌類学者マージョリー・クランドールとミズーリ州セントルイスの微生物学者ルイーズ・ルーデンは、ウィリアムズに怒りの手紙を送り付け、このスライドを見せた狙いは何だったのかと問うた。それは「聴衆の中の女性微生物学者を不快にさせるためだったのですか？　あるいは、権力を握っているのはいまだに男性であり、女性は今もセックスの対象にすぎないという事実を強調するためだったのですか？　もし、ある卓越した女性が、睾丸《こうがん》を二個のアイスクリームで覆い、ペニスをアイスクリーム・コーンで覆った、肌もあらわな魅力的な若い白人男性のスライドを見せたら、あなたはどう思いますか？」とクランドールとルーデンは詰問した。残念ながら、ウィリアムズは、そもそもこのスライドを講演で見せたことを反省するよりも、それを指摘されたことに心を痛めたのだった。

問題は、ボスたちが淫らな画像を見て笑っているのを目にすることだけではない。米国微生物学会のさまざまな委員会にボランティアとして参加していた私は、男性が女性の成功を阻む大きな障壁をいくつも精力的に、いや、攻撃的ともいえるほど熱心につくり上げているのを目の当たりにした。米国微生物学会は、女性を生物学から遠ざけている障害の一つにすぎないかもしれないが、それは大きく、手ごわい障害だった。

その後に展開した出来事を理解してもらうためには、科学界の仕組みを簡単に説明する必要があるだろう。一九八〇年代前半には、生物学の博士号取得者の四十％は女性だった。博士課程を修了した若手研究者は、ポスドク研究員として二年以上研鑽《けんさん》を積んだ後、学問の世界でキャリアを積みたい者は、学者としてのキャリアの第一歩として、助教のポストを探す。終身在職権《テニュア》付きの准教授になるためには、助教となってからの六、七年間で、プレッシャーにさらされながら自分の実力を示さなければならない。准教授に昇進できなかった者は、大学を去り、別の場所で仕事を見つけるのが一般的だった。

科学における成功は、招待されて行った講演、獲得した助成金、教育の質、自分の研究に基いて発表した論文の数によって測られる。なかでも特に重要なのが、論文数だ。そもそも研究成果を査読付き学術誌に発表できなければ、自分の価値を証明することは不可能だ。研究結果について講演するために招かれることもなく、昇進や昇格もなく、新しい研究をするための助成金も獲得できない。自分が指導した大学院生が就職するときにも、最高のポジションを狙えなくなる。世界の科学的知識の発展に貢献する研究を発表できなければ、その研究は基本的に存在しないのと同じなのだ。

米国微生物学会が発行する多くの重要な学術誌への論文発表を男性が管理していることはわかっていた。学術誌は学会にとって収益を上げる事業であり、それらの独占権を持っているようなものだった。しかし、米国微生物学会の雑誌のページをパラパラめくって、編集長がすべて男性であることを知るまでは、その問題がいかに大きいのかに気づいていなかった。編集長の下、七百五十人の「専門家」ボランティアがいて、彼らがどの論文を雑誌に掲載するかを決めているのだが、その七百五十人の九十％以上が男性で、彼らの決定に、異論を唱える者もいなければ、決定が審査されることもないのである（約二十年後に、映画産業の女性たちが、自分たちの経験について同様のデータを発表することになる。男性が監督した映画では、女性脚本家はわずか十一％、女性編集者は二十一％だった。しかし、少なくとも一人の監督が女性である作品では、脚本家の七十二％、編集者の四十五％が女性だった)。

要するに、女性科学者たちは米国微生物学会に会費を払っていたが、学会は私たち女性に対して、会費に見合う責任を果たしていなかったのである。このような男女間の不均衡を許容する方針がどのようにつくられたのかを知るためには、学会の権力構造を理解する必要があった。

一九八〇年代には、米国微生物学会はボランティアによって運営されていた。ウォルター・リード陸軍研究所の微生物学者で私たちのクーデターのリーダーだったサラ・S・ロスマンの家に集まり、私たちはダイニングルームの床に大きな紙を広げ、そうしたボランティアの意思決定の流れを図にした。その図は迷路のようだったが、問題が何であれ、米国微生物学会会長に行き着く。おのおのの会長の任期はたった一年だが、彼（そう、いつでも、彼）は、三年間、強力な委員会の委員を務めることができた。次期会長、会長、前年の会長として。学会を変えるには、会長にならなければならない。

一八九九年の設立以来、米国微生物学会には三人の女性会長が選出されており、ほぼ一世代に一人の割合だった。最初の女性会長は、一九二八年に就任したアリス・C・エバンスだった。彼女は、私が大学時代に学んだように、低温殺菌されていない牛乳は、衰弱性の、ときには死に至る感染症を引き起こす可能性があることを発見した科学者だ。二人目のレベッカ・クレイグヒル・ランスフィールドは、別の致命的な細菌である連鎖球菌の研究の第一人者だった。彼女は一九四三年に会長の席に就いたが、第二次世界大戦中の「男性不在」によるものだと広く陰口をたたかれていた。三人目、一九七五年の女性会長は、ワシントン大学のヘレン・ホワイトリーで、綿花やタバコを耐虫性にするために使用できる細菌を発見した。米国微生物学会には、ホワイトリーの後継者候補にふさわしい才能あふれる女性がたくさんいたし、彼女たちが候補となる機会を得られるように、公平な条件を与えられるべきだった。

幸いなことに、二人の著名な男性微生物学者が私たちに味方してくれた。一九八一年に会長に就任したアルバート・バロウズは、会長指名委員会の半数の枠に女性を指名した。その一年後、ミシガン大学のフレデリック・C・ナイドハートは、彼の会長職の重要な目標として、米国微生物学会の上層部にもっと多くの女性を加えると発表した。ナイドハートは、私に内緒で、一九八三年の会長選挙に私が立候補することを決めてしまった。当時、私たちは面識がなかったが、後でナイドハートに聞いたところによると、私が学会における女性の役割を増やすべきだと「とてもとても強く」感じていることを何となく知っていたのだそうだ。確かに、私はそう思っていた。それでも、自分が候補者になったと知ったときは驚いた。私は心から喜び、多少の不安はあったが、挑戦できることを名誉に感じた（のちに米国微生物学会の「微生物学における女性の地位委員会」が、微生物学会の女性たちを支援した会員を称えるためにアリス・C・エバンス賞を創設したとき、その最初の受賞者となったのはフレッド・ナイドハートだった）。

一九八〇年代前半、女性が会長になることを阻む最大の要因は、女性にリーダーとしての資質があるかという疑念が蔓延《まんえん》していたことだった。私は学会会員の大多数（の男性）の心に訴えるようビジネスライクで性別にとらわれない基本方針を立て、二人の男性候補に対抗して立候補した。「女性」という敵意をかきたてる言葉を慎重に避け、学会本部での「電子メール」使用、財務計画の改善、「若い会員」（つまりは女性やマイノリティ）の委員会任命、「臨床微生物学者」（つまりは女性病院検査技師）の認知度向上などのキャンペーンを展開し、私は当選を果たした。

会長になったことで、ささやかではあるが長い間待ち望まれていたいくつかの改革に着手できた。たとえば、若い科学者やテクニカルスタッフが学会の会合に出席できるよう援助するトラベル・フェローシップを創設したり、ホテル代を払えない人のために安価な宿泊施設（一般的には大学の寮）を用意したりした。また、女性やマイノリティ（アフリカ系やラテン系、その他の少数民族系のアメリカ人）にも資金を提供し、採用面接会を開催できるようにした。学会の年次総会では、託児施設を用意した。

これらの変化により一歩前進できたが、長期的な解決策を講じるには、数十年に一度、たった一年間だけ女性が会長職を務めるだけでは足りない。がっかりすることに、会長を務めた年の翌年、私は米国微生物学会会長指名委員会の委員長を務めたが、翌年の公式の候補者名簿には、女性支援を優先事項とは考えていないような二人の男性候補者が名を連ねていた。このままいつもの状態に戻ってしまうなら、次の女性会長が誕生するまでに、さらに四半世紀が過ぎてしまうかもしれない。

発表された候補者名簿を覆す権限は誰にもなかった。そのためには、学会の内規の変更が必要なのだ。しかし、私はすでに、効果的なリーダーシップの最も重要なルールの一つが何であるかを学んでいた。「勝つ見込みのない戦いは始めないこと」。米国微生物学会では女性はまだ少数派で、男性会員が団結して反対すれば負けてしまう。そこで私は、指名手続きの難解な規則を読み解くことにした。規則を知れば、対立することなく、穏便に回避する方法が見つかるかもしれない。

私は、公式な指名手続きを避けて通る道に心当たりがあった。私が会長に立候補した年、私の科学研究を最もあけすけに批判していたミズーリ大学の医学微生物学者、リチャード・フィンケルシュタインが、記入候補者（候補者名簿に名前がないため投票用紙に名前を書く必要がある）として立候補したのだ。こういう抜け道があるなら、米国微生物学会の八十六年の歴史の中で八十二年間も男性が会長職に就いてきたのはなぜだろう。女性は記入候補者になることはできなかったのか？　しばらく時間がかかったが、ついになるほど、と合点がいった。女性が一世代に一人しか会長になれなかった理由は、あまりにも単純で、あまりにも効果的で、あまりにも当たり前であったため、今まで気づかれなかったのだ。米国微生物学会から送られるニュースレターには、記入立候補の方法が書かれていたが、ニュースレターは記入候補者として立候補する期限が過ぎてから郵送されてくるのだった。ニュースレターが届く頃には、公式の候補者名簿はすでに決まっていた。立候補の期限前に候補者の名前を知っていて、別の候補を推薦できるのは、学会内で公式な役職にいくつか就いているフィンケルシュタイン氏のようなインサイダーだけだ。この方式は、もう何十年も続いている。

記入立候補の締め切りまでわずか一、二週間。時間がなかった。このように凝り固まった組織を変えるには、創造的な思考と外交術、そして助けが必要だった。幸いなことに、私たちには準備ができていた。

私は、当時ジョージタウン大学医学部にいたアン・モリス＝フックに電話をかけた。オーストラリア生まれのモリス＝フックは、食通がレストランのシェフを追いかけるように、歌手を追いかける熱烈なオペラファンで、お気に入りはオーストラリアのソプラノ歌手ジョーン・サザーランドだった。ジョージタウン大学で大学院を修了したモリス＝フックは、米国微生物学会の「微生物学における女性の地位委員会」のメンバーとして、精力的に活動していた。

私はモリス＝フックに秘密厳守を誓わせてから、長い期間を空けずにまた女性を会長にするためには、私たち独自の選挙運動が必要だと説明した。しかし、それだけではなかった。学会の推薦を覆すには、女性会員たちが一人の記入立候補者のみを支持する必要があった。票を分散させたら絶対に勝てない。

私たちは、固く団結して、集中し、口をつぐんでいなければならないだろう。だから、この本で初めて明らかにされるまで、私たちの反乱にかかわった人々はだれもその全貌を語らなかったのだ。

　こうした活動を秘密裏に行う必要があったということは、現代では不思議に思えるだろう。しかし、最近まで、特に＃MeToo運動以前は、女性は常に裏方でいなければならなかった。もし私たちがやっていることを大勢の男性や、特定の女性に知られていたら、多くの敵をつくってしまい、それ以後、私の活動は頓挫してしまっただろう。「フェミニスト・グループに参加するだけでもブラックリストに載り、命取りになった」とモリス＝フックは振り返る。「フェミニスト団体に参加すれば、噂《うわさ》になっただろう」。サラ・ロスマンは、「エレベーターに女性が二人乗っていたら、男性が寄ってきて、『きみたちは何を企んでいるんだ』と言われるような時代だった」と回想している。ウォルター・リード陸軍研究所の彼女の上司は、彼女が「あの手の女たち」と交流していることを不満に思っていた。

　私は非公式にこの活動を立ち上げて助言もしたが、運営責任者としてエネルギッシュに働いたのはモリス＝フックだった。私たちは、定評ある科学者で、かつ管理面において経験豊かな女性に、記入候補者として出馬を承諾してもらう必要があった。ジーン・E・ブレンチリーは、細菌の代謝と調節に関する研究の第一人者で、当時、ペンシルベニア州立大学に移ろうとしていたところだったが、勇敢にも名乗りを上げてくれた。だが、彼女を記入立候補者に推薦するには、わずか一週間で、少なくとも五十人（できれば安全のために百人）の署名を集めなければならなかった。今なら簡単なことに思えるが、一九八五年当時はファックスもほとんど使われていなかったのだ。

　私はモリス＝フックに電話し、嘆願書をコピーしてまわせるよう、正式な文言を提案した。「私たち米国微生物学会の会員は、ジーン・E・ブレンチリーを会長候補として推薦いたします」。嘆願書には、ブレンチリー以外の名前を書いてはならない。ロスマンは、「私たちは影武者として、精力的に動いた。目のまわるような忙しさだった」と回想している。

ワシントン近郊の研究所で署名を集めるのは、予想していたよりも簡単だった。その週が終わる前に、百人以上の会員が署名し、嘆願書は締め切りぎりぎりに学会に届けられた。一九八三年に私に立候補を勧めてくれたフレッド・ナイドハートは、米国微生物学会のニュースレターに寄稿して、男女を問わず女性に投票するようにと熱弁をふるった。

ブレンチリーは、米国微生物学会史上初の女性記入立候補者として、会長に選出されたのである。

彼女の当選に、何人かの男性が激怒した。前会長ジョン・シェリスは、自分が取り仕切った会長指名委員会の公式候補に対抗してブレンチリーが立候補したことに腹を立て、「微生物学における女性の地位委員会」に、記入式立候補プロセスが「学会内の特定のグループの利益を推進するために使われているのではないか」という「懸念」を書き送った（シェリスが、二年前のフィンケルシュタインの立候補に文句を言ったという記録はない）。シェリスの手紙に対して、女性グループ会長のヴィオラ・メイ・ヤング＝ホーバスは、ブレンチリーは「全会員を平等に代表するためにあらゆる努力をするだろう……過去に必ずしもそうではなかったことは、よく知られた事実だ」と、辛辣な返事をした。

退任するモーゼリオ・シェクター会長は、「微生物学における女性の地位委員会」を、総会の際に彼の優雅なスイートルームに呼びつけた（米国微生物学会の会長は通常、学会ホテルの広いプレジデンシャル・スイートに泊まるのだが、私は泊まらなかった。会長に当選したとき、この部屋は退任する会長が泊まると言われたのだ）。「きみたちの委員会は非常に危険なことを行った。学会に多くの問題を引き起こす可能性がある」とシェクターは言った。

怒りが鎮まるには時間がかかった。ブレンチリーの後任候補として、ロチェスター大学医学部の学科長で著名な科学者であるバーバラ・H・イグレフスキーの名前が挙がっていた。イグレフスキーの代わりに推薦されると考えていた男性会員が、米国微生物学会の外の歩道で彼女と出くわした。彼はイグレフスキーの肩をつかみ、腹立たしげにこう言った。「きみたち女は何をやっているんだ。はるかに優秀な男性をさしおいて、なんでこんな候補者を選んでいるんだ?」と怒りをぶつけた。しかし、イグレフスキーは当選した。

私が会長に就任してからの十数年間に、ブレンチリー、イグレフスキーら六人の女性が米国微生物学会の会長に就任した。これは、それ以前の女性会長の総数を上まわっている。ブレンチリーに始まる最初の三人は、二十年も間隔を空けることなく、連続で会長に就任した。しかも、ジーン・ブレンチリー以外は、記入立候補ではなく、全員が会長指名委員会によって選ばれたのである。(現在では、米国微生物学会の会員数にほぼ比例して女性が会長に選ばれている。反乱にしては上出来だ)。

しかし、まだまだやることはたくさん残っている。ある男性が立候補の理由を「栄光のために」と述べたことがあるが、私たち女性は栄光のために米国微生物学会の会長になったわけではなかった。私たちは、学会を恒久的に民主化したかったのだ。そのためには、これから何年もかけて、持続的に圧力をかけていかなければならない。

◆◆◆

一九八七年、イグレフスキーが会長になる少し前、私は「会長になった後、本当に女性のために何かしたいのなら、どこか任期が長くて何か大きなことを成し遂げられる委員会に参加してください」と彼女を説得した。イグレフスキーもそう思っていたのだろう。一九九〇年から一九九九年までの九年間、きわめて有能な出版委員長として活躍したのだから。学会が発行するすべての雑誌の編集長が全員男性で、それらの雑誌に掲載される論文を審査する査読者の九十％が男性だった、と前に書いた。イグレフスキーは、女性の編集者や編集委員を増やすよう働きかけた。一九九九年にアリソン・D・オブライエンがインフェクション・アンド・イムニティ（感染と免疫）誌の編集長になったとき、私たちはみな非常に喜んだ。その十年後、オブライエンは米国微生物学会の会長に選出された。

長期的な活動の一環として、私たち働き蜂のうち三人が、米国微生物学会の強力な運営委員会である評議方針委員会のメンバーに任命されることも果たした。イグレフスキーは出版委員長として理事となり、アン・モリス＝フックは書記になり（ちなみに記入候補者として）、私は米国微生物学アカデミーの会長に選ばれた。私は会長として、同アカデミーを一流の微生物学者のための名誉ある組織に再編成し、以前は男性中心だった会員に女性の数を増やした。最終的に、米国微生物学会の全会員は、学会の指導的立場に女性が加わったことで恩恵を受けることになった。しかし、より大きな戦いは続いた。

◆◆◆

サマンサ・〝マンディ〟・ジョイの例を考えてみよう。彼女は、貧しい農家の出身で、幼い頃からいじめられていたが、絶対に屈することはなかった。一九九〇年代半ば、研究職の面接を受けるために、非常に有名な男性科学者のオフィスを訪れた。「壁にはプレイボーイ誌のバニーガールカレンダーが貼ってあり、机の上にはアフリカの豊穣の神の彫刻である巨大なペニスが鎮座していた」と彼女は回想する。「ペニスはちょうど私の視線の先にあった。私は憤慨して、ついに『それをどかしてください』と言ってしまいました」

「それとは？」とジョイはきいた。

「その彫刻です」と彼は言った。「私の目の前からどかしてください」

ジョイはポスドク研究を別の大学で行うことに決め、ジョージア大学で海洋学者になった。「今日でさえ、娘たちが高校生や大学生になったとき、どんな扱いを受けるか心配しなければならないとは、嘆かわしい限りです」と、最近、彼女は話している。「科学者になるには強い心が必要ですが、不適切で愚かしい行動は正当化されるべきではないのです」

こんな話もある。ジョイがその研究職に応募してから数年後の一九九九年、オハイオ州のマイアミ大学の助教だったマージョリー・M・〝ケリー〟・コーワンはシカゴで開かれた米国微生物学会の年次総会のパーティーに出席していた。ある著名な学会員が、ホテルまでリムジンで送ってくれるというので、彼女は礼を言って車に乗り込んだ。彼は既婚者で七十歳代、彼女は三十歳代だった。車が走り出して三十秒もしないうちに、彼は彼女に覆いかぶさって抱きつき、キスをして胸を触った。数年後、彼女はそのときのことをこう回想した。自分は三十秒ほど思考が停止してしまったが、ショックから立ち直ると、彼を押しのけた。そしてホテルの部屋で、彼の行動を合理的に説明しようとした。「きっと、飲みすぎたか、ちょっとボケの症状が出てしまったのかもしれない」と自分に言い聞かせた。彼が別の学会でまた同じことをしようとしたとき、彼女は彼に尋ねた。「結婚していないんですか？」

「しているよ。妻を愛している」と彼は答えた。

米国微生物学会の何人かの女性が、彼の行動について経営陣に苦情を申し立てたが、彼は大学の職を失ったろうか？　答えはノーだ。

だから、戦いは続く。

次の章は、男性がほとんどを占める一流大学の工学部での話だ。その学部では、熱帯魚の水槽をめぐって騒動が起こる。

4　事実を白日のもとに

一九六四年、ラドクリフ大学の学生が、ハーバード大学の研究室で高度な科学研究を行っていた。自分の机でデータを分析していると、ドアが開いた。

「そこに立っていたのは、個人的に面識はないけれど、すぐに誰だかわかる科学者でした」と、学部生だったナンシー・ホプキンズは五十年後に初めて公に話した。「立ち上がって握手をする間もなく、彼は部屋をすっと横切り、背後から私の胸に触れながら『何の研究をしているんだい?』と言ったのです」ホプキンズは狼狽《ろうばい》したが、それは、その人がジェームズ・ワトソンと共にDNAの構造を解明した神のような研究者、フランシス・クリックであったからなのか、それともその下卑た振る舞いが彼自身の品位をおとしめたからなのかはよくわからなかった。

マサチューセッツ工科大学(MIT)の教授を務め、米国科学アカデミーの会員となった今でも、この話をしたことを後悔することがあるという。クリックはワトソンを訪ねて来たのだった。二人は親しかった。彼らはロザリンド・フランクリンに知らせることも、同意を得ることもなく、彼女のX線写真を使ってDNAの構造を解明し、ノーベル賞を共同受賞した。ワトソンはホプキンズの師であり、親しい友人だった。博士号を取るべきだと彼女に言ったのも彼だし、彼女に手を出すこともなく、言い寄ることもない親しい仲間だった。もし、クリックの振る舞いについて文句を言ったら、ワトソンに恥をかかせ、その夜招待されていたパーティーを台無しにすることになる。それに、自分に何ができる？女性は、男性が自分たちを性の対象として見ていることを知っていた。そういうものなのだから仕方がない。

「学生をそのように扱う男は、その女子学生の実験ノートに純粋な科学的興味を持っていないのかもしれない。私は何年も経ってからようやくそのことに気づいたのです」とホプキンズは言った。

自分は性差別的な制度の中で働いていて、自分の才能、努力、画期的な実験だけでは最終的に勝つことはできないという事実にホプキンズが向き合うようになるまでに三十年かかることになる。そして、問題は性差別なのだということを証明するデータを集めた後も、彼女はまだ確信を持てずにいた。

科学者である私たちは、データが重要であることをつねに認識していた。問題は、そのデータをどうするかだ。同僚たちの助けにより、ホプキンズはその疑問の答えを得ることができた。しかし、彼女たちの力が本当の意味で輝いたのは、大学の経営陣との感情的な対立をうまく調整し、事実を学界に広めたときだった。

しかし、ずっと後になってから、ホプキンズは、その勇気の代償を――重い個人的な代償を――払うことになる。

◆◆◆

この反乱の物語は、一九七三年にナンシー・ホプキンズがＭＩＴに教員として採用されたときに始まる。それは彼女があのハーバード大学の研究室でクリックと出会ってから十年後のことだった。ちょうど、連邦政府から助成を受けている教育機関での女性差別を禁止するタイトルナインが施行されたばかりだった。ＭＩＴは特に困った状況にあった。学生の三分の一以上が女性にもかかわらず、女性教員はわずか八％。寄付が少ないＭＩＴは、連邦政府からの助成金を失うリスクを冒すわけにはいかなかった。ホプキンズはハーバード大学の大学院生として高度な分子生物学の教育を受け、彼女の研究は大きな話題となっていた。そういうわけで、ホプキンズはＭＩＴの教員に抜擢《ばってき》された。ホプキンズは、自分が積極的差別撤廃措置《アファーマティブ・アクション》の恩恵を受けていると考え、タイトルナイン成立後に大学に採用された女性のリストの「だいたい十番目くらい」と思っていた。

ホプキンズがＭＩＴで働き始めて間もなく、ある女性管理職から「教授たちがデートに誘おうとするので、女子学生たちは困っている」と警告された。「私はこの問題がいかに深刻かをすぐには理解できませんでした」とホプキンズはのちに認めている。「職場に男と女がいれば、しかたないのでは？」と考えたのだ。

しかし、数年後、私がＭＩＴの大学認証評価に関する調査委員会のメンバーだったときに、同大における気になる件を自らの目で見る機会があった。この委員会の任務の一つに、大学と、その学生および教員の関係についての報告があった。委員会の男性メンバーの要請を受け、二人の女性メンバーと私は個人的に女性の大学生、大学院生、ポスドク研究員、そして教員に聞き取り調査を行い、「しばしば女性に偏見を持ち、巧みに女性を操り、女性たちの要求や懸念に冷淡な男性たちに対して、女性たちは理性的にも、感情的にも、そして性的にも特別な脆弱《ぜいじゃく》性を持つ」と報告した。女子学生たちは、クラスメートや教員の中に自分たち女性を下に見る男性がいると打ち明けた。ＭＩＴに長くいればいるほど、女性たちの向上心は薄れていった。特に印象的だった一人の女子学生は、卒業後の希望を聞かれると、「ＭＩＴの博士号を使って、子供のおもちゃをデザインする仕事に就けると思います」と答えた。女性教員たちは、給料の低さや研究室スペースの狭さについて話した。学務担当学長のウォルター・A・ローゼンブリスに、MITの女性はあまりいい扱いを受けていないと感じていると話すと、彼は非常に心が痛むと答えた。誠実で深い思いやりのある彼は泣き出しそうな顔をした。

ホプキンズは、一九七三年当時、まだフェミニストではなかった。連邦政府と女性運動が、自分の世代の男女差別をなくしてくれたと考えていた。問題は、「私が唯一興味を持っていた高度な科学研究を行うには、週に七十時間以上働かなければならないことだった。自分がなりたいと思う科学者になることと、母親になることが両立できるわけがない」。母親になったら偉大な科学者にはなれないと強く信じられていて、MITの終身在職権を持つ女性の半数以上が子供を持っていなかった。

ホプキンズは当時結婚していて、ポスドク研修を終えたらすぐ、三十歳になる前に子供をつくろうと考えていた。しかし、ホプキンズは離婚し、その後、再婚も出産もしないと決心した。まだ、羊水穿刺《ようすいせんし》や体外受精など、高齢出産する女性を助ける手段がない時代だった。「いま思えば、人口の半分が平等に参加することができず、子供も持てないような専門的職業は常識的に考えて差別的なのだと気づくまでに、どうしてこんなに時間がかかったのかわからない」と、ホプキンズは二〇一五年に回想している。彼女が、「科学のキャリアや制度は、男性は外で働き、専業主婦が家を守るのがあたりまえと考えられていた時代に、男性が男性のためにつくり上げた人工的な制度であり、だから変更することも可能なのだ」と理解するまでには、それから何年もかかる。

年月が経つにつれ、ホプキンズは仕事がうまくいかないのは「自分の欠点のせいだ。特に、この競争の激しい職業において、積極性が足りないこと、自己アピールができないことが原因だと考えるようになった。それで、もっと頑張って働こう、もっといい実験をしようと頑張り続けた。ノーベル賞をとるような実験をすれば、自己アピールなんか必要ない、誰もが私の発見を認めざるをえないはずだと考えたからだ」と、のちに彼女は語っている。

ある日、ホプキンズは世界的な発生生物学者のクリスティアーネ・ニュスライン＝フォルハルトが、ショウジョウバエの遺伝学から脊椎動物の遺伝学に研究を切り替えていることを耳にした。ホプキンズは行動の遺伝学に興味を持っていたので、サバティカル休暇をとってドイツのチュービンゲン大学に行った。同大では、ニュスライン＝フォルハルトが、遺伝子の変化が子孫に与える影響について研究していた。ニュスライン＝フォルハルトは、家庭の水槽でよく飼われている熱帯魚ゼブラフィッシュを十万匹飼育する、六千個の水槽がある養魚施設を開設したばかりだった。ゼブラフィッシュは光が通り抜けるほど透明な魚なので、内部で器官が形成されて成長する様子を観察することができる。

ホプキンズはすぐにゼブラフィッシュの魅力に取りつかれ、脊椎動物の初期発生にかかわる遺伝子を研究するために、ゼブラフィッシュを使ってみようと思った。しかし、それはむこうみずな考えだった。必要としている技術が存在していなかったからだ。成功できれば、それは奇跡としか言いようがない。しかし、ホプキンズは決心を固めていた。それにはまず、魚を飼う水槽を入れるための実験室スペースが必要だった。彼女のＭＩＴの研究室は、数人の大学院生でいっぱいいっぱいの広さしかなかった。

そこで一九九三年、ホプキンズは学科長を訪ね、スペースを増やしてくれるように頼んだ。ホプキンズのような終身雇用のシニアな教授にとって、これは日常的な要求であったはずだし、教員に追加のスペースを与えることは難しいことではなかった。しかし、学科長は「余分なスペースはやれない」ときっぱり拒絶した。さらに、「ゼブラフィッシュの研究など二流の人間がすることだ」と言ったのだ。

一流の遺伝学者が使うのはショウジョウバエだ、と。

「でも、これは新しいサイエンスなのです」とホプキンズは抗議した。ニュスライン=フォルハルトはやっているではないか。

「その名前はどう綴《つづ》るのだね？」学科長は尋ねた。彼は彼女のことを知らなかったのだ（そのわずか三年後には、ニュスライン=フォルハルトはノーベル賞を受賞し、その賞金の一部を使って、女性科学者たちのために家事や料理、育児にかかる費用を援助することになるのだが）。

ホプキンズはすでに、男性科学者は自分の研究を真剣に受け止めていないのではないかと思い始めていた。彼女が書いた総説論文をほめてくれた先輩の科学者からベッドに誘われたとき、彼女の心を最もざわつかせたのは、自分の論文は彼がほめてくれたほど良いものではないのかもしれない、という疑いだった。彼女が創設した新しい遺伝学の講座は、男性の教授たちに引き継がれ、彼らはその講座をもとに本を出版しようと計画した。サイエンス誌の記事によると、ホプキンズは「抗議のために教えるのを完全にやめた」という。また、彼女が非常に尊敬していた別の学科長から、男子学生は「女性の話す科学的な情報を信じないだろうから、きみは別の遺伝学のコースは教えることはできない」と言われたこともあった。最悪だったのは、彼女がそのとおりだと思っていたことだった。

しかし、最後の一撃となったのは、水槽を置くスペースをもらえなかったことではなかった。

ホプキンズは、毎日自分が「とてつもない苦い思い、絶望、悲しみ、そして誰にも理解されないという思い」を抱えて職場に出かけていくことに気づいた。しかし、「このことについて相談できる相手はいないし、誰も信じてはくれないだろう。私の世代の女性は、自分がおかしいんだと思うしかなかった」。自分は本当に不当な扱いを受けているのだろうかと、彼女は考えた。ＭＩＴの男性科学者は、本当に自分よりも広い研究スペースを与えられているのだろうか？　ホプキンズのような科学者にとって、それを確かめるには、研究室の広さを測定するしかない。

ホプキンズは敵をつくりたくなかった。「ＭＩＴの学部の会議に行くと、三十年前にけんかをして以来、今も憎み合っている人たちがいた」と回想する。クレイマーやトラブルメイカー、つまり問題児と思われたくなかった。だが、どうしても知りたかった。幸いなことに、科学的発見を特許に結び付けようとする動きがこれほど活発になる以前は、ほとんどの研究室が友好的で、研究者仲間がやってくるのを歓迎した。そこで、彼女は巻き尺を持って、ＭＩＴの理学部の研究室を次々にまわり、それぞれの広さを記録していった。そして、一年がかりで、必要な事実をつかんだのである。思ったとおり、男性の研究室は広く、いくつかは自分の研究室の四倍もあった。男性のシニア教授の研究室は平均三千平方フィート、女性のシニア教授の研究室は二千平方フィートで、男性の若手教授とほぼ同じ広さだった。

ホプキンズは憤慨し、窓辺に積まれていた研究室の測定に関するメモや苦情、手紙の山を携えて、弁護士に会いに行った。弁護士はその問題を、差別と断定した。ホプキンズは、ＭＩＴを訴えることを考え始めた。そして、「何かが変わらなければ、私は科学研究ができない」と決断した。

一九九四年の夏の間、ホプキンズはＭＩＴのチャールズ・Ｍ・ベスト学長に宛てた怒りの手紙の下書きをつくった。しかし、手紙を出す直前になって、別の女性の意見を聞くことにした。メアリー・ルー・パーデュー教授を地元のカフェでのランチに招き、テーブルの上に慎重に手紙を広げて読んでもらった。すると驚いたことに、すでに十一年前に米国科学アカデミー会員に選ばれたパーデューは、すぐにその手紙に署名してくれたのだ。ホプキンズもパーデューも、これまでお互いに、あるいは同僚に自分の不満を打ち明けたことはなかったし、女性の同僚が何人いるのかさえ知らなかった。ホプキンズは、「便覧の巻末を調べてみましょう。女性は別に掲載されているのかもしれないわ」（しかし、別掲載されてはいなかった）。パーデューとホプキンズが驚いたことに、ＭＩＴの六つの理学部門（生物学、数学、物理学、化学、地球・大気・惑星科学、脳・認知科学）で、百九十七人の終身雇用の男性教員がいるのに対し、女性は彼女たちを含めてたった十五人しかいなかった。さらにあと二人の女性が、ＭＩＴの工学部を主要な所属先としていることがわかった。ホプキンズとパーデューが、この手紙を十五人に見せると、「差別を感じたことはない」と言った一人を除いて全員が即座に署名した。二十四時間後には、小さいながらも結束の固い女性グループができあがった。

彼女たちは、平均して理学部の男性教員よりも優秀で、四十％が米国科学アカデミーや米国芸術科学アカデミーの会員だった。二十年後も、その内訳はほとんど変わっておらず、ホプキンズの手紙に署名したＭＩＴの理学および工学部の十六人のシニアな女性科学者のうち、四人が米国国家科学賞を授与されたのに対し、同学部百六十二人の男性正教授のうち授与されたのは七人のみだ。また、彼女たちのうち十一人が米国アカデミーズの会員に選ばれることになるが、男性教授の場合は百六十二人に対して十一人であった。

それでも、ホプキンズたちはトラブルメイカーと見られたくなかったので、秘密裏に活動することにした。八月、彼女たちは、ＭＩＴの理学部長ロバート・Ｊ・ビルノーに面会を申し込み、ホプキンズが手紙を手渡した。この会合に参加できた女性一人一人が、自分たちの経験を語った。ある女性は、自分のキャリアを「千本の針で刺された死」と表現した。

温厚で非常に有能な管理者であるビルノーは、この会合に「ただただ圧倒され……宗教的な体験に近いものだった」と、のちにサイエンス誌の記者に語っている。彼は彼女たちが全米で有数の科学者であることを知っていたが、これほどまでに苦しんでいたとは思ってもいなかった。もし、一人の女性だけがやってきて不満を述べたのなら、その女性と上司との間の個人的な問題と片付けたかもしれないと、ビルノーは言う。しかし、その場にいた十五人の卓越した女性の話を聞いて、ホプキンズの言うことは正しいと確信した。これは差別だ。ＭＩＴはタイトルナインに関する法的な問題を抱えていたが、もっとも大きな問題は、人間的な問題、大学システムの問題だった。彼女たちは、地位が上がれば上がるほど、主流から遠ざけられていると感じるようになる。教授たちのためにも、ＭＩＴ自身のためにも、大学はこの問題に取り組む必要があった。

ビルノーのオフィスを後にしたとき、ホプキンズたちの足どりは浮き浮きと躍るように軽かった。

◆◆◆

ほとんどの大学が女性教員からの苦情を無視していた時代に、ロバート・ビルノーはＭＩＴのチャールズ・ベスト学長の強い支持を得て、より多くのデータを集めるために秘密の委員会を結成した（ベストはウエストバージニアで育ち、どんな場所で起ころうと不正には敏感だった）。最初のうちビルノーは、委員長を務めるにはホプキンズは「急進的すぎる」のではないかと心配したが、ホプキンズの代わりに委員長を務めようとする女性は一人もいなかった。ビルノーの最大の難題は、男性の学科長たちだった。ほとんどが、委員会そのものに反対した。一九九四年九月の会議で、それまで女性だけだった委員会のメンバーに三人の男性を加えるとビルノーが譲歩するまで、彼らは「ただ石のように無表情に座っていた」とホプキンズは回想している。三人の男性のうち、ノーベル賞受賞者である物理学者でヒューマニストのジェローム・フリードマンを含む二人は、すぐに女性陣と手を組んだ。

委員会のメッセージは、「データに基づいたもの」であり、「いかにもMITらしかった」とビルノーはのちに語っている。そして、そのデータは驚くべきものだった。理学部六学科のうち三学科では学生の半数以上が女性で、全米でも女性の博士号取得者が増えていたのに対し、MITの理系女性教員の比率は二十年にわたって八％程度にとどまっていた。女性たちは、給料、年金、研究室設立資金が少なく、設備も乏しく、教育負担も重かった。さらに、MITからの賞や学科長への推薦、有力な委員会への指名も少なかった。MITの教授がよそから誘いを受けると、大学側は男性教授の場合は慰留のために対案を提示したが、女性にはそのような取り計らいはなかった。理学や工学の分野では、女性の学科長は一人もいなかった。シニアな女性教員は、自分の学科では蚊帳《かや》の外におかれており、無力だと感じていた。一方、若手の女性教員は比較的満足していたが、仕事と家庭のバランスをとるのが一番難しいと感じており、終身在職権を持つ女性教員の半数は子供を持っていなかった。

ビルノーは、委員会の報告書が完成する前から、問題の解決に着手した。研究室のスペースと給料の問題は、比較的簡単に解決できた。ホプキンズは、五千平方フィートを確保して水槽を設置することができ、教育を免除されたので週に三十時間から四十時間、自身の研究と、男女平等の問題に専念できるようになった。なかには、一年で十％の昇給を受けた女性もいた。女性教員を増やすために、ビルノーは、候補者リストの女性全員が面接を受けるまで、男性の採用を認めないようにした。その結果、多くの女性が採用され、のちに描かれた女性教員数のグラフに「ビルノー上昇」として表れている。訴訟を起こすという考えは消滅した。ホプキンズら委員会の女性たちは、平和に科学に打ち込みたかった。

しかし、そもそもどのような経緯でこのような不公平が存在するようになったのか？　委員会の報告書は、「MITにおける差別の大半は、その行為者が男性であろうと女性であろうと、ほとんど無意識のうちに行われている」と結論づけている。これはほとんどの科学者にとって寝耳に水の話だったが、実は一九七〇年代から、心理学者たちは、男女ともに無意識のうちに、男性が行ったと思う仕事は過大に評価し、女性が行ったと思う仕事は過小評価すると繰り返し報告していた。今日、ホプキンズは、このような差別が起こったのは、「男性中心に物事が進行していたからだ。女性たちは見えないところで、せっせと助成金の申請や資金集めに奔走していた。それが当たり前で、誰もそれをおかしいとは思わなかった」と述べている。

委員会は、一九九六年に百五十ページに及ぶ極秘報告書をまとめあげた。報告書の一部は関係する学科長に送られたが、全文を読んだのはわずか三名、ベスト学長、ロバート・A・ブラウン学務担当学長、そしてビルノーだけだった。

その後、三年にわたり、報告書をどこまで公開するかについて、委員会で議論が続けられた。そしてついに一九九九年、ホプキンズがもっと広い研究室スペースを最初に要望してから五年後、ベスト学長の熱烈な支持を得て、報告書はＭＩＴの教授会報に掲載された。「私は、大学における現代の男女差別には、現実の部分と感覚的な部分とがあると信じてきたが、今は両者のバランスにおいて現実の方が圧倒的に重いということを理解している」と彼は序文に書いている。

全米屈指の理工系大学であるＭＩＴが、優秀な女性科学者から公平な資源配分を組織的に剥奪していたことを認めたと知った女性記者たちは、こぞってそのストーリーを取材しようとした。ボストン・グローブ紙は、日曜版に「ＭＩＴの女性たちが偏見との戦いに勝利。めずらしく大学側は差別を認める」という見出しでレポーターのケイト・ゼルニケによる記事を掲載した。その二日後、ニューヨーク・タイムズ紙は、「ＭＩＴ、女性教授への差別を認める」というキャリー・ゴールドバーグの記事を掲載した。おそらく多くの読者はそれまで、女性科学者について、さらには彼女たちが直面している差別について、深く考えたことはなかっただろう。新聞にこうした記事が載らなかったならば、一九八三年にMITのコンピューター科学科の大学院生たちがまとめた報告書と同じように、この報告書もすぐに忘れ去られていただろうとホプキンズは考えている。今回は、この報告書やそれに関連する記事を読んだ何百人もの女性科学者が、自らの体験をベストにメールで知らせてきた。

ベストの声明を読んで、ホプキンズは苦渋と痛みがすっと消えていくのを感じた。「大学の有力者が私たちの話を聞いて、『そうだ、君は正しい』と言ってくれたこと、それが何にもまして嬉しかった」と彼女はのちに語った。翌週、ホプキンズが出勤すると、彼女のオフィスの前の廊下はテレビ局のカメラクルーでごった返していた。そして部屋では電話が鳴っていた。受話器をとると、「ただいま放送中です。こちらはラジオ・オーストラリア」という声。

ホプキンズは、女性が発言すればキャリアを失うことになるのではと不安を感じるような時代に社会人となったが、全米の百以上のキャンパスに招かれて「MITの奇跡」について講演を行った。ホワイトハウスでは、ビル・クリントンとヒラリー・クリントンが報告書を読み、四月七日の全米イコール・ペイ・デイ（同一賃金デー）の祝典にビルノーと教員一名を送るようMITに要請した。ベストはホプキンズに「出席するのは君以外にはいない」と言った。祝典で彼女はヒラリー・クリントンの隣、クリントン大統領からは二つ離れた席に座り、聴衆と群がるカメラと向かい合った。緊張のあまり、大統領をどう呼んだらいいのか思い出せなかった。「ミスター・クリントンと呼んでしまったと思う」と彼女は言う。クリントン夫妻はどちらもMITを賞賛し、米国の科学と経済における女性の重要性を強調する短いスピーチを行った。サイエンス誌と高等教育専門紙クロニクル・オブ・ハイヤー・エデュケーションは、この出来事について大々的な記事を掲載した（ただし、後者はホプキンズを「ミスター・ホプキンズ」と三回も書いていた）。

もちろん、反発もあった。ウォールストリート・ジャーナル紙は社説で、MITの報告書を「『社会科学』の政治的実践」と非難し、女性教員が大学の高い基準を引き下げており、委員会（一人のノーベル賞受賞者と数名の米国科学アカデミー会員を含む国内屈指の科学者で構成されている）は、教授たちの訴えを正当な「科学的プロセス」によって評価していないと主張した。

ベストとビルノーは反論した。「まず、女子大生はスポーツを『したくない』だけだと言われていた。だが、タイトルナインのおかげで、一九九九年の最も重要なスポーツ界のニュースは、アメリカ女子サッカーチームがワールドカップで優勝したことだった。次に、女子大学生はただ科学を『勉強したくない』だけだと言われた。しかし、現在、MITでは、科学専攻の学部生の五十％以上が女性であり、学業面における男女間の唯一の違いは、女子学生の方が卒業率が高いということである。これをウォールストリート・ジャーナルは、女性は大学の科学の教授に『なりたくない』だけだと伝えている」。ベストとビルノーの主張は明快だった。科学分野で女性研究者が少ないのは、彼女たちが選んでそうなっているわけではないのだ。

その後十年以上にわたって、MITの理学部に関する委員会の報告書は、MITの理学部以外の場所や他の大学の改革、そして女性、アフリカ系アメリカ人、ラテン系の科学者に対する偏見を検証するモデルとなった。ベストは他の八大学の学長をMITに招き、性差別をなくすために同様の調査をすることを約束させた。MITは、男女の給与が同じで、女性が学科長になった米国でも数少ない大学の一つとなった。二〇〇四年には、神経科学者のスーザン・ホックフィールドが初の女性学長に就任した。おそらくなかでも最も重要なことは、ＭＩＴが「男女問わず、家族に対する責任によって教員が不利になることはない」という決定を下したことだろう。二〇一四年には、新しい家族休暇制度、終身在職権を得る前に子供を産んだ場合の自動延長、キャンパス内の新しい保育所、出張中の育児補助金のおかげで、ホプキンズは、若手女性教員が子供を持つことが新たなスタンダードになっていると報告できるようになった。

声高に叫ぶことでトラブルメイカーの烙印《らくいん》を押されるのではないかと恐れていた女性研究者たちは、主流から外れるどころか、研究成果を上げていた。ある女性は「私の研究は花開き、研究費も三倍になった。今は、この仕事のあらゆる面を気に入っている。あの頃を、どうやって生き延びたのか、どうしてあきらめなかったのか、自分でもよくわからない」と話した。ホプキンズのキャリアも飛躍的に伸びた。彼女の研究室は、二十人の大学院生と十五万匹のゼブラフィッシュを収容できる広さとなり、彼女の研究チームは、ゼブラフィッシュの初期発生に必要な遺伝子の少なくとも二十五％を特定した。革新的な研究によって、ホプキンズはＭＩＴの寄付講座教授、米国科学アカデミーの会員に選ばれた。

◆◆◆

ＭＩＴの報告は非常に影響力の大きい出来事だったと私は考えている。調査結果が慎重に文書化され、米国を代表する理工系大学の学長に承認されたことで、女性たちがずっと訴え続けてきたことが認められたのだ。この報告書は、一九九一年に、クラレンス・トーマス最高裁判事を承認するための議会公聴会で、アニタ・ヒルが同氏のセクシャル・ハラスメントについて証言したのと同じことを、大学における男女差別に対して行ったのである。

米国科学アカデミーのマーシャ・K・マクナット会長は、この報告書が発端となって、公然と行われていた科学界の女性に対するほとんどの差別が終わったと考えている。それ以来、女の子は「ダメ、ダメ、ダメ。女の出番はないし、女が成功するわけもないし、この分野を汚すことになる」などと言われることはなくなったとマクナットは言う。

ナンシー・ホプキンズが起こした反乱が軌道に乗った要因は何だったのだろうか。ロバート・ビルノーは、この委員会の調査がゴミ箱行きにならなかったのは、法律上の影響のためではなく、その背後の集団の力によるものだと考えている。委員会のメンバーだった海洋学者のサリー・W・〝ペニー〟・チザムは、女性たちが互いに対する個人的な疑念を一時捨て、専門分野の違いを越えて、共通の体験に集中したからこそ成功できたのだと言う。私は、MITの革命が成功したのは、学術的な科学界において初めて女性が手を取り合って立ち上がり、変化を求めたからだと思っている。#MeToo運動は、新しい世代にも同じ教訓を与えた。女性が共通の目的に向かって取り組めば、手ごわい相手となるのだ。「女の子たちに自立せよと教えなさい」と分子生物学者でプリンストン大学の前学長であるシャーリー・ティルマンは言った。「世界が完全に平等であれば、そんなことを教える必要はないが、今のところ平等とは言えないのだから、そうしなければならない」

ナンシー・ホプキンズもこれに同意するが、影響力をもつ味方を見つけることも必要だと強調した。「私たちが（報告書から）学んだ最も重要なことは——それはそれ以後、何度となく学び直していることなのだが——私がルール#1と呼んでいるものだ。時間をかけるだけでは物事は変わらない……権限を持つ管理者による意図的な行動が制度を変えるのだ」。彼女はかつてサイエンス誌にこう書いている。「心や精神を一つずつ変えていくのでは時間がかかりすぎる。制度を変えれば、心も精神もそれについてくる」

その証拠に、ビルノーがＭＩＴを離れ、カリフォルニア大学バークレー校の学長に就任すると、ＭＩＴの改革はその後停滞したのである。ＭＩＴに新しく雇用された女性教員数のグラフは横ばいになった。その後、新しい学部長が来て、女性の採用が増え、グラフの線は再び上向きになった。

しかし、ＭＩＴの報告書は、全国のキャンパスで意図せぬ結果も生んだ。マクナットが言うところの「二重の期待」、つまり「女性が男性と同等の仕事をするだけでは足らず、それ以上を期待される」ようになったのである。女性教員たちは、増え続ける女子学生を指導するよう求められ、進歩的に見せようとするキャンパス内の委員会はどれも、女性を委員に迎えようとした。女性教員は少数しかいなかったため、すぐに仕事が増えすぎて、過重労働を強いられるようになった。多くの女性教員が、新しい職務のために研究時間が半減した。男性の同僚が行っている報酬の高いコンサルティングの仕事も減ったことは言うまでもない。

しかしそれでも「微差別は根強く残っている」とマクナットは述べた。つまり、男性自身が気づいていない無意識の偏見（バイアス）だ。最もはっきりわかるその兆候は、女性の言葉を途中でさえぎり、話に割り込んでくる傾向だろう。しかし、最悪なのは、女性の発見を自分の発見と平気で言い張る男性がいることだ。これらは、「かなり大目に見たとしても」、女性に対する二十一世紀の新たな微差別の中で最も明白なものにすぎないと、ＭＩＴビジネス・スクールの教授ロッテ・ベイリンは言う。

そうした偏見があからさまなものであることさえある。二〇〇五年一月十四日、ナンシー・ホプキンズは、非公開会議でハーバード大学のローレンス・サマーズ学長の講演を聞いていた。サマーズは学長時代にハーバード大学の積極的差別是正措置《アファーマティブ・アクション》のトップポストを廃しており、同大の女性の終身雇用枠は縮小していた。サマーズはその日の講演で、意図的・非意図的に女性科学者が排除されてきた数十年にわたる差別の歴史を無視して、科学者の「最高位」に女性がいないのは生来の適性が原因だろうと述べたのである。ホプキンズは気分が悪くなって、退出した。サマーズの発言とホプキンズのそれに対する反応をめぐるメディアの騒動は、数ヵ月にわたって続いた。多くの男性記者はサマーズの側につき、ホプキンズの所属する学科の男性の中には、彼女に話しかけなくなった者もいた。彼女が自分のオフィスの前を通ると、威嚇するような声を出す者もいた。ホプキンズの受信箱には、ポルノメールが殺到した。

ある日、旧友のジェームズ・ワトソンがやってきて、「ラリー・サマーズは正しい」と言った。「女には科学は無理なんだよ。きみがそうではないと匂わせたことに対し、きみはサマーズに謝らなければならない。謝らないなら、二度と口をきかない」と。

「私は四十年来の親友を失った」とホプキンズはのちに語っている。それが、男性をわずらわせた代償だった。ただ真実を語っただけだとしても。

サマーズはというと、ハーバード大学から昇給と名誉学位を授与され、二〇一〇年にはオバマ政権の国家経済会議委員長に就任した。

◆◆◆

ＭＩＴ理学部の女性教員の割合は、一九六三年にはゼロだったのが、一九九五年には八％になり、二〇一四年には十九・二％になった。しかし、それ以降、平等への動きは停滞している。ＭＩＴの生物学科の女性教員は二〇〇九年には十四人だったが、十年後の二〇一九年にも十四人のままだ。その間に、実際には、生物学と化学の女性教員の比率は減少している。このままでは、ＭＩＴの理学部の教員が男女半々になるまでに四十二年かかると推定される。その頃には、今日のシニアな女性科学者のほとんどはとうの昔に亡くなっていることだろう。

米国は、男性と女性が半分ずつを占める全人口の中から最も優秀な科学者とエンジニアを必要としている。地球温暖化、安全な水、将来百億人になると言われている地球人口を養うのに十分な食料供給、そして人工知能と強力な視覚化ツールの賢明かつ倫理的な使用など、いばらの道を進むためには理工系人材が必要なのだ。こうした難題に挑むには、全人類の才能と才覚を総動員しなければならないだろう。

これまでは、性差別をなくすための制度改革について述べてきた。しかし、個人のレベルではどうだろうか？　女性科学者とその研究は、男性科学者と同等に評価されているだろうか？

5 コレラ

私は小型のモーターボートに乗って、バングラデシュの首都ダッカから約一日かけてコレラ研究所に向かっていた。メリーランド大学の正教授になったばかりで、これがこの国への最初の旅だった。ガンジス・デルタを横切っているとき、高速救急船が私たちの船を追い越していった。若い夫婦とその子供がこの地域でコレラ病院の役目も果たしている研究ステーションへと運ばれていくところだった。十五、六歳くらいの夫婦で、一目でわかるほど取り乱していた。母親は、赤ん坊を腕に抱いていた。赤ん坊はおそらく男の子だ。一九七六年当時、バングラデシュ人の多くは、女の子を病院に連れて行くことはなかった。

救急船が研究ステーションに着くと、若い両親はスターバックスほどの大きさのキャンバス地のテントに駆け寄った。テントの入り口が巻き上げられていて、コンクリートの床の上にキャンバス地のコレラ用簡易ベッドが何列も並んでいるのが見えた。各ベッドに開けられた穴に設置された漏斗から患者の重湯《おもゆ》状下痢便が床に置かれた壺《つぼ》に流れていく。各ベッドの横には、三本足のテーブルがあり、嘔吐《おうと》用の洗面器が置かれていた。壺と洗面器の液体を計ることで、患者の体液がどれだけ失われたか、そしてどれだけ補給が必要かがわかる。

コレラ患者にとって、塩化ナトリウムやカリウム塩を多く含む水分を七～八リットルほど失うと、電解質のバランスが崩れてショック状態に陥り、数時間のうちに死に至ることもある。「朝食のときには元気だったのに、夕食時には死亡」とよく言われたものだ。私が初めてバングラデシュを訪れた年のわずか数年前の一九六八年に、公衆衛生担当チームが、この病気を安く簡単に治療する方法を発見した。ただ砂糖と塩とカリウム、そして炭酸水素ナトリウム（つまりは重曹）を清潔な水に溶かしただけの液体を大量に患者に飲ませるのだ。治療費はわずかで、材料は家庭で混ぜることすらできる。バングラデシュなどの国では、この方法ですでにコレラの死亡率が三〇％以上から一％以下にまで低下していた。適切な水分補給を行えば、この若い夫婦の赤ちゃんもほぼ間違いなく助かるだろう。

四十五年前に初めて訪れて以来、私は毎年のようにバングラデシュを訪れてきた。あの家族に、私は生涯にわたるコレラ研究の活力を与えられ、歴史的に世界中で何億人もの命を奪ってきたコレラという病気の苦しみを緩和しようとしてきた。私の研究は、感染性疾患がどのように伝播《でんぱ》するか、気象パターンや気候変動がどのように影響するか、宇宙衛星を使ってどのように感染症を予測するかといった新しい理論へと私を導くことになる。しかし、コレラの発生に自然が影響を与えるという私の説を、同僚の科学者や医学研究者に受け入れさせるのに四半世紀もかかったのである。キャリアを重ねるにつれ、私は科学部門のアドミニストレーターとしてリスペクトされるようになったが、科学者としては女性だということで軽視されることがしばしばあった。私の研究は批判家たちに公然と拒絶されたが、二十年以上経ってようやく正当な科学理論として認められるようになった。私の研究室の発見がなかなか認められなかったのは、性差別が原因だっただろうと私は考えている。

では、これからそのストーリーを語ることにしよう。

◆◆◆

コレラは十九世紀の疫病となり、世界各地の船便や鉄道の交易路に沿って発生した。衛生状態が悪いところでは、コレラは人から人へ急速に感染していった。しかし、コレラがどのように広がっていくのか、正確なところは誰も知らなかった。

一八五四年、西ヨーロッパでコレラが猛威をふるう中、イタリアのフィレンツェの医学生フィリッポ・パチーニは、その原因を発見した。コレラ菌（*Vibrio cholerae*《ビブリオ コレレ》）が腸の粘膜を攻撃することによって病気を引き起こすのだ。同年、ロンドンでコレラが流行した際に、医師のジョン・スノーが、コレラによる死者が出た場所を市の地図に記録して、多くの患者がブロードストリートのポンプの水を使っていることを突き止め、コレラが水を媒介する病気であることを立証した。

一八七〇年代に、当時、汚染水研究の世界的な権威であったエドワード・フランクランドは、下水や糞尿《ふんにょう》によって飲料水が汚染されるとコレラが発生するのではないかと考え、水中の有機窒素（糞尿による汚染の存在を示す指標）を検査する方法を考案した。そして一八八三年、ドイツの微生物学者ロベルト・コッホが、コレラ患者の糞便が食物や飲料水を汚染した場合に感染が拡大することを明確に示した。しかし、インドの微生物学者シャンブー・ナート・デが、コレラ菌が人体を攻撃する方法を発見したのは、それから数十年後の一九五九年のことだった。コレラ菌が小腸の内壁に付着して強力な毒素をつくり出すと、腸から水分とミネラルが急速に放出され、患者の血液量が急激に減少して、血液による体内への酸素供給が滞ってしまうのである。

しかしコレラの発生は、数キロメートル、数ヵ月ときには数十年の間隔をおいて起こる。そして、コレラ菌が流行と流行の間にどこへ消えてしまうのか、コッホでさえも説明できなかった。一九五〇年代までには、コレラ研究者のほとんどが、コレラ菌は流行が収まっている期間、健康なヒトの腸内か、汚染された飲食物の中に潜んでいて、次の流行を待っているという確信を――絶対的な確信を――持つようになっていた。腸の外では、コレラ菌はすべて数日以内に死滅する、自然界では生きていけないのだと考えられていた。だが、この主張は、ある不可解な事実と矛盾していた。疫学者は、流行の合間に、コレラ菌を保有している健康な人間を発見できなかったのだ。

つまり、コレラ菌が流行と流行の間、どこに隠れているのかは謎のままだった。私は、細菌学、遺伝学、海洋学の分野で初期教育を受けたことにより、目の前の扉を閉ざされ続けても、なんとか前進するために道を切り拓くことができた。そのため、既成概念にとらわれず、学界で信じられていることを疑うのに何のためらいも感じなかった。さらに大学院生として海洋細菌の同定を行ったことで、コレラ菌の潜伏先について、三つの興味深い手がかりを得ていた。それらはほとんどの医学研究者には思いつかないことだった。

第一の手がかりは、海洋細菌かどうかを特定する単純で標準的な試験から得られた。細菌が塩水中で生存、増殖できるかどうかを調べるのである。精密な塩分検査ではなかったが、患者の便から分離されたコレラ菌が塩分を必要とすることはわかった。コレラ菌は海洋細菌の仲間であるに違いない。実際、ポスドク研究員のフレッド・シングルトンは、コレラ菌の細胞壁が塩分のない水の中で分解されることをのちに示した。

ビブリオ属（水系感染性細菌のグループ）が必要とする栄養素は、さらに奇妙な疑問を浮かびあがらせた。私が試験したビブリオ菌（コレラ菌を含む）はすべて、アサリ、カキ、ムール貝、カニ、エビ、そして多くの昆虫の殻や甲皮や外骨格を構成する高分子のキチンを分解できた。キチンを食べる生物は、キチンが豊富な環境に生息しているはずだが、ヒトの腸内環境はそうではない。私は「なぜヒトの病原体がキチンを消化するのだろう?」と考えた。

研究室で長い一日を過ごしていたときに、三つ目の興味深い手がかりが得られた。私は海洋細菌に対して行われる標準的な試験を行っていた。研究室の電灯を消して暗闇に目が慣れてくると、一部のコレラ菌が暗闇の中でぼんやりと、しかし確実に光っているのが見えてきた。海洋微生物は生物発光するものが多いが、コレラの大流行を引き起こすコレラ菌の多くも光を発するのだった。

耐塩性、キチン分解、生物発光という三つの手がかりから、コレラ菌が流行の合間に隠れている場所について、これまでとは根本的に異なる仮説が浮かび上がってきた。ヒトの腸内環境ではなく、水中環境であることを明確に指し示していたのだ。

哲学者のトーマス・S・クーンは、『科学革命の構造』の中で、科学の基本的な仮定を変えるにはしばしば一世代かかると書いている。彼は、一九一八年にノーベル物理学賞を受賞したマックス・プランクの言葉を念頭においていた。プランクは「新しい科学的真理は、反対者を説得して光を見出すことによって勝利するのではなく、反対者がやがて死ぬことによって勝利するのだ」と辛口なユーモアをもって書いている。後から考えれば、女性科学者である私が、生きている間に、コレラに対する医学界の見解を変えることができるのか、自分に問うてみるべきだったかもしれない。

◆◆◆

一九六三年にカナダからジョージタウン大学に移って間もなく、私は米国微生物学会のワシントン

DC支部に招かれて、ビブリオ菌に関する講演を行った。私は、特にオタワで研究したあるビブリオ菌に焦点を当てた。すると、講演の後、国立衛生研究所（NIH）のジョン・フィーリーから、人生を変える質問を受けたのだ。

「あなたはビブリオ菌全般の専門家だ。なぜコレラ菌に注目しないのですか？」と。その二年前、世界で七回目のコレラの大流行が始まり、インドネシアから西ヨーロッパへ、そして世界中に広がっていた。

私は「臨床株が手に入らないんです」と答えた。ジョージタウン大学の研究室は、危険な可能性のある病原体を扱う実験用に設計されていない。高性能の生物学的安全キャビネットもなければ、漏れ出た病原体から研究者を守るための密閉された換気のよい作業スペースもない。さらに、私の学生やスタッフは、インフルエンザなどの感染性微生物を扱う際に義務付けられている非常に厳格なプロトコールの訓練を受けていなかった。

「培養したものを飲まなければ問題ない」とフィーリーは明るく言った。「分離株を一ダースほど送りますよ」

すると、特別郵送用の缶がすぐに送られてきて、なかにはコレラ患者の直腸ぬぐい液から分離したコレラ菌が入った試験管が十二本入っていた。

培養された菌が送られてきたとき私は忙しかったので、試験管の入った缶を研究室の冷蔵庫に入れた。冷蔵庫に入れておけば、研究用に新しくつくった培地に移すまで安全なはずだった。一週間後、時間がとれたので、シャーレに栄養価の高い寒天培地を用意した。冷蔵庫からコレラ菌を取り出し、各試験官の中身を寒天培地上に筋状にまいた。シャーレを細菌培養用のインキュベーターに入れて、健康な人間の体温と同じ摂氏三十七度に保った。ヒトの病原菌の増殖に適切な温度だ。そして、いつものように二十四時間、コレラ菌が増殖してコロニーを形成するのを待った。

二十四時間が経過したが、何も起こらない。さらに四十八時間が経過。まだ、増殖は始まらない。

私はフィーリーに電話した。「送ってくれたコレラ菌株は、輸送に耐えられなかったようです」

「冷蔵庫に入れたんでしょう」と彼は笑った。「コレラ菌はバナナみたいなんですよ。冷蔵庫に入れてはいけない。新しいセットを送りますよ」

バナナと同じ？　なんて不思議な細菌だろう、と私は思った。塩分を好む細菌が、低温でバナナのような振る舞いをするとは。自然環境のコレラ菌は、冬場には低温環境で生き延びなければならないはずだ。これが、コレラ菌と生育条件の悪さに何か特別なことがあるのではないかと考える、最初の糸口となった。まだアイデアの一本の糸にすぎず、仮説の布全体を織ることはできなかったが、流行間のコレラ菌の潜伏先を探す国際的な活動に参加しようと思うには十分な手がかりだった。

◆◆◆

フィーリーが気前よく二回目に送ってくれたコレラ菌を慎重に扱った。私は昔から細菌に魅了されてきたし、何時間も飽きずに顕微鏡で観察することができる。フィーリーが送ってくれたコレラ菌を顕微鏡で見ると、典型的なビブリオ菌と同じく、ある方向に動くと止まって別の方向に向かうという挙動を示し、つねに小刻みに動いて、鞭《むち》のような尾を使ってくねくねと進んだ（十九世紀に、ロベルト・コッホはこの細菌を「コンマ・ビブリオ」と呼んだ。「コンマ」は曲がった形状から、「ビブリオ」はラテン語で波打つを意味する）。培養された菌を試験したところ、シアトルやオタワで私が魚介類から分離した他のビブリオ菌と生化学的・生理学的特徴が同じであることがわかった。同じ特徴を持つのなら、ヒトを病気にするコレラ菌はそのような環境中の他のビブリオと関係があるのではないかと私は考えた。たとえば、海洋性ビブリオ菌と？

塩分を含まない蒸留水を菌の細胞に一滴垂らすと、パッと破裂して消えてしまうことがわかった。その意味は明らかで、海洋微生物学者にとっては、根本的に重要であるように思われた。私がこれまで積んできたすべての経験が、コレラ菌は海洋性のキチン消化細菌であり、貝殻や外骨格の構成要素を再利用していると告げていた。コレラ菌は自然界の炭素と窒素の循環の一部であり、その循環を通して、複雑な有機物は消化されて二酸化炭素と窒素になり、それらが新たに発生する生物に取り込まれるという、無限の循環が続いているのだ。コレラ菌がいなければ、地球の水系はカニやエビなどの生物の殻でいっぱいになってしまうだろう。

コレラ菌はヒトの腸内だけに生存しているのでなく、汽水《きすい》域（少し塩分を含んだ水）や海水域にも生息することができ、実際に生息していると、説得できるだろうか？　そのためには、コレラ菌がどこに生息しているかを正確に示し、水中環境で何をしているのかを説明しなければならない。形は変わるのか？　どのように生き延びるのか？　また、顕微鏡で観察した膨大な数のビブリオ菌は、非常に低い温度にさらされると増殖しないのはなぜか？　塩耐性で、キチンを消化し、時々発光するこれらの細菌は、私の心の奥底にあるパズルのピースだった。

◆◆◆

古典的な科学調査では、最初のステップとして、これまで発表された文献を調べて、どのような興味深い疑問がまだ残っているかを確認する。インターネットが普及する以前は、この作業は非常に時間がかかり、面倒だった。しかし、私はついていた。世界保健機関（ＷＨＯ）が一九五九年、西暦八〇〇年以降に行われたコレラ研究をまとめたロバート・ポリッツァーの一〇一九ページにおよぶ概要を出版したのだ。流行と流行の間にコレラ菌を探すために、医師や科学者は、ヒトの保菌者と、考えつく限りあらゆる環境中の源を探してきた。清潔な水や汚染された港の水、土やほこり、布や皮、ゴム、紙、金属、タバコ、そしてタマネギやニンニクから穀物、肉、魚、果物、ワイン、チコリ入りコーヒー、ミルク入りコーヒーなどあらゆる食品が調べられた。もう少し科学的な文献を探していると、コレラが流行と流行の間にどこに潜んでいるのかについて、四つ目の興味深い手がかりに出会った。それは、フランシス・アデリア・ハロックという八十四歳の科学者が書いた三編の目立たない論文だった。

私はフランシス・ハロックがどんな風貌の女性だったのか知らない。会ったこともなければ写真を見たこともない。彼女は研究室を持たず、間借りしたスペースで借り物の装置を使い、研究を発表するまでに十五年かかった。科学界のお偉方は、決して彼女を科学者と認めないだろう。しかし、この三編の論文をじっくり読んで、私はフランシス・ハロックが何者であるかを知った。非常に聡明だがほとんど評価されなかった、科学界の隠れた逸材の一人だったのだ。そして、けっして彼女が知ることはなかったが、彼女は私がコレラと気候変動と病気の伝播に関する理論をつくり上げる助けをしてくれたのだった。

一八七六年、ウェストバージニア州に生まれたハロックは、ニューイングランドの女子大学で学士号を取得したが、いくつかの女子校で短期の科学の授業を受け持つだけという失意の六年間を過ごした。その後、科学をあきらめ、ラテン語の教師に転向した。三十一歳のときに、ニューヨーク市のハンター大学で優秀な労働者階級の女性を教えるという職の試験を受け、競争に勝った。自分は科学者にはなれないし、自分の生徒を科学者にすることもできない。女性のための研究職はないのだから。その代わりハロックは、医師の資格を持つ男性が運営する公衆衛生研究所のテクニカルスタッフになるための教育を女性たちに行った。ハロックは三十七年間この仕事を続け、「最高の講座にしたいという願望に取りつかれていた」と、退職間際に書いている。「だが、私は成功したのだ。数百人のキャンセル待ちのリストができ、政府は私の講座を全米で七本の指に入ると評してくれた……天にも昇る気持ちだ！ 教え子たちは卒業後、素晴らしい成果を収め、私は彼女たちの栄誉を自分のことのように感じた」

真面目な科学者の例にもれず、ハロックは学生のために重要な研究テーマを選んだ。コレラの原因となる細菌の研究である。学生用実験室には、顕微鏡、ブンゼンバーナー、シャーレ、試験管、オートクレーブなど、ごく初歩的な器具しかなかった。しかし、ハロックはそこで非常に特別なことをした。当時のコレラ研究者のほとんどは、ビブリオ菌を二十四時間顕微鏡で観察していた。しかしハロックと学生たちは、六週間にわたって毎日ビブリオ菌を観察し、その間、細菌が丸い形とコンマの形を交互に「変わることなく」繰り返すのを確認したのである。ハロックと学生たちは顕微鏡を通して自分たちが見たものを鉛筆でスケッチした。

私自身も含め、他の研究者も、異常な形状のビブリオ菌、特に丸い形のビブリオ菌をよく目にしていた。しかしハロックは、この観察結果は偶然起こったものではないと確信していた。なぜなら、学生たちは毎年同じ実験を繰り返し、いつも同じ結果を得ていたからだ。ハロックは、この丸い形はビブリオ菌の生活環の一つの段階ではないかと考えた。

一方、全国の女子大学では、上級学位を持つ男性を採用し、女性教員を家政学科や早期退職に追い込むなどして、大学の格上げを進めていた。そうしたなか、どこかの時点でハロックはハンター大学から、職を失いたくないなら、博士号を取得せよと言われたに違いない。ハロックはコロンビア大学系列の女子大学であるバーナード大学で夜間と土曜の授業を受講し始め、一九一九年に修士号を取得した。彼女は助教に昇進したが、まだ科学者としては認められていなかった。その後、休学してジョンズ・ホプキンズ大学で博士号と「ファイ・ベータ・カッパの鍵」を得た。ハンター大学に戻り、准教授に昇進して、女性テクニカルスタッフの育成に努めた。

一九四四年、六十八歳で退職した彼女は、電話もない東八六丁目三五五番地の下宿で質素に暮らした。同じ家に暮らす他の五人の下宿人は最高学歴が中学二年生どまりだった。しかしついに、ハロックはニューヨーク市から支給される教員年金で、研究者になる自由を得た。彼女はコレラ菌の研究を続け、間借りしているハンター大学の実験室で、学生たちに教えた実験をすべてやり直した。スケッチを描き、データを分析し、結論を出し、論文をまずは手書きで、それからタイプし、知識のある同僚に原稿を見てもらい、修正を加えた。最初の論文は、「七十五年間支持されてきたビブリオ菌の概念に修正を加える必要がある」という言葉で始まる。ハンター大学の高齢女性の言葉なので、なんとまあ大げさな言いようだと思われたかもしれない。彼女は、植物学の博士論文のテーマをもとにした科学論文を一本書いたことがあるだけで、コレラの研究を始めてから発表するまでには十五年かかった。

ハロックが実験をやり直している間に、論文の規格が変わっていた。もう手描きの図は受け付けられない。代わりに、写真が撮影できる、カメラ付きの顕微鏡が必要だった。そうした写真がなければ、発表できる証拠とはならない。しかし、ハロックに運がまわってきた。ニューヨークのスローン・ケタリング研究所の放射線画像診断部長クラレンス・R・ハルター博士と知り合いになったのだ。ハルターに研究室の一部を借り、ハルターとハロックは発表に必要な難しい写真を撮影した。ハルターはハロックの論文が学術誌に掲載されるよう推薦さえしてくれたのかもしれない。なぜなら私が読んだ三編の論文が一九五九年と一九六〇年に米国顕微鏡学会誌に掲載されたからだ。残念ながら、この雑誌は顕微鏡に興味のある人向けで、その雑誌に掲載されたハロックの論文を読んだコレラ研究者はほとんどいなかっただろう。また、先に述べたWHOのコレラ研究のバイブルに含まれるには、数ヵ月遅かった――とはいえ、間に合ったとしても有名な大学や研究所に属さない女性による研究成果を、バイブルに含めるに値すると評価したかどうかはわからない。

ハロックは研究成果をもっと発表できると期待していたが、一九六一年二月、ハルターの研究室は閉鎖された。ささやかな退職式で、ハルターはお祝いのカーネーションを身に着け、八インチの純銀製のボウルと握手を贈られた。ハロックは実験できる研究室を失った。十九年後、彼女はロングアイランドの長老派教会の老人ホームで百三歳の生涯を閉じた。

◆◆◆

私は、ハロックの研究にすっかり魅了された。長い時間をかけて、丹念に細かく結果を出しているので、信頼性があった。また、コレラ菌の「生活環《ライフサイクル》」についても言及されており、ちょうど彼女の研究を発見したころに私が考えていた理論と一致していた。もしハロックの論文がもっと主流の学術誌に掲載されていたら、自然界におけるコレラの挙動が二、三十年早く研究されていたかもしれないし、私の説が正しいことを証明するために、これほど多くの戦いをする必要もなかっただろう。

私はコレラ菌とその形状の変化をもっと詳細に観察したいと考えて、一九六三年にジョージタウン大学生物学科長であったジョージ・チャップマンと共同研究を開始した。そして数編の論文を共同執筆し、細菌を極薄の切片にして、チャップマンの電子顕微鏡で細胞内の構造を観察した。細菌の生活環の諸段階についての概念は議論の的になることがわかっていた。「専門家」の間では、丸みを帯びたビブリオ菌は死んだ細胞や死にかけた細胞だと見なされることが多かった。さらに重要なことに、私は女性であり、イエズス会系の男子大学の、生物学的研究を最近始めたばかりの学科の若手教員にすぎなかった。それでも、チャップマンと私が作成した電子顕微鏡写真から、成長や増殖が妨げられる特定の環境下ではコレラ菌は生き残るために休眠状態に入る可能性があることを、はっきりと確認することができた。

コレラ菌について学んだことが何を意味するのか、まだよくわかっていなかったが、一つだけ確かなことがあった。それは、研究のために素晴らしい道具が使えるようになったということだ。たとえば、コンピューター、当時国内最高といわれた電子顕微鏡研究室、DNA研究のための超遠心分離機などの最新機器、学際的で多様な人種からなる研究チーム、そして新たに登場したDNA解析の計算能力などだ。そして一九六六年、教員職について二年目に、世界の二十五人の海洋微生物学者に限定した四日間の珍しいワークショップに招待された。

ワークショップはニュージャージー州プリンストンのホテルで行われた。スクリプス海洋研究所のクロード・E・ゾベル教授による、アラブの首長とそのハーレムについての品のないジョークで始まった。ゾベルは、一九三二年にスクリプス海洋研究所に着任した先駆的な海洋学者だが、女性科学者の出席には慣れていなかった。スクリプスでは、最近まで泊りがけの研究クルーズに女性の海洋学者は参加できず、ゾベルの十九人の大学院生とポスドクのうち女性は一人だけだという。私は今回のワークショップ参加者中たった二人の女性のうちの一人だった。もう一人は、生涯の友人であり、海洋微生物学と高塩分環境の研究を専門とするキャロル・D・リッチフィールドだった。ミセス・スワンソンという専属の速記タイピストが一字一句正確に議事録をつくり上げてくれた。

米国航空宇宙局（NASA）は、一九六九年の月面着陸に向けて、宇宙飛行士が危険な微生物を地球に持ち帰ることを懸念してこの会議を企画した。NASAは、科学的な助言を受けていたが、それに満足していなかった。生物学者たちは交流することなく独立に、一つの手法、一つの技術、一つの視点で研究を進めており、自分の盲点にしがみついていると不満を漏らしていた。NASAが求めていたのは、生物学に革命を起こすこと、つまり、科学者がコンピューターを駆使して学際的な大きなチームをつくって仕事をすることだった。NASAの方向性は正しいと私には思えた。

私が発表する番になり、自分の目標は海洋細菌およびその遺伝学、そして海洋微生物と生息地との関係を研究することだと説明した。そのために、微生物学と海洋学、遺伝学、数学、確率論を融合させようとしていた。自分が目指すものに「多相分類学（polyphasic taxonomy）」という名前まで付けていた。こうすることで、微生物学者が、どの方法が一番良いかなどと論争するのをやめて、使える道具や技術をすべて使うようになってくれたら、と考えたのだ。

今日、ミセス・スワンソンが一字一句逃さず記録してくれた議事録を読み返すと、三十一歳の熱血漢がいかに外交手腕に乏しかったかがわかって思わずにやりとしてしまう。私は専門家に次々と質問し、科学的な正確さと慎重な測定を求めた。「マクラウド博士、あなたの手順はどのようなものなのでしょうか？」、「迅速というのは、具体的に言うと……？」

「シュードモナス属〔訳注：土壌菌の一種〕の定義は何ですか？——つまり……？」と、私は別の研究者に尋ねた。彼が「私はただ、それらはシュードモナス属のようなタイプだと言っているだけで」と答えると、私は「シュードモナス属と言わない方がいいと私は思います」と忠告した。とまあ、こんな具合だ。

しかし、この会議のおかげで、資金が集まるようになった。国立科学財団（ＮＳＦ）と海軍研究局の代表が会議に出席していて、この二つの組織が、今後十五年間、私の研究室に資金を提供してくれることになった。どちらの組織もコレラに特別な関心を持っていたわけではないが、新しい技術や科学的な手法の熱心な支援者だった。長期にわたり安定した支援が得られることは非常に重要になるだろう。なぜなら、池や川、海水などに自生するコレラ菌が、コレラの流行を引き起こす可能性があることを仲間の科学者に納得してもらうには、何年もかかるからだ。

しかし、まずは、コレラ菌が流行の合間にどうしているのかを明らかにするために、この細菌が一年を通して水生環境でどうやって生きているのかを正確に知る必要があった。

◆◆◆

科学において重要なことが、突然のひらめきによって証明されることはめったにない。科学者は段階を追って研究を進め、進展があるたびに、各ステップで講演や論文でそれを発表する。私の次のステップは、コレラ患者から分離されたコレラ菌と、ヒトの体内以外の自然環境中に存在するコレラ菌が同一種であることを示すことだった。私の最初の大学院生、ロナルド・Ｖ・シタレラによるＤＮＡ解析と、私のコンピューター・プログラムによる種間の進化的距離の計算の結果、二つの細菌は非常に似ており、両者は同一種であるはずだということが示された。

コレラ様下痢症の患者の便には、異なるコレラ菌の株（コレラの大流行を引き起こしたことが知られている株のほかに、コレラがよく発生する地域の表層水から分離された株に近縁の株）が含まれていることが多かった。後者のコレラ菌の存在は、ある疑問を投げかけた。環境中のビブリオ菌が実際にコレラの原因となる可能性はあるのだろうか？　この可能性を人々に考慮してもらうのはなかなか難しかった。リチャード・A・フィンケルシュタインのような医学研究者は、すでにその可能性を否定していた。ミズーリ大学医学部のコレラ研究者であるフィンケルシュタインは私の批判者の一人だった（そして、第3章で述べたように、一九八四年の米国微生物学会会長選挙で私の対抗馬として記入立候補することになる）。彼は、自身の博士課程の指導者から、コレラの原因は一つしかなく、ヒトからヒトへ感染する病気だと教えられており、この二点について考えを変えるつもりはないと私に言った。

私とフィンケルシュタインの議論は、臨床医と私のような科学者を隔てる「二つの文化の問題」のよい例だ。国立衛生研究所（ＮＩＨ）の元所長ハロルド・Ｅ・バーマスはかつて、臨床医と科学者が重点をおくところは異なり、目的もデータに対する基準も違うと述べた。臨床医は、患者のどこが悪いのか、どう治療すればいいのかをできるだけ早く知る必要がある。科学者には、あらゆることを検証し、疑問を投げかけ、根源的な真実を見出すことが求められる。医学部で教育を受けたビブリオ菌の専門家は、ほとんどの人々と同様に、コレラ菌はヒトで病気を引き起こし、ヒトからヒトへと感染し、コレラは環境とは無関係であると教えられていた。コレラの発生源に関する意見の相違は、臨床医と科学者の間に数十年にわたる敵意を生むことになる。

しかし、こうした違いにもかかわらず、フィンケルシュタインと私には共通点があった。二人とも、コレラ研究の「主流」に属していなかったのだ。フィンケルシュタインは医学部で教えていたが、医師ではなく、私も同じく医師ではなかった。たとえば、コレラに関する重要な会議を組織する国際委員会に私たちは招かれなかった。私が彼らの仲間でなかったのは、彼ら全員が男性であるうえに医療志向であり、私は微生物の生態、系統、進化を研究していたからだ。フィンケルシュタインが仲間に入れてもらえなかったのは、軋轢《あつれき》を生む性格のせいだろう。「若い頃のフィンケルシュタインは、能力は高かったが自信過剰なところがあり、それが年長者の神経を逆なでしたのかもしれない」と、『コレラ――米国での科学的経験、一九四七～一九八〇年（Cholera: The American Scientific Experience, 1947-1980）』の著者たちは書いている。フィンケルシュタインを個人的に知っている人なら、おそらくうなずくことだろう。

性差別もまた、フィンケルシュタインや男性の医師や科学者が信じている説に異議を唱えようとする私の試みを阻んだ。一九六〇年代から七〇年代にかけて、コレラ研究者のほとんどは男性であり、その多くは女性のいない環境で教育を受け、女性を目下に見るように教育されていた。米国の六十の医学部では、女性を「女性的」か「支配的、傲慢、男性的、攻撃的、受動的」のいずれかで描写する婦人科の教科書がまだ使われていた。この本の一九七三年版では、「女性の人格の中核には、女性的なナルシシズム、マゾヒズム、受動性があり……（女性が興味を持つのは服装、容姿、美しさである）」とある。医学研究そのものが主に男性によってなされていたため、ＮＩＨは乳がん、老化、心臓発作、脳卒中に関する重要な臨床研究に資金を提供したものの、その試験には女性が一人も登録されていなかった。実験動物の方が重要視され、ＮＩＨは四十人近い獣医師を雇っていたが、産婦人科医は三人だけだった。コレラを研究していた医師たちが、新米女性科学者の新しいアイデアを否定するのも無理はない。

私は選択を迫られた。批判家たちを無視すべきか、それとも彼らを納得させられるデータを集めるべきか。男女を問わず、私を支えてくれる仲間もいない。医学界に根強く残る信念を覆すつもりなら、自分一人でやるしかない。

結局、生まれつき頑固な私は、データを集め、論文を発表し、自分の仮説を証明することにした。そして、批判を指針として次の実験計画を練った。直感に反するようだが、科学は、科学・技術・工学・数学・医学（STEMM）研究において十分な評価を受けていない男女（白人、アフリカ系アメリカ人、ラテン系アメリカ人、ネイティブアメリカンを問わず）にとって理想的な分野であると、私は長い間考えてきた。なぜなら、科学は逆境に挑むものだからだ。

◆◆◆

コレラ菌が流行と流行の間に潜んでいる場所はわかっていなかったが、どこか水のある環境にいると確信していた。だが、海、湾、干潟、川、湖、池、沼地など、カバーする範囲は広すぎた。ビブリオ属のほぼすべての種が塩に反応し、それぞれ好みの塩分濃度があることは実験でわかっていた。コレラ菌は、塩分の高い海水と淡水の川水が混ざり合う、河口付近のわずかに塩辛い水を好む可能性が高いだろう。

幸いなことに、私はこの疑問を解明するための地理的な条件に恵まれていた。ジョージタウン大学もメリーランド大学も、北米最大の河口であるチェサピーク湾の近くに位置している。チェサピーク湾は、淡水の河川と塩分を含んだ大西洋の海水が交わる広大な水域と湿地帯からなる。湾岸最大の都市ボルチモアは、十九世紀には何度もコレラの流行に苦しめられた。というわけで、一九六三年からチェサピーク湾は私の研究室の分室となったのである。

研究の初期に、テクニカルスタッフのベティ・ラブレースと私はチェサピーク湾でカキとカイアシからビブリオ菌を発見していた。米粒ほどの小さな甲殻類であるカイアシは地球上で最大の動物バイオマスを構成している。水中や水面に浮遊している小さな動植物（プランクトンと総称される）の仲間で、動物プランクトンは魚の餌となり、植物プランクトンは、地球上の森林や草原を合わせたものよりも多くの酸素を生産している。

一九六八年のある日、机と椅子と本棚しかない小さくて地味なジョージタウン大学のオフィスに、一人の日本人青年が現れ、「コルウェル博士と一緒に研究をしたくて来ました」と礼儀正しく告げた。「コルウェル博士にお会いしたいのですが」

「私がコルウェル博士よ」と私は答えた。彼の表情から判断すると、明らかに驚いているようだった。彼は新入りの大学院生で、後で聞いたところによると、これまで手紙のやり取りはしていたが、女性の教授が自分の大学院研究を指導するとは、思いもよらなかったそうだ。金子龍男は、コレラ菌のいとこで致死性の疾患を引き起こす腸炎ビブリオ菌を研究するためにやってきたのだ。この腸炎ビブリオ菌は、半煮えのシラスを食べて重症の（ときには命にかかわる）胃腸炎を起こした日本人の患者から初めて分離された。私はその頃、チェサピーク湾で採取した水試料から同じビブリオ菌を分離しており、日本以外で見つかった初めての例だった。現在では、腸炎ビブリオ菌は米国で魚介類による食中毒の主な原因として認識されている。

金子は博士論文のために、チェサピーク湾のさまざまな場所で水と堆積物の試料を採取し、腸炎ビブリオ菌の生態に焦点を当てていた。金子は私の研究助成金で、高度な計測器と試料採集器具を装備したジョンズ・ホプキンズ大学の調査船リッジリー・ウォーフィールド号の調査クルーズに参加した。冬期にはチェサピークの泥底から、夏の暑い時期には水中のプランクトンからビブリオ菌を分離した。ビブリオ菌とプランクトンの季節的なサイクルを明らかにすることで、彼はバングラデシュでのコレラの発生が地元のプランクトンの季節的なサイクルと関係している可能性を強く示唆する画期的な成果をあげた。

ところが、金子がメリーランド州東部の貝類からも腸炎ビブリオ菌を発見したため、研究室の予算が予想外に減ってしまったのである。カニはメリーランド州の食と経済の中心であり、この発見はすぐにニュースになった。一九七〇年八月二九日、ワシントン・ポスト紙は、「湾のシーフードに細菌汚染」という見出しで不安をかき立てる記事を掲載した。当時、私たちの研究を支えていた研究助成金の一つは、商業漁業と密接な関係にある連邦政府機関からの年間二万三千五百ドルの補助金だった。この記事が掲載された朝、私が外に新聞を取りに行く前に、連邦政府の担当者から電話がかかってきた。助成金は打ち切られた。このような評判が広まると地元の漁業にとって良くないというのだった。金額は比較的少なかったのだが、この研究がこれほど政治的な見方をされたことに唖然《あぜん》とした。しかし、最終的にはよい結果に終わった。しばらくして大きな学会で金子の研究を報告したところ、米国海洋大気庁の担当者から、助成金を申請するように言われたのである。その結果、海洋大気庁から二十五万ドル（現在の百六十万ドル相当）の助成金を新たに獲得することができたのだった。

私の頭の中では、ある考えがまとまり始めていた。コレラ菌は冬になると冬眠のような状態に入り、より快適な気候が戻ってくるまで川底の泥の中に隠れているのではないだろうか？　それはまだ検証可能な仮説ではなく、ましてや完全な理論でもなかった。しかしそれは、冷蔵バナナ、塩水試験、キチン消化、フランシス・ハロックが報告した丸い形状と同様に一本の糸だった。これらの糸を使えばいつか大きな仮説の織物がつくれるかもしれない。少しずつだが前に進み始めていた。

◆◆◆

一九七二年にメリーランド大学に移ってから数年経たぬうちに、私は当時としては大きな研究室を持てるようになり、二十五〜四十人の大学院生、ポスドク研究員、客員研究者を抱えるようになった。温かく、協力的な研究者のコミュニティがある主要な研究大学に入ったことで、私の研究は特段に、そして学際的に前進した。また、一般的な生物学科ではなく、微生物学科の一員として、同じような関心を持つ仲間に囲まれたことは、私を発奮させた。間もなく、石油の分解、深海の圧力が細菌に与える影響、水銀耐性と代謝、そしてもちろんカイアシ類とビブリオ菌の研究に取り組むようになった。

科学の世界ではほとんどの場合、昼夜を問わず、科学者は肩を並べて共同で研究を行う。私の研究室が拡張されるまでのしばらくの間、何人かの学生は交代で働き、一日の終わりには自分の実験台を掃除して、別の学生が夜間に使用できるようにしていた。私が自ら、学生が必要とするすべての実地指導を行う時間がなくなってしまったので、ジョージタウン大学から私と一緒に移ってきたテクニカルスタッフのジャニー・ロビンソンが、新しく入ってきた学生に研究室の規則を教えた。大学院生は、ポスドクから基本的な微生物学研究技術を学び、一番上のポスドクが研究室の日常的管理をした。新入生は、自分の研究テーマを決める前に、チームのメンバーに相談することができた。科学では夢を見ることができるので、新入生がまだ誰も研究していないテーマに強い関心を持っていたときには、私はその研究のために助成金申請を書いたものだった。学生と一緒に働くのが好きで、適切な方法とツールが使われていることを確認し、データの分析と解釈を手伝い、結果をより大きな概念に関連づけた。新しい分光光度計だろうと、遠心分離機やガスクロマトグラフだろうと、より高度な技術が開発されれば、それをなんとか入手して、より正確なデータを出したり、新しい問題に取り組んだりできるようにした。二百万ドル以上（現在の約六百万ドル以上に相当）の連邦政府からの助成金で、学生の奨学金、旅費、研究船での滞在費、最新機器の購入費用をまかなった。また、国内および国際委員会に参加すると、喜んで協力してくれる研究者に出会えた。たとえば、東京大学海洋研究所の木暮一啓などの日本人研究者、気候変動が病原性ビブリオ菌に及ぼす影響について新しい発見をしたイタリア・ジェノバ大学のカルラ・プルッツォ、環境中のビブリオ菌の発見について協力し合ったマルセイユ（ミシュリーヌ・ピアンキ）、ブレスト（モニーク・ポンムピュイとドミニク・エルヴィオ＝ヒース）、モンペリエ（パトリック・モンフォール）のフランス人研究者などだ。長年にわたり、私は多くの優秀な博士課程の学生を指導するという幸運に恵まれた。彼らは、学術界、政府研究施設、産業界、投資など、さまざまな分野で活躍し、ワイン醸造や芸術の分野で活躍している人もいる。また、四人が米国科学アカデミーに選出された。その中の一人ジョディ・デミングは、現在、ワシントン大学海洋学部の教授を務めている。ジョディと大学院生のポール・テイバーは、深海から分離した高圧を好む細菌について、並外れた研究を行った。

要するに、一九七〇年代半ばまでに、私は学問の世界のはしごを十分にのぼりつめ、自分の専門分野において男性から軽んじられないところまできたと自負できるようになっていた。忙しかったが、輝かしい時代だった。確かに、私の専門はホットな分野ではなかったが、それは裏返せば競争相手が少ないため、自分の道を切り拓く自由があるということなのだった。ビブリオ菌は本当に野生の環境菌であることがわかってきて、新たな世界が見えてきた。私は自分と自分の研究室の学生たちが行っている研究に満足し、ヒトの健康にかかわる科学的知見に貢献できていると実感できて幸せだった。

◆◆◆

一九七五年の初め、短パンにビーチサンダルというでたちの長髪の青年が私のオフィスのドアをノックして、「大学院に入って、先生の研究室で働きたい」と言った。ジェームズ・B・ケイパーは、地元のオペラ劇場で大工兼舞台技術者として働いており、履歴書を見ると、大学の成績はかんばしいとは言えなかった。しかし、私が担当した微生物系統分類学の講座では、熱心に勉強してクラスで一番良い成績をとったので、彼が優秀だということは知っていた。さらに彼の決心は固かった。

ケイパーは、金子龍男の研究をさらに数段階進めた。金子はチェサピーク湾の数箇所を調べただけだったが、ケイパーは湾の全周を調べ、コレラに注目した。チェサピーク湾で採取した水、堆積物、貝類の六十五の試料からコレラ菌と思われるものを見つけ、研究室に戻ってから、それらの試料に含まれているのがコレラ菌であると確定した。最も多くのコレラ菌が見つかったのは、大西洋の海水と川の淡水が混ざり合って水がやや塩辛い湾の中ほどだった。夏にはプランクトンのカイアシに、冬にはチェサピークの泥の中に潜るカイアシにコレラ菌が付着しているのを発見した。そしてコレラの伝播に関する主要な説を覆す証拠の最も重要なピースとして、ケイパーは、ほとんどのコレラ菌を糞便に汚染されていない水の中で発見していた。このことは、コレラ菌が下水やコレラ患者の便に混じってチェサピーク湾に侵入したのではないことを示唆していた。

先に述べたように、ボルチモア地域では十九世紀に何度もコレラの流行に見舞われていたが、環境中のコレラ菌が流行を引き起こすとはまだ断言できなかった。DNA解析の結果、私たちがチェサピーク湾から分離した環境中のコレラ菌がコレラを引き起こす可能性が示唆されたが、ある専門家は、私たちが送った試料から分離されたコレラ菌を試験したところ、コレラ毒素を産生したとは断言できない、と私に言った（この専門家はのちに、論争に巻き込まれたくなかったので、確証を保留したことを認めた）。その結果、一九七七年十月二十八日号のサイエンス誌に掲載された私たちの論文では、ケイパーがチェサピークでコレラ菌を発見し、この発見により「多くの疑問、そのいくつかは非常に気がかりな疑問」が提起された、としか発表できなかった。弱腰な妥協案として、私たちは、これらのビブリオ菌は「深刻な感染症の脅威とは認識されていないが、コレラ様の下痢を散発的に起こしている」と付け加えなければならなかった。

ケイパーのチェサピークでのコレラ菌の発見は、コレラ研究界を大きく分裂させた。私たちは苦難の場で仕事をしているようなもので、苦労しつつ、ときには励まされながら、学会で論文を発表し、会議で講演し、学術誌に発表した。多くのビブリオ菌研究者は、ベンガル湾からチェサピーク湾まで、世界中の河口には天然にコレラ菌が生息している、と私に同意していた。しかし、医学界の一部の人々の反応は、猛烈に否定的だった。コレラはヒトの病気だと彼らは主張した。チェサピークでコレラが流行っていないのに、コレラ菌がいるって？　ばかげている！　コレラ微生物学の分野は真っ二つに割れてしまい、細菌分類学のバイブルである『バージェイ細菌分類便覧』の編集を長年にわたって担当してきたジョン・G・ホルトは、同書の改定版にビブリオ菌について執筆してもらう中立的な専門家が見つからないとこぼすほどだった。私は、あまりにも物議をかもしすぎたため、指名されることはなかった。

◆◆◆

私はからかいの的にされやすかった。ケベック市での会議で、レクリエーション・ツアーが行われたとき、私は主催者の一人として、進行を早めるように言われた。そこで「みなさん、バスに乗りましょう」と一行に声をかけると、威厳たっぷりのイギリス人が即座に、「ああ、若いお嬢さんが案内してくれるのだな」みたいなことを言うのだった。ラスベガスで開かれたある大きな会議では、米国疾病予防管理センター（ＣＤＣ）の有名な講演者が、酔っぱらって大声で騒いだことをケイパーは覚えている。「私は騒音になど負けずに話せるが、リタはまだ小娘だからな」とその講演者はろれつのまわらないしゃべり方でこきおろした。こういったいじめは、された当人にとっても忘れられないが、その場にいた学生にとってはどうだろう？　とてつもなく士気喪失してしまう。

私の研究室に限らず、学位論文指導者が女性であることを理由にからかわれる大学院生もいた。私の学生が講演をしたとき、有名な微生物生態学の教科書の著者が、学生が発表している間ずっと、聞えよがしに誹謗中傷の言葉を浴びせ続けた。リチャード・フィンケルシュタインにはしょっちゅう批判された。私の教え子の一人は、フィンケルシュタインから「博士号を取りたいのなら、博士論文のテーマを変えなさい」と公衆の面前で言われたという話を今でもする。また、私の長年の共同研究者で、のちに研究室管理者となるアンワー・フクは、私が国立衛生研究所（ＮＩＨ）の会議で講演をした際、フィンケルシュタインが「なんてことだ。だとしたら、きみの家の裏庭にもビブリオ菌がいるみたいじゃないか」と口を挟んできたことを覚えている。

「まだ調べていません」と私は言い返したのだが。

同僚からの批判は受け入れがたかったが、ときには次に解明すべき疑問を指し示してくれることもあり、役に立つことも少なくなかった。ある会議で、フクは講演の後、「バングラデシュのコレラ菌がチェサピークのコレラ菌とまったく同じ挙動を示すとどうしてわかるのか」と質問された。私は部屋の後方の席で聞いていたので、立ち上がってこう発言した。「アンワー、ディックの言うとおりよ。バングラデシュに行って調べてみましょう」。そういうわけで、私たちはバングラデシュに赴いたのだった。フクは、ベンガル湾とチェサピーク湾の両方のコレラ菌がカイアシ類と関連しているという証拠を集めた。そして、カイアシ類などのプランクトンの増殖の年間サイクルは、水中のコレラ菌の存在量の季節的ピークと一致し、さらに、そのピークは私たちが調査したバングラデシュの村でのコレラの発生と一致することがわかった。コレラ菌は、本当に世界的な水媒介性病原体だったのだ。

今に至っても、私が男性であったなら、私や私の学生たちが軽んじられることはなかっただろうと思う。キャリアの中で八百編以上の論文を発表する時間をどうやってつくったのかと聞かれることがあるが、そういうとき私は「ほかに選択の余地がなかったからだ」と答える。女性だったがために、自分の発見を真剣に受け止めてもらうためには二十回も証明しなければならなかった。証明、証明、証明——私はつねに流れに逆らって泳いでいた。そういうことは人をいらつかせる。学会で対立した後、怒り憤慨した気分で家に帰ると、夫のジャックは「無視すればいいんだよ。そうすれば気が晴れるさ」と言ったものだ。また、私が怒るのをしっかり聞いてくれたあと、同僚の攻撃の不合理性や狭量さを指摘し、論理的反証をさりげなく教えてくれることもあった。そして週末にはヨットに乗り、子供たちと一緒に強い風を受けて帆をいっぱいに張ると、世界はまた幸せな場所になるのだった。

ジャックと私は、その頃にはほとんど毎週末、十七フィート〔訳注：約五メートル〕のヨットでレガッタに出場していた。戦略担当はジャック、私は彼のクルーとして、しばしばずぶ濡れになりながら、スピンネーカーを張り、ジブを操って向きを変え、ライバルを抜き去った。マサチューセッツでのあるレースでは、ひどい嵐に遭遇した。雨が降り、風速五十五キロの風が吹くなか、ジャックは「スピン帆ネーカーを張り続けろ、トリムし続けろ」とずっと叫んでいた。スピンネーカーを満帆に保つには、帆から目を離さず、風に応じて調整しなければならない。マークをまわってスピンネーカーを降ろせるようになったとき、後ろを振り返ると、レースに参加していたヨットの半数が転覆していた。「だから振り返ってほしくなかったんだ」と、ジャックは満面の笑みで言った。ジャックはいつも、私がレールにしっかり足をかけて海の上に体を乗り出しているときに安心できないことに驚いていた。私は海洋微生物学者で、風が四十五キロに達すれば、荒々しい方向転換のたびに白目をむくような人間だった。それでも、私は頑張った。私がレガッタで勝つこと、そして彼と一緒にいることが本当に好きなのだと、彼はわかっていたのだ。

◆◆◆

私は一九七六年に初めてバングラデシュへ現地調査旅行に出かけた。コレラ菌を自然環境で研究し、新しい分離株を手に入れて研究室に持ち帰るつもりだった。しかし、それはやさしいことではないとわかった。バングラデシュの水はつねに流動している。一年のさまざまな時期にヒマラヤの雪解け水がネパールやインドの深刻に汚染された川を通って急速に流れ込み、ベンガル湾からは塩分を含んだ海水が入ってきて、モンスーンの大雨が大地を氾濫させ、川や池、湿地の泥底をかきまわし、流れや潮汐《ちょうせき》や季節によって水温や水位が上下する。私の現地調査の研究室は簡素で、顕微鏡一台、小さなインキュベーター一台、接種針を殺菌するためのアルコールランプ一個、培地を殺菌するための圧力鍋一つしかなかった。

最初の現地調査旅行から数年後、再びバングラデシュを訪れたとき、ジョンズ・ホプキンズ大学医学部の医師で、この章の冒頭で述べたコレラ患者たちの命を救った経口補水液の開発に貢献したウィリアム・〝バック〟・グリノーから、ある驚くべき牛の話を聞いた。牛はコレラにかからないにもかかわらず、一九六三年に、コレラに対する抗体をもつ牛がみつかったというのだ。抗体を持つということは、牛はどこかでコレラ菌に遭遇したはずだ。牛たちは河口で草を食《は》み、汽水域の水を飲んでいるうちに、ビブリオ菌に接触したに違いない。「調べてみましょう」と私は提案した。グリノーは何年経っても、私と一緒に長靴を履いて水の試料を採取しに行ったことを忘れなかった。

グリノーと共に現地の研究室に戻って、蛍光を発する物体を観察するための顕微鏡をのぞくと、棒状のビブリオ菌が鮮やかに光っているのが見えた。数は多くないが、確かにそこにいた。我々メリーランド大学の研究チームは、コレラ菌抗体をウサギで開発し、それを紫外線顕微鏡下で光る分子と化学的に結合させて、蛍光を発するコレラ抗体をすでに開発していた。それを使った。蛍光性の抗体がビブリオ菌全体を覆っていたため、ビブリオ菌は光るコンマのように見えた（抗体とは体内でつくられるタンパク質で、細菌などの特定の異物と結合する。抗体に紫外線下で発光する化合物を結合させると、光る抗体によって紫外線顕微鏡で生水試料中の細菌を確認することができる）。私たちは実際に、バングラデシュの河口域に生息するコレラ菌を見ることができたのだ。数年経っても、グリノーはその時の興奮を覚えていた。批判家たちは、環境中の水からコレラ菌を検出することは不可能だと言っていたが、私たちはそれをやってのけたのだ。だがグリノーは懐疑論者たちを納得させるのは難しいだろうと予感していた。

帰国してから写真をスライドにして、大講堂で一九八〇年代のオーディオビジュアル機器を使ってそれらのスライドをスクリーンに映し出すと、コレラ菌は暗い背景に散る緑の雪片のように見えた。懐疑論者は「これは本物のコレラ菌ではない」と言うだろう。もし、彼らが、自身の研究室で、環境から野生のコレラ菌を分離し、試験管やシャーレの中で菌を培養することができたなら、納得したことだろう。しかし、科学者の間では、「実験室で培養できない細菌は生きていない。死んでいる」というのが定説だった。微生物学者は、患者の便や直腸ぬぐい液からコレラ菌を培養する方法は知っていたが、野生でその細菌がどのように存在するかについての知識が十分でなかったため、自然の棲息《せいそく》場所から細菌を研究室に持ち帰り、それを研究室で増殖させることができなかったのだ。

再現性は科学における成功の鍵だ。人々がデータを共有し、互いの実験で重要な観察結果を再現することで、自分たちが正しいことはまず間違いないと確信できる。私たちの研究室では隠していることは何もなかった。研究結果をすべて公開し、つねに見学者を受け入れていた。私の研究室は国連さながらに、世界中から科学者が集まってきた。しかし、ウッズホールやスクリプス海洋研究所からはもちろん、私が研究を始めたワシントン大学からも誰もやって来なかった。米国の主要な研究機関の研究者が我々の実験に協力してくれなければ、多くの微生物学者を納得させることは難しい。

また、寒冷気候に関する大きな疑問にも答えなければならなかった。なぜ、暖かい時期のチェサピーク湾やベンガル湾の水試料には、宿主であるカイアシ類に付着したコレラ菌が大量に検出されたのに、寒い時期の水試料には検出されなかったのだろうか？　懐疑論者たちは、冬場のコレラ菌は病気にかかっているか、死にかけているか、死んでいるのだと言った。しかし、私たちは、コレラ菌細胞は無傷のまま、堆積物の中で「越冬」しているカイアシ類に付着していることを知っていた。それに、もしコレラ菌が死んでいたのなら、どうして夏にあれほど大量に「復活」するのだろうか？　いら立たしかった。冬の間に採取した堆積物から細菌を検出することはできたのに、通常の方法では、実験室で細菌を増殖させることができなかったのだ。

私はこの頃には、コレラ菌は死んでいるように見えて実験室では増殖しないが、実はまだ生きていて病気を引き起こす能力がある、という仮説を立てていた。この考え方は、これまで教えられてきたことすべてに反するものだった。一般に、休眠状態になるのは生活環の中に芽胞《がほう》（胞子）段階がある細菌だけと言われていた。つまり、芽胞をつくらないビブリオ菌は休眠できないのだ。また、実験室で培養できない病原菌は、死んでいるか、死につつあるかのどちらかだと教えられていた。

しかし私は、コレラ菌は冬場に生き残る戦略として、宿主のカイアシ類と共に堆積物の中に潜んでいるに違いないと思い始めていた。コレラ菌は丸く縮んで小さくなり、死んでいるように見えた。そして、この細菌を実験室に持ち込み、どんな培養にも使える実験用の栄養分を与えても、成長も繁殖もしない。しかし条件が整えば、蘇生し、成長し、繁殖し、再び致命的な病原性を持ちうるのではないか、と考えた。私は、この仮説があまりにも常識に反しているため、科学的な見解が分かれるだろうと思った。だから、慎重に研究を進め、一つ一つの過程を記録していかなければならない。

◆◆◆

コレラ菌が休眠する正確な理由はまだわかっていなかった。しかし、それを解明する前にやることがあった。休眠状態の野生のコレラ菌を、私たちのみならず、批判家たちも観察できるようにすることだ。私の研究室の大学院生とポスドクたちは、五年がかりでこの実験に成功した。そして、中国から来た客員研究員ホアイ・シュー・シュは、この方法を現場で使えるように改良した。

この方法による最初の重要な試験が行われたのは、ルイジアナ州公衆衛生局のテクニカルスタッフ兼指導員ネル・ロバーツが電話をかけてきたときだった。「コルウェル博士、私は博士の研究を何年も追ってきました」と彼女は言った。「ある入り江でコレラ菌を調べて欲しいのです。ルイジアナでコレラの患者が何人か出たのですが、その出所に心当たりがあるんです」

一九一四年以降米国ではコレラの感染者はほとんどいなかったが、突然、メキシコ湾沿いでピクニックをしていた十一人のカニ漁師が入院し、コレラと診断されていた。ロバーツはカニ漁師たちがルイジアナ州レイクチャールズの入り江でピクニックしていたことを知っていて、そこの汽水域に病原性のコレラ菌が自然に存在すると確信していた。ロバーツはルイジアナに来て、そのコレラ菌を探し出してほしいと言った。私はシュと共に飛行機で向かうと告げた。

私たち三人は車で入り江に行って水試料を集め、ロバーツの研究室に持ち帰って、試料をスライドガラスに滴下した。次に、コレラ菌にだけ付着するよう特別に調製した蛍光抗体を加え、ロバーツの落射蛍光顕微鏡の視野を調整する。すると蛍光抗体でコーティングされたコッホのコンマ型コレラ菌細胞の輪郭が、はっきりと見えてきたのだ。それらはまるで、明るく輝く小さな緑色の星のようだった。自然界に存在するコレラ菌は死にかけているか死んでいるに違いないと批判家たちは言っていたが、このコレラ菌は明らかに無傷で生きていた。なかには、ビブリオ菌が水中を進むのに使う糸状の付属物である鞭毛《べんもう》を持つものもあった。米国の入り江の水の中にいた病原性コレラ菌を見て、私たちは興奮し、歓声をあげて、研究室の中を踊り歩いた。「ね、言ったとおりでしょう！　やっぱりいたのよ！」とネル・ロバーツは言い続けた。

世界で最も偉大な科学的発見というわけではなかったが、それでも、その瞬間は超越的としか描写しようがない。自然界のごく一部をのぞき込んで、その原動力を垣間見たような気がした。入り江に生息するコレラ菌が、あのカニ漁師たちを病気にしたのだという強力な証拠が得られたのだ。そして間もなく、世界中の汽水域でコレラ菌が見つかるようになり、私たちの発見が裏付けられた。

私たちが一九八二年に書いたルイジアナ州のカニ漁師についての論文によって、十年にわたる論争に終止符が打たれるはずだった。しかし、そうはならなかった。考えを変えるには、私たちの研究を査読付き学術誌に掲載する必要があった。最高に有名な雑誌である必要はない。どこかの学術誌で発表するだけでいい。その後で、主要な学術誌にその分野全体の総説論文を書けば、私たちの研究を文脈の中に入れることができるのだ。私は、かなり新しい雑誌マイクロバイアル・エコロジー（微生物生態学）の客員編集者である同僚のサミュエル・W・ジョセフに、この論文を提出した。彼は私たちの研究を理解し、論説の中で、「ヒトの新たな病気が、環境中に遍在する生物によって引き起こされることが明らかになりつつある」と述べている。生態学と医学は、ついに歩み寄り始めたのだ。

◆◆◆

私たちは、病原性コレラ菌が環境から分離できることを示した。しかし、私の仮説の重要な部分、つまり、ある条件下では環境中のコレラ菌は休眠状態になり、その後復活するということはまだ証明できていなかった。そこで、私のところで博士課程研究を行っていたダーリーン・ロザックが、分子レベルでこの問題に取り組むことになった。ロザックは、四人の子供を持つ未亡人だった三十歳代で学士号を取得した。その後、ベトナム帰還兵のマイク・マクドネルと再婚した。彼はダーリーンのことを誇りに思っていて、彼女の支えとなった。彼も私の博士課程の学生だった。

ロザックは、まず環境中のコレラ菌が成長を止めるまで低温に保つことから始めた。次にこのコレラ菌を、放射性同位元素でタグ付けされたアミノ酸に曝露《ばくろ》させると、コレラ菌が放出する放射性二酸化炭素の量を簡単にモニターできることがわかった。それから、細胞分裂は阻止するが代謝は阻止しない抗生物質であるナリジクス酸をコレラ菌に与え、その影響を顕微鏡で観察した。すると、コレラ菌がどんどん伸びていくのが観察された。それは、細胞が生きている証拠だ。クライマックスが訪れたのは、ロザックがこれらの実験を組み合わせたときだった。細菌に放射性同位元素で標識したアミノ酸とナリジクス酸を作用させた後、写真乳剤フィルムに貼り付けたのである。細菌は代謝を行って、大きく長く成長して放射性二酸化炭素を放出し、まるで科学界の自撮り写真のように自分自身を写し出した。

ロザックの実験によって、一度寒冷条件にさらされた細胞は、実験室環境では増殖しないが、死んではいないことがわかった。アイドリング状態の車のエンジンのようなもので、車は動かないが、完全に故障しているわけではない。新しい栄養素がたくさん入ってきて、細胞が再び複製できるようになるまで、エンジンは止まらず、回転し続けているのだ。コレラ菌の場合、新しい栄養素が利用可能になって再び増殖できるようになるまで、細菌はアイドリングしていたのだ。私たちはこの状態を「生きてはいるが培養不可能（viable but not culturable）」、略してＶＢＮＣと呼んだ。いつもどおりの激しい論争を経て、この件に関するダーリーン・ロザックの論文は古典になった。微生物学者は、自然界にはこれまで考えていたよりもはるかに多くの細菌が存在することを認めたのだ。長い年月、微生物学者は、環境中に存在する細菌の一％も研究していなかった。その一％を、研究室で非常に簡単に培養できることから、我々は「実験室の雑草」と呼ぶ。

私たちの研究室や他の研究室による一連の研究により、ＶＢＮＣ仮説が正しいことが証明された。そして、コレラ菌や他の多くの芽胞を形成しない細菌は、条件の悪いときには汽水域で休眠状態になる。

条件の良いときに復活し、口から摂取されると病気を引き起こすことがあるのだ。一九八五年、当時私の研究室の学生だったチャールズ・サマーヴィルとアイバー・T・ナイトは、発表されたばかりの新しい技術、ポリメラーゼ連鎖反応（PCR）法を用いて、環境中のコレラ菌が、流行を引き起こす菌株に関連する毒素産生遺伝子を持ち得ることを明らかにした。

親しい友人の一人、メリーランド大学医学部の優秀な科学者で医師のマイク・レヴィンは、私と共同研究を行うことを承諾し、臨床試験を行った。その試験では、ボランティア被験者に同意のうえで休眠中の病原性の弱いコレラ菌株を少量摂取してもらった。一人のボランティアは軽い下痢を起こし、他のボランティアは、弱毒化されているが流行の原因となるコレラ菌細胞を便と共に排出した。その後、他の研究者たちが、結核菌、大腸菌、ヘリコバクター・ピロリ、さらにレジオネラ属、サルモネラ属、赤痢菌属、カンピロバクター属、クラミジア属などの細菌種など、五十種以上の病原性細菌が、栄養不足、抗生物質、超高温・超低温、乾燥、炭素・窒素飢餓、重金属、白色光照射、あるいは紫外線などのストレスを受けた際にVBNC状態になることを明らかにしている。また、メタゲノム解析（環境から直接採取した試料に含まれるすべての微生物をまとめて解析する）の登場により、今では誰もが、実験室での培養が困難または不可能な「培養不可能な」細菌種を探すようになった。

一九九六年に、講演の原稿を書くために調べ物をしているとき、休眠に関するVBNC理論に焦点を当てた微生物学論文の数を数えてみた。私が「VBNC」という言葉をつくってから十年以上が経過しており、私の博士課程の指導教員だったジョン・リストンとカナダ国立研究機構の微生物学者ノーマン・ギボンズという素晴らしい二人の支援者が、反縁故主義の規則を回避して私がビブリオ菌の研究を続けられるよう助けてくれてから四半世紀が過ぎていた。驚いたことに、VBNCに関する論文は数百編にのぼった。医学界から反感を買いながらも、私の足元では理論の枠組みが変わりつつあった。「わかったぞ！」と叫びたくなるような大きなひらめきの瞬間があったわけではなかった。一つ一つの実験が、少しずつ人々の考えを変え、定説が徐々に変化していったのだ。二〇一五年までに、ＶＢＮＣに関する研究は六百編以上発表され、それ以降、他の研究者はＶＢＮＣ現象のバリエーションを「持続生残」細菌、「培養不可能」細菌、「生きてはいるがい、ま、の、と、こ、ろ、培養不可能」細菌などと名付けている。

科学革命には、トーマス・クーンが予想したのと同じくらい長い時間がかかったのだ。

◆◆◆

私の考えでは、コレラは蚊が媒介するマラリアやマダニが媒介するライム病のような媒介性の病気だ。コレラの場合の媒介者は、甲殻類の小さな動物プランクトンであるカイアシである。一匹のカイアシが五万個のコレラ菌の細胞を運ぶことができる。カイアシを含む未処理の水を飲むと、カイアシは胃酸で消化されるがカイアシにくっついていたコレラ菌は死なず、小腸の内壁に付着する（あたかも人間が巨大なカイアシであるかのように）。

天然痘やポリオは、流行と流行の間、主にヒトや動物の体内で生き延びるので、ワクチンで根絶することができる。しかし、コレラ菌は世界中の水生生態系に属しているため、決して根絶することはできない。では、私たちの科学的研究の成果をどうしたら実用に生かすことができるのだろうか。百年来の医学の定説を変えることができたとしても、世界中でコレラに苦しんでいる何千人もの人々を救うことはできていない。

コレラの流行で最も被害を受けるのは女性と子どもたちだ。その理由を理解するために、バングラデシュの僻地《へきち》にある小さな池の端に立っていると想像してほしい。池の遠く離れた隅には便所があり、水中に汚物が排出されている。近くに牛飼いが牛を連れてきて水を飲ませ、体を洗ってやっている。岸辺で女性がひざまずいて皿洗いをしており、その横で小さな女の子が家族のために飲み水をくんでいる。発展途上国のどこでも、水を運ぶのは女性の仕事だ。家族のために水をくみ、食事をつくり、病気の親戚の世話をし、汚れた布団や衣類を洗い、コレラ患者の下痢便や嘔吐物を処理するのは、女性や学校に行くことができない学齢期の女の子だ。人手不足の地方の病院でも同じことが言える。一九七〇年代に経口補水液の開発に携わったハーバード大学公衆衛生の研究者リチャード・キャッシュは、コレラ菌に汚染された水を小さじ一杯摂取するだけでコレラを発症することがあると示した。そのスプーン一杯の水に百万個以上のコレラ菌が含まれることがあるのだ。

米国、ヨーロッパの多数の国々、そして日本とシンガポールなど、豊かな国々は、水をろ過し、塩素消毒し、安全に供給することでコレラを防いでいる。このプロセスでは、微粒子に付着した病原体を除去し、ろ過で取り去ることができなかった浮遊微生物を不活性化または死滅させる。この処理で、少なくとも二十七種類の水媒介性下痢性疾患の病原体が飲料水から一挙に除去される。一九六〇年代に、バングラデシュでも安全な飲料水を供給するために、世界銀行は非常に深い井戸を掘るプロジェクトに資金を投入した。深い井戸を掘れば、汚染された地表水を通り抜けて、汚染されていないと思われる地下水に届くことができるはずだ。しかし、悲劇的にも、この国の土壌に含まれる天然元素の影響で、バングラデシュの地下水は世界で最もヒ素濃度が高かった。高濃度のヒ素を含む水を飲んだり、そうした水で調理した米などの食物を食べたりすることで、バングラデシュではヒ素によるがんが多発してきた。また、髪や歯が抜けるなどの副作用もある。

一九八〇年代後半、同僚のアンワー・フクと私は、私たちの科学技術を活《い》かして、遠隔地の村人がより安全な地表水を飲めるようにできないか、と考えた。バングラデシュで過ごした幼少期、フクは村の女性たちが何らかのフィルターを使って飲み水を確保しているのを見たことがあった。

バングラデシュのダッカにある国際下痢症研究センターの同僚と一緒に、フクと私はさまざまな種類のろ過材の実験を開始した。アフリカでは、ギニア虫の幼虫を運ぶケンミジンコを除去するためにナイロン製のろ過器が使われていた。この幼虫は皮膚の下で六十~九十センチの長さの寄生虫に成長し、通常、足から外に出てくる。しかし、ナイロンメッシュはバングラデシュの村人にとって高価すぎたし、この地域の多くの男性が着ているTシャツの素材はフィルターとしてうまく機能しなかった。

そしてついに私たちは、綿のサリー布を四~八回折りたたむと、コレラ菌が付着したカイアシなどの微粒子を大量に捕捉できる細かいメッシュになることを発見した。バングラデシュやインドでは多くの女性がサリーを着ているので、ほとんどの家庭には、古いサリー布がある。さらなる実験で、サリーのろ過器を使うと、コレラの患者数が半減する可能性があることがわかった。しかし、使用済みのサリー布は不浄とされているため、サリー布でろ過した水を男性が飲むことは文化的に受け入れられないと言われた。また、市場性のある装置や器具を使わないこのようなローテクのプロジェクトでは、資金獲得が難しかった。しかし、スラッシャー財団とＮＩＨの国立看護研究所の資金援助を受けて、バングラデシュの女性たちにサリー布フィルターの使い方を訓練した。そして、彼女たちは「普及員」として、他の村の女性たちにサリー布フィルターの使い方を教え、フォローアップとして毎週訪問して遵守を促した。その結果、私たちが調査した六十五の村では、サリー布フィルターによってコレラの発生率がほぼ半減した。五年後、私たちは村の女性七千百二十二人を対象にした追跡調査の結果を発表し、この方法いたのだ。

が持続可能であることを示した。四分の三近くの女性たちが家族の水をサリー布フィルターでろ過して

◆◆◆

二〇一〇年一月、マグニチュード七・一の大地震がハイチを襲い、その後、五十回以上の余震が発生した。推定で死者は二十万人、負傷者は三十万人、百万人が家を失い、ただでさえ不十分なハイチの衛生・水処理インフラが大きく損なわれた。震災後の夏のハイチは過去五十年で最も気温が高く、同年十一月にはハリケーン「トーマス」が過去半世紀間で最大の大雨をもたらして、大規模な洪水が発生した。適切な水も衛生設備もないキャンプに避難者がひしめき合った。これはコレラの流行が起こる生態学的な処方箋、つまり「最悪のめぐりあわせ」だった。そして実際に流行は起こり、八十万人以上がコレラに感染し、一万人近くが死亡した。

このコレラの大流行の原因は何だったのか？　微生物学者たちは考えた。土地固有のコレラ菌が何らかの役割を果たしたのだろうか？　流行が始まった最初の数週間に、私たちはハイチ沿岸の十八の町で八十一人のコレラ患者から便の試料を採取するよう手配した。患者の半数は、東南アジアやアフリカで流行を起こしたことがあるコレラ菌に感染していた。しかし、患者五人につき一人はそうではなかった。十人の共著者と共に私は、現地に存在する環境中の細菌がハイチでの流行を悪化させた可能性について論文を書いた。流行が起こって間もなく、ハイチの空港や港から試料を送ることが禁止されたため、コレラ菌がハイチの沿岸水域や河川に生息していることを証明できず、私たちの論文は批判の嵐にさらされた。

その二年後、コーネル大学とバージニア大学の栄養学者たちが、ハイチの都市部の病院でHIV（ヒト免疫不全ウイルス）に感染した乳児百十七人を対象にした研究を再開した。研究の一環として、彼らは子供たちの便の試料三百一個を冷凍保存していた。初期研究の後で、試料を再分析した結果、九人の子どもの便からコレラ菌が検出され、つまり、地震の二年前にコレラ菌が存在していたことがわかった。

ハイチ地震以来、私たちは、これまで不可侵とされてきた多くの仮説を修正しなければならなくなった。たとえば、次のようなことだ。

●コレラの流行は一種類だけではない。私がバングラデシュで長年研究してきたコレラの流行は、毎年春と秋にプランクトンが大量発生し、潮の流れによって海水が内陸に流れ込むと、海岸線付近に発生する。アンワー・フクと私は、インドの聡明な若い水文学《すいもんがく》技術者のアンタープリート・S・ジュトラと、ニュージーランドの医師・歴史学者であるエリザベス・ホイットカムと協力して、十九世紀の英国陸軍の地図を分析した。地図には一八七六年から一九〇〇年までにインドで発生したコレラによる死亡例のすべての場所が記されていた。ホイットカムはきわめて注意深い科学者であり卓越した診断医で、分析の結果、内陸部の感潮河川（潮の干満の影響を受ける河川）の近くで偶発的に大流行が起こることがわかった。内陸部のコレラは、宗教の祭や戦時中、あるいは自然災害時などで大勢の人が集まったときに短期間に大発生する傾向があり、英国の気象データと照らし合わせたところ、猛暑ののちに大雨や洪水、安全な水の不足、衛生状態の悪化などが起こったときに発生することがわかった。当局にはこのような内陸部の感染症発生に対する備えがないため、死亡率が非常に高くなる可能性がある。ハイチでの悲劇的なコレラの流行も同じような経過をたどった。地震によって多くの人が避難所に押し込められ、その後、猛暑と豪雨に見舞われたのだった。

●「コレラ」の定義も見直す必要があるかもしれない。水様便の患者はコレラだけにかかっているわけではない可能性が明らかになってきた。患者はコレラ菌、赤痢菌、大腸菌、サルモネラ菌、ウイルス、菌類、寄生虫などによる混合感染を起こしている（複数菌感染症の）可能性がある。

●コレラ菌は、その遺伝子の約八十％を近傍の細胞や近傍の種（大腸菌など）とやり取りすることができる。このような遺伝子の流動性により、コレラ菌が日々の潮汐、水中の塩分や栄養分、水深、水温の季節的変化、気温などの環境の激変に耐える理由を説明できる。また、コレラ菌の中には病気を引き起こすものとそうでないものがあることや、最近になって毒性の強いコレラ菌がどうやって出現してきたかも説明できる。

●現在、コレラ症例が発生している四ヵ国のうち三ヵ国はサハラ以南のアフリカの国々で、そこでは死亡率がアジアの三倍にもなっている。WHOによると、ハイチでは二〇一九年には新たなコレラ患者が報告されていない。

●地球温暖化に伴い、ビブリオやコレラを含むビブリオ感染症は、北大西洋やバルト海の地域を北上している。熱波の際、バルト海の浅瀬を歩きまわった人々がコレラや他のビブリオ感染症で入院し、数名が死亡している。

◆◆◆

私は長い間、どうしたらコレラの流行を予測できるかを考えてきた。限られた予算しかない国々は特に、医師、看護師、公衆衛生担当者、経口補水液キット、抗生物質、浄水器、子供や高齢者用のワクチン、衛生用品、教育プログラムなどを準備するために事前の警告が必要なのだ。

一九七二年、ＮＡＳＡのランドサット衛星が地球の天然資源に関するデータを収集し始めたとき、衛星は宇宙から熱帯の海岸線に浮かぶ巨大な緑色のマット状のプランクトン集団を観測した。このプランクトンマットに生息する動物プランクトンの数、ましてやコレラ菌を宿すカイアシの数は、衛星から測定できなかったが、クロロフィル色素や海水温、海面高度は測定できた。私は一九七〇年代から、コレラ菌、降水量、塩分、利用可能な栄養分、気温・水温の関係を研究してきた。だから、ＮＡＳＡの衛星データを使ってクロロフィルの増加を予測し、十分に前もってコレラ警報を出せる仕組みをつくりたかった。日光の強度が季節によって変化することは、プランクトン研究者の間ではすでに知られていた。日照時間が長い地域では、表層水温が上がり、植物プランクトン（海の草）が爆発的に増殖する。カイアシなどの微小動物からなる動物プランクトンは、植物プランクトンを餌にして繁殖し、およそ四〜六週間後にその数はピークに達した後、激減する。その後まもなく、未処理の池の水に依存している村人たちは、プランクトンから放出されたビブリオ菌を含む水を飲むことになる。

世界の気候は変化し、海は温暖化している。コレラ予知システムの必要性は、これまで以上に高まっている。海水温の上昇はプランクトンの個体数に影響を与え、ビブリオ菌の個体数を増加させ、発展途上国でのコレラの流行がより多く、より長く続く可能性がある。一九八〇年代、科学者は、二〇五〇年までに海面上昇によってバングラデシュの国土の十七％が浸水し、千八百万人が避難して、その結果、大量の人口移動が起こり、他の国々の安定を揺るがす可能性があると推定していた。これらはすべて、私の子や孫の代に起こることだ。

一九八二年、私はNASAの科学者バイロン・ウッド、ブラッド・ロビッツ、ルイザ・ベックと非常に生産的な共同研究を開始した。彼らの技術は、まだ流行を予測するところまでいっていなかった。衛星データは簡単に分析できるフォーマットでコンピューターにダウンロードすることができず、いまだに大きなリールのテープやディスクに保存されていた。しかし、一九九〇年代後半にはデータがデジタル化され、私はカリフォルニア州のモフェット連邦飛行場にあるNASAエイムズ研究所のチームと共にコンピューター・モデルの構築に取り組んだ。その後、フランス人ポスドク研究員のギヨーム・コンスタンタン・ド・マグニーを中心とする私の研究室の学生たちが、コレラ流行前の降水量、気温、水中塩分、河川の深さなどを使って、コレラの流行を予測するコンピューター・モデルを改良した。川の深さが予想外に重要なのである。水位が下がると、川の塩分濃度が高くなり、乱流が発生して細菌をたくさん含む川底の堆積物を巻き上げるからだ。二〇〇八年までに、私たちのモデルはコレラの患者数の増加を尋常でない正確さで予測できるようになった。NASAの技術はさらに進化し、二〇一一年には環境衛星の性能が上がり、地球上のあらゆる海の一平方キロメートル区画の表面温度を毎日測定できるようになった。

四年後、私と共同研究者たちは、アンタープリート・S・ジュトラの数学的スキル、アンワー・フクのコレラとバングラデシュに関する知識、私の微生物学、微生物生態学、分子生物学の知識を駆使して、コレラの流行がいつどこで起こるかを予測するコンピューター・モデルを構築した。私たちが最初に予測したのは、チェサピーク湾、ジンバブエ、モザンビーク、セネガルだった。そして二〇一七年、観測史上最大のコレラの大流行が、世界で最も貧しい国の一つである小さな国イエメンを襲った。

イエメンはアラビア半島の南端に位置する国だ。この国には四つの世界遺産があるが、内戦と米国の支援を受けたサウジアラビア空軍による空爆で、衛生と水処理のインフラの多くが破壊されていた。国連とWHOが「地球上で最悪の人道危機」と呼ぶコレラが続いて発生した。イエメンの人口二千六百万人のうち百二十万人以上がコレラと診断され、その三分の一が小さな子どもたちだった。予防可能で安価に治療できる病気であるにもかかわらず、二千三百人以上が死亡した。

イエメンを米国の典型的な郡と同じ大きさの地域に分割したところ、ジュトラのますます洗練されたモデルは、各地域のコレラのリスクを九十二％の精度で予測した。二〇一七年晩秋、英国国際開発省の人道顧問であるスコットランド人のファーガス・マクビーンが、私たちの研究成果を読み、ある難題を課した。次の雨季が始まる前にイエメンのコレラ予測システムを立ち上げ、稼働させること。猶予は四ヵ月しかない。

しかし、このシステムは三ヵ月で稼働し始めた。

二〇一八年三月、雨季の一ヵ月前に、国際開発省は私たちのモデルの予測を使い始めた。初期の結果で、英国気象庁の天気予報と組み合わせた私たちの予測が、ユニセフやその他の支援団体が最も支援が必要な場所に的を絞った対応をするのに役立っていることが明らかになった。マクビーンは素敵なタータンチェックのキルトにスポーランをまとい、国際開発省から、コレラの発生を制御した功績を認められて表彰された。メリーランド大学、ウェストバージニア大学、NASA、ユニセフによる「チームワークがなければ、この事業は完遂できなかった」とマクビーンは述べた。

現代科学は、真に学際的なものとなっている。二十一世紀の複雑な問題を解決するためには、従来の物理・化学・生物科学と社会・行動科学を統合することが必要だ。そのためには、研究分野を超えたコラボレーションと、多様な人々の集団間の対話が必要である。

次の章では、女性科学者が資金をコントロールし、女性同士で同盟を結べば、どんなことができるかを見てみよう。

6　女性が増えれば科学は進歩する

米国国立科学財団（NSF）の長官に就任して間もない一九九八年十一月二十七日、オフィスに着いてカレンダーを確認すると、午前十一時一分から午後十二時一分に米国海軍の研究責任者であるポール・G・ガフニー海軍中将とのアポイントが入っていた。

いつものように社交辞令を交わした後、個人的な友人でもあるガフニー海軍中将は、NSFがハワイ大学の海洋学者チームに資金援助し、米軍の原子力潜水艦に二週間乗船して北極圏の海底地図をつくることになっていると言った。ただし、一つ問題があると。この科学チームは、主任研究員に優秀な海洋学者であるマーゴ・H・エドワーズ准教授を選んでいた。ところが、米国海軍潜水艦に女性が乗ることは許されていなかったのである。

「女性だからだめというなら、助成金もなし、ということで」と私は言った。

米国の海洋学界と海軍は、科学海洋調査船への女性科学者の乗船を禁止していたが、一九六〇年代後半以後、少しずつ女性の乗船が認められるようになった。しかし、その変化は緩慢だった。「米国海軍は、産業界や学界よりも、女性にとってははるかに攻略の難しい鉄壁の要塞だった」と、海洋学者のキャスリーン・クレーンは回想録で述べている。クレーンは二十年以上にわたって北極圏で研究を行い、助成金を使って、ロシア、スウェーデン、ノルウェー、カナダ、フランス、ドイツの船での宿泊費用をまかなった。米国の潜水艦でも、入港している間は、女性の清掃員が艦内で働くことができたし、女性の業者が一晩泊まって設備をチェックすることも可能だった。しかし、女性科学者が、海軍として行動中の原子力潜水艦に乗り込む？ そんなことはありえなかった。

私は、米国が世界一の科学国になることを望んでおり、そのためには、もっと多くの優秀な女性を科学界に送り込むしかないと考えていた。多くのアメリカ人は、積極的差別是正措置《アファーマティブ・アクション》が科学をだめにすると考えていた。しかし、実際には、女性が増えれば、科学は進歩するのである。なぜなら、人口の五十％から選ばれた優秀な候補者よりも、人口の百％から選ばれた優秀な候補者の方がより優秀に決まっているからだ。そしていまのところ、人口の三分の一（白人男性）しか活用していない。女性を増やすことと科学の向上は両立する。どちらか一方ということはない。問題は、どうすれば両方を手に入れられるかだ。

私たち女性は、「自分たちのニーズを満たすためには、財政上の権限を握るしかない」と何年も前から話し合ってきた。しかし、経験上、科学界における組織的な支援基盤や、私たちを応援してくれる同盟者（男女問わず）が必要であることもわかっていた。それらがなければ、目の前の障害を打ち崩すのではなく、回避することに逆戻りするしかない。

「女性だからだめというなら、助成金もなし」と言ったとき、ガフニー海軍中将は驚いたようで、考え込んでしまった。海軍は七年前に起きたテールフック・スキャンダルからまだ立ち直っていなかった。ラスベガスのヒルトンで開かれたテールフック協会のシンポジウムで、酒に酔った百人以上の海軍士官と海兵隊員（なかには「女は所有物」と書かれたTシャツを着ている者もいた）が、八十三人の女性と七人の男性に性的暴行を加えたという事件だ。海軍中将はさらなる悪評を警戒していた。

「新聞に書き立てられるのは困るでしょう」と私は言った。「彼女は主任研究者です。それは動かせない。では、どうしたら彼女を潜水艦に乗せられますか?」

海洋学者たちは重要な使命を担うことになるだろう。米国海軍は原子力潜水艦による七回の調査を完了したばかりで、それらの調査で北極海の温暖化を示すきわめて重要な初期の証拠が得られていた。マーゴ・エドワーズが調査の指揮をとる予定の八回目の巡航はきわだって重要であり、「地球温暖化に重大な意味を持つ証拠」をもたらすだろうと、海軍は予想していたのである。

なぜエドワーズが潜水艦に乗り込んで研究を指揮する必要があったのか? エドワーズはのちにこう答えている。「艦上にいれば、まずいことが起こったときに計画を調整できるからだ。海に出たときはいつも……どうすればうまくいくかわかる。海上にいて、出てくるデータを見ているのだから」

そこで、ガフニー海軍中将と私は妥協案を考えた。海軍はエドワーズを飛行機で北極に運び、チームの次席責任者(男性)が原子力潜水艦の北への旅に観測機材と共に同行する。北極圏に到着したら、エドワーズは、USSホークビルに十三日間乗船して、海氷の下で調査を行うことにした。

エドワーズがホークビルに乗船していた間に、彼女は気候変動に関するきわめて重要な発見をした。氷の薄化の証拠、北極圏の海底からの火山噴火、比較的温かい大西洋の海水が北極海に流れ込み、氷の融解に関与していること、約一万二千年前まで、厚さ一キロメートル、長さ数百キロメートルの巨大な棚氷《たなごおり》が二百五十万年前から存在していた証拠などだ。一九九五年から一九九九年にかけて米国海軍が北極圏で行った原子力潜水艦による六回の調査によって、北極圏に関する世界の科学データは十万倍以上に増えたとエドワーズは推定する。しかし、彼女が言うように「水中に潜らなければ、何も研究できない。氷が邪魔をするのだ」

エドワーズの報告はネイチャー誌に掲載され、ガフニー海軍中将が親切にもハワイ大学に手紙を書いてくれたおかげで、エドワーズは教授に昇進した（とエドワーズは考えている）。

私は、女性科学者が海軍の潜水艦調査クルーズを指揮するための手助けをし、何の問題も起こさず、その事実に注意を引き付けることなく完了できたことに満足した。私のやり方は弱腰だと思う人もいるだろうが、物事を成し遂げたいなら、人の目に棒を突き刺すような真似はしないというのが私の信条だ。飴《あめ》と鞭《むち》の使い分けこそが最良の戦術であり、しかも交渉で処理できればなおさら良い。これは一種のゲリラ戦で、システムを利用してすべての関係者の利益のために物事を実現できるようになるまで、行動に移すのを待つ。そうすれば、次に別の女性が同じような状況に立たされた場合、助けてくれる味方ができる。

まさにそういうことが、思っていたよりも早く起こった。六ヵ月後、NSFが支援する南極の研究施設で、医師のジェリ・ニールセンが乳房にしこりを発見した。ニールセンは、米国の腫瘍学者と細胞診専門医とのライブ動画配信により、自ら生検を行った。海外メディアは、その詳細をこぞって報道した。そして、航空機の燃料がゼリー状になるほど寒い真冬の七月十日、NSFは化学療法剤を空から氷上に投下した。しかし、ニールセンの腫瘍が大きくなったため、NSFは州空軍による身の毛もよだつような救助活動を組織した。それは、当時、南極への着陸として史上最も寒い時期のものとなった。これは素晴らしいドラマであり、州空軍と空軍にとって格好の宣伝になったため、彼らは帰国途中のニールセンへのインタビューと写真撮影を要求した。それがいつものやり方なのだから。ニールセンは、多くの女性が（そして男性も）納得できる理由により、帰国途中にメディアに対応したくないと断固として拒否した。NSFは彼女の決断を支持し、私は一本の電話をかけた。もし、女性海洋学者の扱いをめぐって海軍と公然と争っていたら、もっと大変なことになっていたに違いない。知り合いの空軍高官と簡単に連絡がついたので、私は静かにこう尋ねた。「大将、明日ニールセン博士に関してワシントン・ポスト紙が電話をかけてきたら、世間があなたのことを何と言うか想像できますか？　ニールセン博士はインタビューを要求されたと率直に話しますよ」。一瞬の沈黙の後、大将は、「空軍士官たちはインタビューの必要性について誤解していたようだ」と穏やかに答えた。それで決着がついた。ニールセンは注目されることなく治療のために帰国し、落ち着いたところで、著書『南極点より愛をこめて』でそのストーリーを語った。その本をもとに製作されたテレビ映画では、スーザン・サランドンが彼女を演じた。

◆◆◆

私はNSF長官になって、マーゴ・エドワーズやジェリ・ニールセンのような女性を支援できるようになったが、その道のりが始まったのは、数十年前にメリーランド大学で二つの研究組織を立ち上げたときだった。一つ目は、一九七七年に創設されたメリーランド大学シーグラントカレッジ・プログラムだ。米国議会は南北戦争の時代から、内陸州の農業研究に資金を提供してきた。それから一世紀経って、議会は大西洋、太平洋、メキシコ湾、五大湖の沿岸にある州立大学に同様の研究機会を与えるため、多額の資金を配分した。メリーランド大学の微生物学の第一人者で、当時トップクラスの微生物学の教科書を執筆していた同大の研究担当副学長マイケル・J・ペルチャー・ジュニアは、メリーランド州にシーグラントカレッジ・プログラムを設立するために尽力していた。私がチェサピーク湾で広範囲に研究を行っていたことから、のちに良き友人となるペルチャーが、プログラムの初代代表に指名してくれた。メリーランド大学シーグラントカレッジでは、水産物の生産、漁業、沼地、ハリケーン、土地の喪失、海面上昇、高潮、沿岸部の生物個体群、原油流出の緩和方法などの沿岸問題を研究した。漁師やカキ漁師、地域住民との交流を通じて、一般市民への科学的アウトリーチの重要性を学び、そしてのちにレーガン政権がこのプログラムを廃止しようとした際には、議会への働きかけ方を学ぶことができた。

メリーランド大学シーグラントカレッジを組織している間に、重要な友人を得た。人脈づくりに長《た》けた政治家、バーバラ・A・ミカルスキーだ。ボルチモアの食料雑貨商の娘として生まれた彼女は、労働者階級の住む地域を組織して、地域社会を引き裂こうとする八車線の高速道路建設計画を阻止する運動を起こしたことで政治家としての活動を始めた。その後、ボルチモア市議会、下院、そして上院の議席を獲得した。民主党員であるミカルスキーは、米国議会の歴史の中で最も長く在職した女性となり、この本を書いている時点で、上院歳出委員会の委員長を務めた唯一の女性でもある。彼女が政治家としてのキャリアをスタートさせたのは、彼女の話によれば、女性の健康に関する権威として名高かった医師のエドガー・F・バーマンが、女性は「ホルモンのバランスがひどく崩れやすいため」リーダーにはなれないとのたまった時代だった。

一九七〇年代後半にミカルスキーに出会ったとき、彼女は下院の商船漁業委員会の海洋学小委員会の委員長を務めていた。委員会では、海洋生物科学による環境浄化の方法を検討しており、ミカルスキーは近くのメリーランド大学カレッジパーク校で私が同じことをやろうとしていることを知っていたのだった。それ以来、政治的に複雑な状況について質問があるときや、プロジェクトを進める必要があるときは、ミカルスキーと彼女のスタッフが時間を割いて助言してくれるようになった。

ミカルスキーは最近、このように説明してくれた。「初めてのポジションでは、だれもが多数の中の一番になりたいと思う。だから、他の人たちが後に続くことができるように、扉を開けておきたいのね。それが、私たちの企てだった。才能を見出したら、それを広めたかったの」。共和党の大統領がバーナディーン・ヒーリーを国立衛生研究所（ＮＩＨ）の所長に任命したときも、ミカルスキーら民主党の女性議員が上院を説得し、承認させた。

もう一人の女性議員、コンスタンス・モレラは、個人的な友人であり支援者となった。モレラは、私と同じように、イタリア系移民の娘でマサチューセッツで育った。彼女の姉妹ががんで亡くなったとき、モレラ夫妻は彼女の六人の子供を養子にして、自分たちの三人の子どもと一緒に育てた。地元のコミュニティカレッジの元教授であるモレラは、穏健派の共和党員で、一九八七年から二〇〇三年まで私の住む地区の下院議員を務めた。技術に関する下院科学小委員会の委員長となり、のちに経済協力開発機構（ＯＥＣＤ）の大使も務めた。ミカルスキー上院議員とモレラ下院議員が、一九九〇年にＮＩＨに「女性の健康に関する調査室」を新設するために戦った議会指導者たちであったことは、偶然ではない。二人とも、女性がテーブルにつかないと何が起こるかを知っていたのだ。

◆◆◆

メリーランド大学シーグラントカレッジが発足して数年が経ち、米国の公立大学創設の立役者で真に高潔な男性であるジョン・Ｓ・トールが、ニューヨーク州立大学ストーニーブルック校で入学者を十倍近く増やした後に、メリーランド大学に学長として呼ばれた。トール学長は、私のシーグラントカレッジ・プログラムでの仕事を高く評価し、メリーランド大学システムの学術担当副学長に任命してくれた。その結果、私は研究室を運営しながら、年に一、二回バングラデシュに研究のために赴きつつ、十一のキャンパスからなるメリーランド大学の教員採用、昇進、教育プログラムなどの厄介な問題においても経験を積むことになったのである。

こうして私は、力のある女性候補たちに、大学の指導的立場を争える公平な機会を与えられるようになった。ただし、男性たちが私のやっていることに気づかないかぎりは、だが。私は、女性という理由だけで人事の判断を下すことには反対だが、優秀な女性候補者であれば、手元の問題に対して独特な洞察を与えることができる。黒幕として働くのは簡単ではないし、行動するタイミングを決めるのも難しい。どちらも地道な努力と経験がものを言う。どのボタンをいつ押すのか、それを心得ていなければならない。私たち女性が苦い経験で学んだことは、現代の研究でも確認されている。優秀な女性や過小評価されているマイノリティを公然と助ける男性は報われ、同じことをした女性や非白人マイノリティは不当に扱われるのだ。

また、私は学術担当副学長として、大学が新しい研究分野を追求するやり方に対して発言権も得た。科学技術の革命は、つねに科学的知識の爆発的な増大を促してきたが、それは特に生物学の分野で顕著に見られる。私は、ボストン地域が、ゲノム科学、計算生物学、バイオインフォマティクスを駆使して、バイオテクノロジーや遺伝子工学の世界的な研究センターを発展させるのを見てきた。ＮＩＨや米国食品医薬品局（ＦＤＡ）などの連邦機関があるメリーランド州でも、同じようなことができるのではないか。私はトールに、生物学は未来の科学であり、経済成長の原動力となるだろうと話した。「メリーランド大学は生物科学分野のリーダーになるべきですね」と言うと、トールもそれに熱烈に賛同してくれて、制度構築の面で私の指導者となった。しかし、せっかくトールがメリーランド州知事と州議会を説得して、カレッジパークにあるメリーランド大学システムの旗艦キャンパスに生物学のための予算を百万ドル追加させたのに、結局、大学は工学と物理科学にその予算を配分してしまった。私は、生物科学を発展させるには、通常のプロセスではだめだと痛感した。

翌年、私はトールに、バイオテクノロジー研究所の設立を提案した。このプロジェクトの主要な支援者は三人の女性だった。バーバラ・ミカルスキー、コンスタンス・モレラ、そして当時メリーランド州議会の予算委員会のリーダーの一人だったナンシー・コップである。コップは、のちにメリーランド州議会の歳出委員会の委員長になり、州の財務担当者にもなった。コップは、私に州議会との付き合い方を教えてくれ、科学や教育プログラムへの資金提供を議員に気軽に頼めるようにしてくれた。

私が所長を務めていた十一年間に、メリーランド大学バイオテクノロジー研究所は州や連邦政府の基金から、研究室の建設や研究助成金のために一億ドル以上を獲得できた。ピーク時には、七百人の科学者やスタッフを抱えていた。この経験は、自分が変化をもたらすことができることを教えてくれたが、それは必ずしも永続的なものではないことを、私は学ぶことになる。のちの大学経営陣は、研究所を解体し、その予算や教員を州内の各キャンパスに分散させたのだ。この失意から私が得た最も重要な教訓は、新しい組織をつくり上げる際に、内部の意見の一致《コンセンサス》を得ることがいかに重要であるかということだった。そうすれば組織は長く生き残るのである。

もし、大学が研究所を支援し続けていたら、メリーランド大学はバイオテクノロジーの分野で国際的なリーダーになっていたかもしれない。それでも、連邦政府機関の存在、活発な産業開発、今日のメリーランド大学キャンパスの優れた教授陣により、メリーランド州はバイオテクノロジーにおいて全米第三位の重要地域となっており、メリーランド大学カレッジパーク校は世界の研究大学のトップクラスにランクされている。

◆◆◆

一九八三年、私がメリーランド大学システムの学術担当副学長に就任し、コレラ研究者たちが私の発見をめぐって論争を続けていた頃、レーガン大統領は独自の政治問題を抱えていた。レーガンは、連邦政府にもっと多くの女性を登用すると約束していたが、最初に任命した行政官三百六十七人のうち女性は四十二人しかいなかったため、民主党と共和党両方の女性議員たちから不満が出ていた。私は、レーガンが自分の嘆かわしい記録を埋め合わせようとした試みの恩恵に浴した。トール学長から指名を受け、国立科学財団（NSF）ではなく国立科学審議会の委員に任命されたのだ。国立科学審議会は、NSFの傘下の組織で、科学政策、資金調達、方向性についてNSFに助言する。私はすぐに、女性に金力がないとどうなるか、身をもって体験した。

私が科学審議会の下部組織である極地科学委員会の委員となり、のちにその委員長を務めていた間に、議会は軍からの要請により北極と南極の科学研究資金を倍増させた。これらの地域が軍事的、産業的に重要な位置を占めるようになったからである。私は、極地の科学施設を刷新することを強く支持した。南極は地球上で最も汚染が少ない場所であり、産業化される前の生命活動を見ることができる。しかし、有力な女性科学者や投票権を持つ一般市民から、科学分野の女性やあらゆる肌の色の人々を支援しようという声が同じように高まってこないことに落胆していた。もし私が公に女性擁護のロビー活動をしていたら、多くの男性に色めがねで見られるようになり、他の問題について意見を言っても相手にされなくなるということはわかっていた。それに、科学審議会はNSFやその予算を管理するのではなく、ただ助言する立場だった。

会議を通して、科学審議会の執行委員会が重要な決定を下すのだということがすぐにわかった。また、私が科学審議会である問題について意見を述べたときに、一人の男性委員が「そんなことで、きみのかわいい小さい頭を悩ませる必要はないよ」と言ったが、それを不快に思ったのは私だけだった。表立って侮辱する人はいなかったが、全体会議で私が何か提案をすると、沈黙が続くか、まれに「面白い」の一言で終わってしまうのだった。しばらくして、男性委員が私と同じような提案をすると、突然、「いいね」という返事が返ってくる。それは一九八〇年代半ばのことであり、この国には科学界の著名人に数えられる女性科学者は一人もいなかった。

◆◆◆

しかし、国立科学審議会での任期をまっとうしたことで、私は、科学研究を行うことと家族と過ごすことを除けば、組織をつくるのが一番好きなのだと気づいた。他人の研究を批判することにはあまり興味がなく、型にはまった従来型の構造をつくることにも興味はなかった。問題を解決し、人々の生活を何世代にもわたってより良いものにするための機関をつくりたかった。そのような機関を「人の組織」と考えていた。この頃、私は科学研究と科学行政の二つのキャリアを同時にこなしていた。これは、誰にでも勧められることではない。私は友人たちから、エナジャイザー電池のウサギの宣伝マスコットにちなんで「エナジャイザー・バニー」と呼ばれていた。毎日六時間しか眠らなくても、電池切れになることがないように見えたからだ。しかし、私の原動力となったのは、可能性に対する深い信念だったと思う。物事は変えられるという前向きな気持ちと、支援者や協力者が集まれば、問題を解決できる力を持てるという認識を持っていたからだ。当時、女性科学者たちは、科学改革を公的に行うために連帯し合うことを学んでいなかった。しかし私たちは、事実を研究し、問題を特定し、長期的な目標を定め、自分のしていることを信じれば、他の方法では不可能と思われることも成し遂げられると学びつつあった。運動を起こすのに必要なのは、良い仕事をすると信頼できる人を見つけ、そのプロジェクトの重要性を納得させ、必要な責任を与え、一歩下がってその人たちに仕事を任せることだ。

それでも、夫のジャックと二人の素晴らしい子供たちアリソンとステイシーがいなければ、私の行ったすべてのことは成し遂げられなかっただろう。本当に大切な人々、自分を信じてくれる人々に囲まれていれば、それは幸運なだけでなく、世界をも征服できると思う。私にはいつでも、引きこもって、バランスをとり戻せる場所があった。ジャックは愚痴を聞いてくれて、相手の立場に立って物事を考えるように助言してくれた。湾でセーリングしていないときには、サイクリングやハイキングに出かけたり、演劇やコンサートに行ったりした。娘たちが小学生だったある晩、帰宅した私は、山積みの家事にシャカリキに取り組んでいた。甲高い声であれこれ指図していると、ジャックが言った。「リッキー（彼はいつも私をこう呼んでいた）、ここは研究室じゃない、家なんだよ」

◆◆◆

私が政府に関わる大きなチャンスをつかんだのは、法学部教授アニタ・ヒルがセクシャル・ハラスメントを受けたと証言したにもかかわらず、議会がクラレンス・トーマスを最高裁判事に承認した後のことだった。一九九二年、怒った有権者が記録的な数の女性議員を当選させ、次の大統領選挙でビル・クリントンをホワイトハウスに送り込むと、クリントンは大量の女性を高官に登用した。一九九七年、クリントン大統領の科学顧問から、NSFの副長官にならないかと打診された。もちろん、ホワイトハウスが求めていたのは、科学者リタ・コルウェルではなく、科学行政官であり、研究機関設立者であり、資金調達者であるリタ・コルウェルだった。いずれにせよ、国立科学審議会の経験から、何かを成し遂げるには、自分が責任者にならなければならないことを学んでいて、前政権からNSFの教育部門の部門長への就任要請があったときにも、すでにそれを断っていた。だから、今回も「残念ですがお断りします。ですが、長官ならば喜んで務めさせていただきます。もしもそういう可能性が浮上しましたら」と答えたのだ。

翌年一月のある日、メリーランド大学バイオテクノロジー研究所の私のオフィスに秘書がやってきて、「副大統領《バイスプレジデント》から電話です」と言った。

私は忙しかった。「どこの副社長《バイスプレジデント》?」と聞いた。

すると秘書は「アメリカ合衆国の」と答えた。

アル・ゴアは電話で、NSFの長官に就任することを考慮してもらえないかと言った。このとき私はイエスと答えた。

私はNSFを愛している。連邦政府の中でも最高の機関であり、そのスタッフは紛れもなく世界一だと思っている。一九九八年から二〇〇四年までの六年の在職期間は、私の人生で最高の時期の一つだった。NSFは、自身の研究所を持たない珍しい政府機関だ。その代わりに、米国の大学で行われている医学以外の科学研究の半分に資金を提供している。NSFは、物理科学、地球科学、生命科学、社会科学、行動科学、工学、そして米国の未来の科学者の教育を支援するために、年間数十億ドルを配分する責任を担っていた。当時、NSFの助成金は、毎年数千人の科学者、エンジニア、教師、学生を支援していた。そして私はNSF初の女性長官でもあった。

NSFは、第二次世界大戦末期にフランクリン・D・ルーズベルト大統領の発案により創設された。戦争に勝つために、米国は新しい防衛産業、特に電子工学などの科学的な分野の産業を興したが、戦争が終わると、これらの産業の多くは必要とされなくなった。ルーズベルトは、千五百万人の兵士が戦地から戻ると、帰国後に就けると期待していた仕事がなくなっているという事態を懸念した。戦時中の科学顧問であったヴァネヴァー・ブッシュは、自国の科学者の好奇心に基づく基礎研究への投資を提案し、一九五〇年、トルーマン大統領はブッシュの提案を具体化したNSF設立の法案に署名したのである。NSFが資金を提供した発見のすべてがすぐに応用できるわけではないが、なかには新しい企業や雇用を生み出すものもあるだろう。今日、多くの経済学者が、米国の経済成長の半分以上は、政府による基礎研究への投資の結果だと信じている。

長官に就任する前から、NSFの古参の人たちに、あなたはいくつかの点で不利な状況にあると警告された。NSFの法律顧問は、政府の第一の信条は「IBHWYAG(I'll be here when you are gone)」、すなわち「あなたがいなくなっても、私はここに残っている」ということを心にとどめておくようにと助言してくれた。つまり、キャリア職員は私のような大統領に任命された短期の長官よりも長く組織に残り、私たちが行ったことを覆せるという意味だ。二つ目は、自分が女性であることをあらためて思い知らされたことだ。ありがたいことに、NSF内で問題を提起する人はいなかったが、就任早々、サイエンス誌の記者ジェフリー・マーヴィスが電話で「女性しか雇わないのですか?」と聞いてきた。私はいいえ、と答えた。私は女性を優先しているわけではなかった。その仕事に最も適した人を採用しているだけだった。

三つ目の不利な状況は、私が生物学者であることだった。私は、NSFの五十年の歴史の中で、長官を務めた最初の微生物学者で、生命科学者としては二人目だった（三十年前に生化学者のウィリアム・D・マッケルロイが長官を務めている）。NSFは伝統的に、第二次世界大戦で連合国の勝利に貢献した物理学、化学、天文学、工学といった、いわゆる「ハードサイエンス」を支援していた。一方、国立衛生研究所（NIH）は医学に関連する生物学研究に資金を提供していた。NSFの長官には、粒子加速器や天文学者が使う望遠鏡などの大型プロジェクトを支援する男性の物理学者や工学者が就任することが一般的だった。こうした男性優位の分野は、私の研究分野である微生物生態学や分子生物学よりも権威があった。生物科学は新しい発見で爆発的に成長している刺激的な分野であるにもかかわらず、疾病伝播《でんぱ》の生態学、ゲノム科学、気候変動、地球規模の生態系、神経計算などの研究に、十分な資金を得ていなかった。

しかし、私にはいくつかの有利な点があった。ミカルスキー上院議員、モレラ下院議員、そしてメリーランド州の連邦議会議員団は私の味方だったし、長官を務めていた間、NSFは技術革新を促進し、新しい雇用を生み出すということで、連邦議会はほとんどの場合、NSFに好意的だった。情報技術、インターネット（二〇〇〇年までにはグーグルなど、ウェブ上の主要な検索エンジンが登場した）、ゲノム革命、MRI、レーザー、バイオテクノロジー、ナノテクノロジーなどの現代生活の基盤は、NSFが資金提供した大学の研究室から始まったものである。

私の長官としての任期の間、科学に対する支援は党にも政治にも左右されなかった。クリントン大統領もジョージ・W・ブッシュ大統領も、政治的な理由でNSFにプログラムを強要したり、プログラムを廃止することはなかった。私は、民主党の人も共和党の人も好きで、一緒に仕事をした。たとえば、左派のテッド・ケネディ、右派のトレント・ロット、ディック・チェイニー、元下院議長のニュート・ギングリッチなどだ。ギングリッチ議長とは親しくしており、多くの点で意見の相違はあったものの、共に過ごす時間は楽しいものだった。彼が科学に魅せられているというので、NSFに招いて科学政策と資金調達に関する講演をしてもらったところ、予算を通すのに助けが必要なら電話をくれ、という言葉をもらえた。その後、ギングリッチ議長が議会を去り、ジョージ・W・ブッシュが大統領に就任した後、予算削減の話が持ち上がった。NSFの予算はクリントン大統領の時代にかなり増えたが、政権交代により雲行きが怪しくなってきた。新大統領はNSFの予算を少ししか増やさないつもりなのではないか。ギングリッチに電話をかけると、彼はホワイトハウスと話をしてくれて、結局、NSFは大幅な増額を受けることになった。クリントン大統領が推奨していた十三%には及ばなかったが、それでも約九%という大幅な増額で、非常にありがたかった。

もう一つの有利な点は、NSFの千五百人の優秀なスタッフである。私が初めて法律顧問のローレンス・ルドルフに会ったとき、彼は「議会やマスコミの逆鱗《げきりん》に触れる最も簡単な方法は、個人的な出費の計上でミスを犯すことと、ワシントン・ポスト紙に掲載されたくないようなことをEメールで述べることだ」と警告してくれた。私はすぐにルドルフに頼んで、経費明細を提出する前にチェックしてもらい、メールで挑発的なことを決して書かないよう注意した。子供たちも、私が個人的なメールや電話で用心深くなっていることに気づいていた。ルドルフのアドバイスが正しかったことは間もなく明らかになった。NSFに対する議会の影響をより強めたいと考えた共和党の有力者、ジム・ゼンセンブレナー下院議員が、NSFの職員が提出したすべての経費明細書と五年分の出張記録を要求してきたのだ。職員は週末を費やして、二十五箱分の記録を探し出し、コピーし、梱包《こんぽう》して、ゼンセンブレナーのオフィスに届けた。その後、彼のオフィスからＮＳＦに何の連絡もなかった。

男性優位の組織の中で、女性として過ごしてきた数十年にわたる経験も教訓になっていた。男性が女性の声を無視する会議に繰り返し出席したことで、私たち女性は沈黙を守ることが求められていると知った。最高裁判事のルース・ベーダー・ギンズバーグは、自分が唯一の女性判事だった頃、発言をしても、他の（男性）判事が同じ指摘をするまで注目されなかったと回想している。ギンズバーグは、自分が支離滅裂なことを言っているとは思っていなかったが。ナンシー・ペロシ下院議長も同じことを報告している。この現象は悲しいほど根付いていて、マサチューセッツ総合病院の自己免疫疾患の権威であるデニス・ファウストマンが、しばしば男子学生を会議に連れて行き、彼女の主張を彼に述べさせたほどだ。ファウストマンよりも男子学生の意見の方が、重要視されやすいのである。残念ながら、この問題はいまだに残っている。数年前、長年一緒に仕事をしてきた同僚との助成金会議でのこと、私はある発言をしたのだが、それは無視された。数分後、男性出席者が同じことを言うと、その指摘は認められ、受け入れられた。同席していた女性たちは何が起こったかに気づき、陰でこっそり笑いながら、「ＬＯＬ（大爆笑）」とメールでやり取りした。もちろん、表立って彼に何か言う人はいなかったが。

メリーランド大学で学内会議の議長を務めた私は、いつまでたっても結論が出ないような終わりなき議論を避けるためのテクニックを編み出した。このテクニックは、面白いことに、子供の頃の私が話を聞いてもらえないときに感じたいら立ちから生まれたものだ。不公平や不正には今でも腹が立つが、今はその自分の経験を生かして、誰にでも──特に意見を求められないと発言しづらい人にも──発言の機会を与えるようにしている。それによって、私も公平性を保てるのだ。

まず、会議が始まると、口数の少ない委員も意見を出すようにしむけ、誰か一人が会議を仕切って反対意見を封じ込めるようなことがないようにする（興味深いことに、カーネギーメロン大学のアニタ・W・ウーリー博士が率いるチームは、グループがうまく機能するかどうかは女性の割合に依存するという研究結果を発表した。なぜなら、女性は会話を独占しようとする数名だけでなく、グループ全員の意見を聞くからだという）。次に、いま議論されていることについての意見の違いを特定して、実行可能な結論を明確に示し、他の誰か（必然的に男性）が、いま私が言ったことを再度述べるのを待ち、彼の同僚が「素晴らしいアイデアだ！」と言うのを聞き、最後にこの素晴らしいアイデアについて委員会が行動を起こすよう動議を求めるのだ。その時点では賞賛を受けないけれど、仕事が完了すれば、賞賛を受けられるだろう。目先の賞賛にこだわっていては、何も達成できない恐れがある。

ＮＳＦに赴任したとき、二十年以上にわたる科学行政の経験で培われた運営戦略に加えて、私には二人の強力な助っ人がいた。一人は、もちろん、夫のジャックだ。彼は一九八九年に国立標準技術研究所での物理学者としての仕事を引退し、家事を引き受け、セーリングに精を出すようになった。ジャックは、セーリングだけでなく、サイクリングやアマチュア天文学、自宅からポトマック川を隔てた高い木に営巣するお気に入りのワシのつがいの観察など、自分の好きなことをする時間を切実に欲っしていた。娘たち、アリソンとステイシーはそれぞれ大学院と医学部に通っており、ジャックの入念な計画のおかげで経済的にも余裕があった。だから、彼の引退は当然といえば当然で、歓迎すべきことだった。二人目の味方は、元大学院生のアンワー・フクだ。彼と彼の妻と子供たちは、コルウェル大家族の一員となった。アンワーとジャックが人生のさまざまな時点で入院したときには、それぞれが相手の枕元に座っていたほどだ。アンワーは思いやりがあってまっすぐで、頭がよく、微生物学の実用的な面について非常に詳しい。私がＮＳＦにいる間、ずっと研究室の運営を支えてくれた。

私はこうした頼りになる人々とスキルを携え、長官としてなすべき目標のリストとそれらを達成するための明確な戦略を持ってＮＳＦに乗り込んだ。当面の目標は、大学院生（Ｇ）と幼稚園児から高校生まで（Ｋ－12）の科学教育を支援することだった。理工系の大学院生への奨学金があまりに少ないため、多くの学生が退学に追いこまれたり、生活保護や食料配給券に頼ったりせざるを得ない状況に陥っていた。私はＮＳＦの大学院生への給付金を一万四千ドルから三万ドルに増やしたかった。そこで、大学院生に週五時間、公立学校で科学の授業を受け持たせて、最先端の研究成果を子供たちに教えさせ、その報酬を受け取るという新しいフェローシップ・プログラムを始めることにした。大学院生は教え方を学び、生徒は若い男女の科学者やエンジニアを講師に迎えることで、学びの幅が広がる。このプログラムをＧＫ－12と名付けた。重要な副産物として、従来のＮＳＦの大学院生への奨学金も三万ドルに増額された。残念ながら、のちの長官がＧＫ－12プログラムを廃止してしまい、大学院生への奨学金は再び低くなってしまった。

長期的に見れば、長官の仕事は「予算、予算、予算」だ。一九九〇年代後半になると、ＮＳＦは、科学者たちから毎年送られてくる三万二千件の助成金申請書のうち、わずか九千件にしか資金を提供することができなくなっていた。私はＮＳＦの予算を倍増させたかった。これまで、さまざまな理事会や委員会の委員を務めた経験から、そのやり方なら知っていた。つまり、みんなの意見を一致させればよい。みんなが一緒に活動すれば――物事がバラバラになってしまうほど前方ではなく、ロープで引っ張らなければならないほど後ろでもなく、みんなが近くにいてくれれば――物事は成し遂げられる。

NSFは資金配分の優先順位を決めなければならなかった。でなければ、連邦議会が決めてしまうからだ。また、メリーランド州議会と働いた経験から、私が連邦議会に出て、予算を一律に倍にしてくれるよう直接頼んだとしても、せいぜい年に全体的に数パーセントの微増にとどまるだろうということもわかっていた。それに資金を均等に薄く配分するやり方(私はこれをピーナッツバター・メソッドと呼んでいる)が好きではない。優秀な科学者には、良い研究をするために必要な資金を与えるべきだと考えていたからだ。また、ある人へ資金をまわすために、別の人から資金を巻き上げるべきではない、という信念も持っていた。すでに進行中の重要な研究への助成金を減らして、新しいプログラムを始めることは絶対にしてはならない。新たな取り組みを用いて、かなりの額の新たな資金を獲得するべきだ。

しかし、どのような新しい分野に資金が必要なのか? すでに、科学や工学のいくつかの分野では、資金をはるかに上まわる数の優れた研究プロジェクトの提案が寄せられていた。つまり、それぞれの分野で、米国経済の成長の機会が失われているということだ。そこで六年の任期の間、一連の新しいプログラムの立ち上げに取り組んだ。長年のキャリアにおいて専門を次々に変えてきたおかげで、新しい時代に突入していることを実感していた。科学における最も刺激的な問いのいくつかは、従来の個々の専門分野が重なり合うところにある。上院の予算委員会で私が説明したように、「これまで、物事を構成要素に分解することで理解を深めてきた。そしていまようやく、複雑なシステムを構成する各要素の間の相互作用を明らかにできるようになってきたのだ」

一九九八年には、物理学者、生物学者、天文学者、コンピューター科学者、数学者、工学者、社会科学者に、最初から最後まで一緒に実験を計画し、実施し、分析するよう説得することは困難だった。学術分野内に存在する境界をなくすことも、議論を引き起こした。学術分野は、まるで小さな領地のように別々の分野に分かれていて、自分たちの資金は自分たちで管理したがっていたので、資金を分け合うことは貴重な資源を手放すことだと思われたのだ。学際的な研究はいくぶん厳密さに欠けるとか、これまで行われたことがないものはだめに決まっているという考え方が残っていた。

ＮＳＦ自体も長い間、縄張り意識を持っていた。物理科学の推進者、生命科学の監督者、そして社会科学の擁護者は全体を見ずに、それぞれ自分たちの部門のことだけを考えていた。実際には、多くの科学者が学際的な研究チームに参加したがっており、特にナノテクノロジーに関する助成金の要請が殺到していたが、長官に就任した当時、ＮＳＦはそうした研究に資金を提供する組織ではなかった。

ナノテクノロジーは、生物学者、工学者、物理学者、化学者が協力して、原子を一つずつ操作していく技術だ。前任のニール・レインがＮＳＦを去ってホワイトハウスの科学顧問になったとき、彼と協力して、生物工学という、新しくて刺激的な支流に資金を獲得して、新しい製造方法や新しい製薬法、そして新しい慢性疾患治療法を提供することによって医療や産業の問題を解決しようとした。私は、生物学が経済の駆動力になるという予感に胸を躍らせたものだ。しかし、ＮＳＦでの私の最も誇れる業績の一つは、一九九〇年代最大の変革の一つであるコンピューター革命を支援したことだ。

学際的な研究チームは膨大な量のデータを生み出す傾向があり、コンピューターは数学、教育、社会科学など、あらゆる分野に大きな変化をもたらすと私は考えていた。しかし、国内の大学やカレッジが、最新の高性能なコンピューターに平等にアクセスできるわけではなかった。コンピューターを導入して、すべての科学者をコンピューターでつなげることができなければ、データを共有したり、比較したりすることは不可能だ。そこでＮＳＦは、長い議論の末、高性能コンピューターをＮＳＦのすべての学術機関に導入するために、十億ドルのプログラムを要求することに合意した。そのためには、コンピューター科学という新しい分野への助成を、物理学や工学への助成と同等に行う必要があった。ただし、古参の研究者を疎外してはならない。関係するすべての政府機関の長を私のオフィスに招き、彼らの支持を得るために会議を開いた。その結果、NSFが主導するが、皆で協力してやっていく、という合意に達することができた。

私はペンシルベニア大学のロボット工学教授ルゼナ・バジツィーを招き、三年間にわたりNSFのコンピューター・情報科学・情報工学部門の部門長を務めてもらった。バジツィーは、ヒトラーがドイツの首相になった一九三三年にチェコスロバキアで生まれた。両親はユダヤ人で、カトリックに改宗していたが、バジツィーが三歳のときに反ユダヤ主義のメイドに母親を殺されていて、十一歳のときにはナチスに父親と継母を殺された。そうしたことに直面した後、心を「支えてくれた」のは、数学とコンピューターだった、と彼女はインタビューで答えている。「人間は予測不可能です。でも、機械は裏切らない。そして、もし思いどおりにならなかったら、それは自分のせい！ だからなんとか自分で制御できるのです」

電気工学の学位をスロバキア工科大学で取得したバジツィーは家族と離れ、スタンフォード大学での一年間の特別研究員としてカリフォルニアにやってきた。多くのヒッピーがサンフランシスコに集結する現象が起こった一九六七年の「サマー・オブ・ラブ」の真っ最中のことだった。「私は保守的なチェコスロバキア人らしい、共産主義的で、ある意味非常にカトリック的な背景を持っていました」とバジツィーは回想する。彼女が自由とは何なのかを実感したのは、スタンフォードの書店で、聖書とコーランと『共産党宣言』の三冊が同じ棚に並んでいるのを見たときだった。その翌年、ロシアがチェコスロバキアに侵攻した際、バジツィーは米国に残ることを選んだが、二人の子供に再会するまで十五年もかかるとは思っていなかった。

バジツィーは、初めて新しいアイデアを恐れない環境に身をおいた。「コンピューター科学というものの自体がまだオムツをしている赤ちゃんのような分野でしたし、人工知能が生まれたばかりでした」と彼女は語る。バジツィーは、その後三十年間、ペンシルベニア大学の工学部で過ごすことになる。私が彼女に会ったときには、スロバキア工科大学で電気工学の博士号を、スタンフォード大学でコンピュータービジョンとパターン認識の博士号を取得していた。バジツィーは現在、米国工学アカデミーと米国医学アカデミーの両方の会員である。彼女はスターだ。

バジツィーはすぐに、NSFでプログラム・マネージャーになったからには、自分が担当する特定の科学分野への助成金を獲得するために競い合わねばならないのだと理解した。物理学と工学は、NSFの予算の大部分を占めおり、だから、議会がNSFの予算を一・五％ずつしか増やさなくとも、自分たちは安泰だと思っていた。しかし、コンピューター科学のような小さな分野はそういうわけにはいかない。バジツィーは、プログラム・マネージャーを集めて、まるで我が家のおばあちゃんがするようにチーズやワインを配って親睦を図りながら、科学全体をコンピューター化するという私たちのビジョンを少しずつ広めていった。

新しい資金をすべてコンピューター科学者に渡したら、科学界の嫉妬心をあおることになるとわかっていた。そこで私は、ちょっと狡猾《こうかつ》なやり方を提案した。新しい資金の大部分をコンピューター科学と工学に与えるが、他の科学分野にはコンピューターの使用に慣れるのに十分なだけ資金を与えるのだ。そして、それがうまくいった。何百万ドルというあらたな助成金を手にしたコンピューター科学をうらやコンピューター科学をあらゆる学問分野に取り入れるために、誰もがその一端を担うことになった。そましげに傍から眺める者は誰もいなかった。むしろ、あらゆる学問分野がコンピューター革命の一翼を担うことになった。

数学もまた、学際的な研究の優先事項だった。数学は、あらゆる科学の、そして工学、経営学、社会科学、行動科学の共通言語だ。エイズなどの感染症についての最も重要な洞察のいくつかは数理モデルから生まれたものだし、数学はIT革命の活力源だ。しかし、数学における米国のリーダーシップは衰退の一途をたどっていた。NSFは博士課程の学生を教育するための助成金の主要な供給源だが、数学の助成金はこの十年間、インフレ率よりも低い年一・五％しか増加していなかった。

一九九七年、国家安全保障局の元局長、ウィリアム・E・オドム中将は、博士号を持つ自国の数学者をもっと増やすことが急務だという影響力のある報告書を発表した。オドム中将や多くの議員は、旧共産圏から移民してきた数学者や専門家に頼っていることを問題視していた。私はすでに、四年間でNSFの数学予算を二倍にするよう働きかけており、その結果、数学の博士号取得者を四十五％増やすことができた。

もう一つの学際的目標は、特に思い入れのあるものだった。私はいつも、世界はきれいにつなぎ合わされたキルトのようなもので、全部で一つの作品となると考えている。私はNSFが持つ、数学、物理学、化学、生態学、生物学、社会科学など、あらゆる科学的手段と方法を使って、自然環境とそこに住む動植物がいかに複雑で全体的なシステムとして相互作用しているかを説明したいと考えていた。このプログラムの名称を考えていたとき、「生態学的」「ホリスティック」「多様性」「環境」といった言葉を含めると、きっと議会で瞬殺されてしまうだろうと思った。ある生物学者が「複雑すぎる」と文句を言った。そこで、「では、生物複雑性（biocomplexity）と呼ぶことにしましょう」と決めた。

名前は重要である。たとえ「生物複雑性」のような、見かけは理解不能な名前を付けた場合であっても。名前がなければ、何も達成できない。議会は、あるプログラムがどのように新しい産業と新しい雇用を生み出すかを有権者に説明するために、名前を必要とする。語呂の問題で名前が変更されたこともある。ＳＴＥＭＭ（科学・技術・工学・数学・医学分野）はもともとＳＭＥＴと呼ばれていたが、私のような細菌学者には、人間の性器に関連する細菌である *Mycobacterium smegmatis*（通称 *Mycobacterium* "smet" マイコバクテリウム・スメグマティス、恥垢《ちこう》菌）とあまりにも似ていたのだ。そこで、頭文字の順番を変えてＳＴＥＭＭとした。

やがて議会から「生物複雑性とは何か」と質問されたので、こんな例を挙げて説明した。もし、人々に最も多くの恩恵を与えられる新しい高速道路を建設したいが、経済的コストは最小限に抑えたい場合、生物複雑性がそのためのツールを提供する。そのツールによって、その地域の川の流域や地下水面に関する情報、人口の増減についての国勢調査データ、その地域の地質、植物、動物に関する詳細情報を組み合わせることができる。「それが生物学的複雑性です」と述べた。私たちは資金を手に入れた。そしてＮＳＦの複数の部門が共同で運営するプログラムに、この生物複雑性の精神は受け継がれている。これがＮＳＦの新しい管理のやり方だ。

◆◆◆

最も重要なのは、意見の一致だった。それによって、ようやく、あらゆる民族の女性を支援し、科学界に非主流のマイノリティの数を増やすための活動ができるようになる。

ＮＳＦの長官に就任する十年前に、ＮＳＦのある女性が、「世界を変える覚書」と自らが呼ぶものを独自に発表した。メアリー・Ｅ・クラッターは、ＮＳＦの生物学、行動学、社会科学の助成を担当しており、副長官代理を二度務めた経験があった。その経験から彼女は、「やりたいことがあるなら、とにかくやってみること」と学んでいた。そこで、一九八九年のある日、彼女は、自分が監督している三つの科目、生物学、行動学、社会科学で、会議やワークショップに女性の講演者がおらず、いない理由を説明できない場合、ＮＳＦはそうした学会やワークショップを支援しないと発表した。「これは、毎回女性研究者を参加させなさいということなのです」と、彼女はサイエンティスト誌に語った。クラッターは、この覚書に非難が集まるであろうことは承知していた。「男性たちから電話がかかってきて、『妻が行っている研究について発表する。だからよいだろう？』と言われたものね」とのちに彼女は回想している。同部門担当のエグゼクティブ・オフィサーＷ・フランクリン・ハリスは、彼女をバックアップした。生命科学の分野では、すでに博士号取得者の三分の一が女性であり、「これらの分野において、会議や会合や国際会議で、招待講演者に有能な女性研究者が含まれていないのは、情状酌量がどうしても必要な状況下においてのみであろう」と、彼はサイエンティスト誌に書いている。残念なことに、クラッターの覚書が世界を変えることはなかった。彼女には、自分の言葉を強制する力がなかったのだ。仮に力があったとしても、少しでも積極的差別是正措置《アファーマティブ・アクション》の匂いのするものに襲いかかろうとする議会の監督者と衝突したことだろう。

そして十年後、私が長官となり、クラッターが生物科学部門の部門長を務めていた頃、科学界における女性や少女への支援について、国は激しく分裂していた。ＮＳＦが数十年にわたり目立たず運営してきた「科学と工学における女性サポートプログラム」が、法的な泥沼に巻き込まれつつあった。このように多くのことが危うい緊迫した状況下で、意見の一致を得ることは不可能に思えた。

一九九〇年代は、これまで経験したことのない時代だった。私の世代の女性科学者たちは孤立した先駆者だった。あらゆる困難をなんとか乗り越えて、閉ざされた扉を回避する、あるいはくぐり抜ける方法を見出した。その次の世代は、一九七〇年代と八〇年代のフェミニスト運動によって、いくつかの扉が開かれていたので、その恩恵を受けていた。しかし、一九九〇年代には、大勢の女性が科学、工学、医学の門を叩《たた》いたが、指導者となってくれたり、自分たちを受け入れてくれる研究チームを持つ先輩の女性教員があまりにも少ないという現実を目の当たりにした。女性科学者は正教授に昇進することもなく、相変わらずドロップアウトしたり、職位の低い仕事に甘んじたりしていた。博士号を持つ科学者を育てるには百万ドルかかるので、博士号を持つ女性が科学の世界からドロップアウトするたびに、社会は驚くほどの損失を被る。女性にも、白人男性と同等のキャリアの機会が必要だった。科学界における女性の組織的な権力基盤が必要だったのだ。

この問題に取り組むことを要求する有権者はほとんどいなかったが、多くの共和党議員や民主党議員ならびにホワイトハウスは関心を持っていた。米国では、経済界のニーズに見合うだけの熟練したSTEMM労働者が育っておらず、国外からやってくる科学者やエンジニアに頼っていることが国家安全保障上の懸念となっていた。女性は我が国で最も大きい、活用されていない才能源だった。二〇〇〇年、連邦議会は科学技術機会均等法を可決し、STEMM分野で女性やマイノリティの数を増やすための包括的な政府プログラムを求めた。ここまでは良かった。しかし、その後、意見の一致は崩れ去った。

積極的差別是正措置《アファーマティブ・アクション》に反対する人々がさまざまなプログラムに対して連邦裁判所や州議会で法的な異議申し立てを開始する中、NSFは法的な綱渡りの状態にあった。一九九七年、サウスカロライナ州出身の数学専攻の白人大学院生トラヴィス・キッドが、NSFは特定の大学院生奨学金を、少数しかいないマイノリティの学生に限定して提供しているとして訴えたのである。副長官であるペンシルベニア大学の元工学部長、ジョー・ボルドーニャは、この件を法廷で争いたいと考えていた。ボルドーニャは、私と同じイタリア系アメリカ人で、早くに父親を亡くし、母親が辛い工場労働で家計を支えていた(それはウイスキーの瓶にラベルを貼るという仕事で、私の母がやっていた靴に靴底を貼り付ける仕事に似ている)。私が彼をナンバーツーに指名した理由の一つは、私たちはどちらも、大学の文化は変わるべきだと心から信じていたからだった。もし、変わらなければ、あらゆる民族の女性やアフリカ系アメリカ人、ラテン系アメリカ人などのマイノリティが採用されることも、職を維持することも、昇進することもないだろう。しかし、米国司法省の弁護士は、裁判でトラヴィス・キッドには勝てない、負けたら少女向けのSTEMMキャンプや女性科学者個人への助成金など、女性やマイノリティのための他のすべてのプログラムを危険にさらすことになると言った。NSFは仕方なく示談に合意し、キッドに一万四千四百ドルを、彼の弁護士に八万千ドルを支払った。神経質になった大学の法律顧問は、「人種」や「ジェンダー」という言葉に触れないよう、大学に注意を促し始めた。そして、連邦政府が資金提供する、教育において女性の権利を保障する責任を負う四つの政府機関のうち三つが、タイトルナイン(第3章)の擁護を中止した。

私は、四十年前にキャリアを積み始めた頃に、女性たちが直面していた法的障害、つまり、女性が仕事や教育に平等にアクセスすることを阻む州法や大学の規制を思い出した。再び前へ進む道が閉ざされたいま、私たちは過去にやってきたことをまたやらなければならないだろう。障壁を回避する、乗り越える、あるいは潜り抜ける方法を見つけなければならない。他にどうすればいいのかわからなかった。

NSFのプログラム・ディレクターからなる特別委員会を招集し、学術科学における女性の地位の問題を国家的優先課題にしたいと伝えた。そのためには、女性を軽視する大学の文化を変革する必要がある。彼らに合法的な方法を見つけてもらわなければならなかった。「どうやったらそれができるのか、教えてください」と私は言った。

そして、彼らはそれを見せてくれた。

解決策は、驚くほど簡単だった。新しいタイプの助成金をつくったのだ。男女を問わず（ある大学の弁護士が冗談で言ったように、「人類の百パーセント」）誰もがその助成金に応募できた。ただし、その目的は、科学分野における女性の助教、准教授、正教授の地位を向上させ、大学の文化を変えることであった（実のところ、博士研究者も対象にしたかったのだが、すべての分野にいるわけではないので、この計画は白紙になった）。助成金の額は大きく、五年間で二百万ドルから五百万ドルの範囲だった。

しかし、このような助成金はどのように作用したのだろうか。ボルドーニャと私は、六年間一緒に仕事をする中で、いろいろなことを議論した。彼が言うように、「私たちは議論好きなイタリア人」なのだ！　しかし、一度だけ真剣に対立したことがある。元学部長であるジョーは、大学の学部長、学務担当学長、学長であれば、自分たちの大学を改革するチャンスに飛びつくと信じていた。しかし、大学の経営者としての経験から私は、それは違うと言った。相当数の優秀な女性科学者に多額の助成金を出せば、偏見を持つ大学経営陣に、女性が優れた科学研究を遂行できることを示せると考えたのだ。ボルドーニャと私は争うよりも妥協することにした。助成金の半分を女性個人に、半分をトップレベルの経営陣に分割したのだ。私たちはこのプログラムを「ADVANCE《アドバンス》」と名付け、議会が好みそうな「二十一世紀労働力」という名称のプログラム群に組み入れた。プログラムの責任者であるアリス・ホーガンはあるアイデアを思いついた。各大学の学長、学務担当学長、あるいは学部長（ほとんどが男性）が個々に署名して資金を受け取り、その結果に対する責任を負ってもらうのだ。私は最初のうちはジョーのやり方に懐疑的だったが、数年のうちに、女性科学者個人への多額の助成金に頼るという自分のアイデアは静かに撤回した。ジョーの計画の方が明らかにうまくいっていたのだ。

二〇〇一年から二〇一八年の間に、NSFは百以上の高等教育機関と契約し、科学、技術、工学、数学分野の女性がキャンパスで経験する特定の問題を解決するためのプログラムをつくり上げるために二億七千万ドルを費やした。すべての大学がADVANCE助成金で素晴らしい成果を上げたわけではないが、二〇一一年までに、最初の十九大学は、女性により公平な給与を支払い、より多くの女性を上級管理職に登用し、より多くの女性若手教員を雇用し、より多くの女性教員を正教授に昇進させた。NSFの科学資源統計部によると、このプログラムの最も傑出した成果は、この間に全米の女性正教授の数が八千九百三十九人増加したことだ。もし、私のアイデアを採用していたら、女性教授の数は五百四十人しか増えなかっただろう。ボルドーニャのやり方は、より速く、より生産的であったし、現在もそうである。彼が譲らなかったことに心から感謝している。

◆◆◆

本当に大きな変化を実現するためには、外部の助けが必要だった。NSFの長官に就任して間もないある日、下院議長のニュート・ギングリッチと会議をしていたときに、「ギングリッチ議長、財団の予算を二倍にしなければなりません」と訴えた。

「コルウェル長官、あなたは間違っている」

私はすぐに、やれやれ、これはまずいと思った。

しかし、彼は「三倍にすべきだ」と言ったのだ。別の委員会の会議で、ボルドーニャはジョン・マケイン上院議員も同じことを言うのを聞いた。そして、元宇宙飛行士のジョン・グレン上院議員は、議会の委員会でNSFの予算は「五倍」にすべきだと証言した。

ミカルスキー上院議員と、ミズーリ州選出のキット・ボンド上院議員（共和党）は、NSFの予算を大幅に増やすための超党派の取り組みを率先する用意があった。私たちは、数学、コンピューター科学、生態学、女性のためのプログラムなど、新たに支援したい重要な科学分野のリストを取り出して、それぞれについて国会議員たちに情報を提供し始めた（「情報を提供する」という言葉を使ったのは、政府機関が議会に「働きかけ」をすることは違法だからだ。その代わり、やりたいことについて議員に「情報を提供」したのである）。

私は、長官就任以来、議会の両サイドを歩きまわってきたので、自分が中心となって議会との交渉を行うものと思っていた。しかし、NSFの立法担当部門から抗議があった。伝統的に、長官が連邦議会に出向いて、お金について話をすることはない、と。しかし、その部門が私に内緒で議会のスタッフと予算協定を結んでいることを知り、私は自分が議会で話をすると主張した。

議会場を歩くと、昔、メリーランド州の州庁舎に行ったときのような気分になった。連邦議会のほうがもう少し洗練されていた（議員が公聴会のさなかにランチを食べるようなことはなかった）が、昔ながらの程度の低い偏見も残っていた。ボルドーニャと共に証言していると、議員や男性の議員スタッフが、私ではなく、ボルドーニャに質問を向けることがあった。しかし、私が出会った通路の両サイドの政治家たちのほとんどは、基本的には善意を持って接してくれた。ここで得た教訓は、科学者は、議員に彼らが代表する州にある大学や科学施設を訪問してもらう努力をする必要があり、そうすれば、そこで行われている研究をもっとよく理解してもらえるということだ。そしてもちろん、感じよく応対し、敬意を示すことも重要だ。人と人とのつながり、それが大切なのだ。

結局、NSFの予算を二倍にすることはできなかったが、なんとか六十三%の増額にこぎつけた。追加資金は、コンピューター、学生の奨学金、数学、女性教授、物理学と天文学の大規模プロジェクト（そのうちの一つはアインシュタインの一般相対性理論を立証した）、高高度研究用の新しい飛行機、地震研究センターなど、生産的で社会的に意義のあるプログラムに使った。私の前任者であるニール・レイン長官が、私の在任期間の最初の二年間、ホワイトハウスの科学技術政策室にいたことは、私の予算編成の成功の重要な因子だった。もっとやりたいことがあったのだが、この原稿を書いている時点では、その時期は、NSFの五十年の歴史の中で最大の成長期だった（予算増額の計算方法の詳細は、巻末の「原注」に掲載されている）。

女性たちと科学者としてキャリアについて話をするとき、私はいつも女性科学者も政府で活動する機会を持つべきだと語る。なぜなら、女性が政府機関のトップを務め、連邦議会や州議会で男性と同じように活躍しない限り、真の意味で持続可能な変化は起こらないからだ。科学と工学は苦しみ続け、米国民もまた苦しみ続けることになるだろう。私が直接それを明確に実感したのは、バイオテロに対する国家の防衛策を検討する委員会の委員長を務めたときだ。この経験は、私の人生を変えることになる。

7 炭疽菌入りの手紙

私は米国中央情報局（ＣＩＡ）の情報科学委員会に出席している。この委員会は、９・11以降、国家情報長官に独立した科学的助言を与えるために設立された。これは秘密会議なので、何が話し合われているのか正確に語ることはできない。しかし、これだけは明かすことができる。私が何を言っても、細菌やウイルスなどの生物由来物質がもたらすリスクに、委員会のメンバーの注意を向けさせることはできないのだ、と。生物由来物質の中には、爆弾や爆発よりも致命的なものもある。なぜなら、いったん解き放たれたら、増殖して広がるからだ。

委員会のメンバーはほとんどが男性で、スタンフォード大学やアイビーリーグの工学者、物理学者、化学者である。最初のうち、私は唯一の生物学者であり、数少ない女性メンバーの一人だった。ただ前国立科学財団（ＮＳＦ）長官としてではなく、バイオテロリズムの専門家として参加している。男性陣は失礼な人たちではない。気さくで、とても熱心だ。ただ、私が古株に属していないために、注意を払われないだけなのだ。二人の生物学者（いずれも女性）がメンバーに加わり、特別セッションでバイオテロが取り上げられたときでさえ、バイオテロを非常に深刻な脅威と考えるよう説得することはできない。

本書には、このような、「女性が意見を聞いてもらえない」「会議の席を与えられない」「リーダーになれない」という例がたくさん出てきた。この章では、この慣例の例外となる物語を紹介する。

これから話す物語では、責任者は私だ。そんなことは、よっぽどの緊急事態でも起こらない限りあり得ない。そして、実際に緊急事態が起こって私にお鉢がまわってきたのだった。しかし私は、知らず知らずのうちに、これまでのキャリアのすべてを通して、二〇〇一年の秋に米国を恐怖に陥れた炭疽菌《たんそ》入りの手紙事件のために準備していたのだ。この時点までに経験を通して学んだあらゆることを積み上げてきた。だから、炭疽菌の発生源を追跡する七年にわたる調査の間、一度も、何をすべきか、どうすればよいのかわからないという恐れを感じたことはなかった。「慎重に考えて計画的に行動しなさい」という内なる声が聞こえてきたのを覚えている。異なる経歴を持つ男女が集まり、互いの言葉に耳を傾け、協力し合い、そして多様な視点のおかげで、国家の安全を脅かす非常に複雑な問題を解決することができたのである。

この物語を正しく伝えるには、始まりに戻る必要がある。

◆◆◆

私が米国の情報機関（一番有名なＣＩＡをはじめとする十七の政府情報機関のグループ）と初めて関係を持ったのは、一九七〇年代初頭、ジョージタウン大学で准教授をしていたときだ。私は、アパルトヘイト下の南アフリカ共和国やベルリンの壁崩壊前のチェコスロバキアなど、政治的に興味深い場所で会議を開いていたいくつかの国際生物学組織の会長に選出されていた。そこで行われている科学研究について科学雑誌に記事を書いたところ、情報機関に注目されたのだ。コレラに関する私の研究も、彼らの目にとまった。ＣＩＡは、干ばつや疫病といった、歴史的に大規模な政情不安を引き起こしてきた環境問題にも関心を持っていた。一九八〇年代から九〇年代にかけて、コレラは中南米全域で問題となった。これらの地域では、この百年間、大きな流行が起こっていなかったのだ。

コレラの研究をしているうちに、私はあることを考えるようになり、それにＣＩＡが関心を示した。それは、誰かがどこかで意図的に微生物を使って人々に危害を加えようとするかもしれないという考えだ。私は、連邦政府は生物兵器、生物学的事故、生物学的攻撃に対処する方法を研究すべきだと確信するようになった。正当な科学研究を軍事目的あるいは社会破壊のために利用する者がいるのではないかと懸念していた。

一九九〇年代後半、私は、化学博士でＣＩＡの最高技術責任者であったジョン・Ｒ・フィリップス（まもなく彼は情報機関全体の主任科学者に就任した）に近づき、「バイオテロに取り組む委員会はありますか？」と尋ねた。すると、現在活動しているものはないとの答え。私は「あるべきでは？」と提案した。

数ヵ月が過ぎたが、病原体のデータベースをつくるべきだと提唱しても、たいした進展はみられなかった。いや、そうだと思い込んでいた。ところが二〇〇一年一月、科学者であり非常に有能な行政官でもあるフィリップスが、化学テロ・バイオテロ対策のための大規模な研究開発プログラムを立ち上げるための資金を、議会から獲得したとの知らせが入った。このプロジェクトの諮問委員会に招かれたのはうれしいことだったが、その委員会の初会合が開かれるのは、さらに九ヵ月先の予定だった。

その間に大変な事件が起こる。

九月十一日の朝八時四十五分、バージニア州アーリントンにあるＮＳＦのオフィスにいた私のもとに、スタッフがあわててやってきた。ニューヨークの世界貿易センタービルのツインタワーの一つに飛行機が衝突したというのだ。テレビをつけると、二機目の飛行機がもう一つのタワーに激突しており、事故ではないことは一目瞭然だった。一時間後、三機目のハイジャック機がオフィスから車で十分のところにあるペンタゴンに墜落したことがわかった。四機目はペンシルベニア上空を飛行しており、ホワイトハウスに向かっていた。多くのアメリカ人と同様、私も無力感を覚えた。現実のこととは到底思えなかった。

三週間後の十月五日金曜日、ＣＩＡ本部でバイオテロ委員会の初会合が開かれた。国家が9・11以降のテロを高度に警戒する中、化学・生物学テロとそれに対する可能な防衛策について、二日間にわたって緊張感のある、しかし非公式なワークショップが開かれたのである。そこで話されたことは今も機密事項だが、非常に充実したセッションだった。しかし、私の記憶に強く残っているのは、その後に耳にしたことだ。

プレスリリースが不穏なニュースをもたらした。フロリダ在住のロバート・スティーブンスという人が肺炭疽（肺の危険な感染症で、すぐに全身に広がり、しばしば死に至る）で死亡したというのである。米国では一九七五年以来初めての症例であり、二十世紀に入ってからは十八例目である。委員会のメンバーは皆、炭疽菌についてよく知っていた。スティーブンスの炭疽菌は、不正な国家や自国のテロリストグループ、あるいは気のふれた孤立した個人からもたらされた可能性があった。この時期、つまり9・11の直後であることから、私を含む多くの委員会メンバーや政府関係者は、アルカイダが世界貿易センターとペンタゴンの攻撃に続いて生物兵器による攻撃をしかけてきたと考えたのである。

この考えには、もっともな理由があった。9・11に関与したテロリストの何人かはフロリダに住んでおり、飛行機の操縦をフロリダで習っていた者もいたので、フロリダの住人を最初のバイオテロの犠牲者に選んだのではないかと考えるのは妥当なことに思われた。そのうえ、炭疽菌は第一次世界大戦中に兵器として使用されたし、その芽胞《がほう》は自然界で簡単に見つかり、実験室で大量生産でき、環境中で何十年も生き続けられるので、今でもテロリストが使う可能性が最も高い生物兵器と考えられている。政府は9・11同時多発テロにバイオテロも含まれている可能性を深く懸念し、ペンタゴン周辺の空気を一週間にわたって一時間ごとに採取し、炭疽菌の検査をしていたのである。

スティーブンスの感染を聞いた大統領は、生物兵器による攻撃の一環と考えた。しかし、公の場では、政府の保健当局は、心配する必要はない、と早々に国民に断言した。トミー・トンプソン保健福祉省長官は、テレビの全国放送で六回にわたってスティーブンスの感染は「孤立した症例」だと繰り返した。トンプソン長官は、スティーブンスがノースカロライナ州で山歩きをしたときに小川の水を飲んで発病した可能性を示唆した。この話は政府の無知を露呈するものだった。炭疽菌の生活環についてもう少し詳しく説明すると、その理由がわかるだろう。

◆◆◆

炭疽菌は主に、牛、羊、山羊、豚、象、そしてカナダ北部ではバイソンなどの大型草食動物に感染する。炭疽菌は、生存期間のほとんどを土の中で、芽胞殻《がほうかく》と呼ばれる丈夫なカプセルに包まれて休眠状態

（冬眠のようなもの）で過ごし、風雨から身を守っている。動物が炭疽菌に汚染された土に生えている草を食べるとき、炭疽菌の芽胞を肺に吸い込んでしまうことがある。動物の栄養豊富な体の中に入ると芽胞殻が破れて、細菌が外に出てくる。炭疽菌細胞は爆発的に増殖して、血流に入り、動物の免疫系を圧倒する。健康な動物でも炭疽によって二、三日で死んでしまう。腐敗や、腐肉を食う動物によって死骸が開放されると、炭疽菌細胞は空気中に放たれる。しかし養分がないため空気中の炭疽菌細胞はすぐに飢餓状態となり、再び休眠に入る。この休眠と感染のサイクルを繰り返しながら、炭疽菌は何十年、いやおそらく何百年も生き延びることができる。

人間は通常、感染した動物や感染動物からつくられた製品に直接触れることによって炭疽菌と接触する。皮膚に切り傷のある人が、感染動物の未消毒の皮やウールに触れると、比較的軽症の皮膚炭疽にかかることがある。感染した肉を食べると重症になり、ときには死に至る。しかし、炭疽病で最も恐れられているのは肺炭疽（吸入炭疽）であり、ロバート・スティーブンスも肺炭疽で死亡している。最近まで炭疽菌を吸い込むと九十％が死亡すると言われていた。しかし、強力な公衆衛生システム、家畜や羊へのワクチン接種、汚染された死体の即時焼却などにより、欧米諸国では人間の炭疽は根絶された。現在では、最新の抗生物質による迅速で積極的な治療で炭疽病患者の半数以上を救うことができることがわかっている。

ＮＳＦの長官となった最初の微生物学者である私は、この問題が自分の科学的専門知識を生かすまたとない機会であることがわかっていた。微生物学者としてのすべての経験が、スティーブンスの死は事故ではないと告げている。そして彼を殺した細菌の正確な遺伝子構成を明らかにしない限り、犯人も特定できないだろうと思った。しかも、実験室での操作によって意図せず細菌のＤＮＡが変化してしまう前に、即座にDNA解析を行う必要がある。

NSFは科学研究に資金を提供しているので、そのスタッフは、関連するすべての科学分野で全米をリードする研究者を知っており、彼らの知的資本を活用できる独特な立場にあった。NSFにとって、これは新しい活動領域になるだろう。犯罪捜査は、NSFの仕事ではなく、連邦捜査局（FBI）の仕事であった。しかし、遺伝子科学を使って、犯人が使った生物兵器を正確に特定することはできるかもしれない。

私はすぐさまジョン・フィリップスと情報機関にNSFの専門知識を提供すると申し出た。フィリップスは、挨拶もそこそこに即座に承諾した。私たちは、9・11以前にも一緒に素晴らしい成果を上げたことがあった。フィリップスとCIAのリンダ・ザール、そして私は、冷戦時代にスパイ衛星から撮影された何千枚もの北極の海氷の写真の機密解除を手伝っていた。これらの写真は、気候変動の驚くべき初期の証拠であり、一九七九年から二〇一三年の間に北極の氷がテキサス州の二倍の面積分、縮小していることを示していた。また、フィリップスと私は、CIAの豊富な資金を公的に、しかも無条件で提供するプログラムも立ち上げていた。このプログラムは科学的に価値のあるものだったが、NSFだけの資金ではとうてい実現できないものだった。一九九八年にこのプログラムは、グーグルの創業者であるラリー・ペイジとセルゲイ・ブリンがまだ大学院生で、ウェブページをリンクでランク付けする検索エンジンの研究をしているときに、最初の助成金を提供した。

9・11後、余波に対処するために、CIAは優れた科学へのアクセスを必要としていると考えた私は、フィリップスをオフィスに招き、二十～二十五人のNSFプログラム・マネージャーと引き会わせた。フィリップスと彼の科学スタッフ（ちなみに半数は女性）は、毎日彼の妻が焼いたクッキーを食べてシュガーハイになりながら、昼夜を問わず働いていた。情報がどんどん入ってきており、彼らは大統領や国家安全保障会議のためにそれらの重要性を判断していた。ＮＳＦならば、フィリップスが一流の研究者とつながりを持てるように手助けできるだろう。

「私たちにどんな手伝いができるでしょうか？　あなたがたが扱っているのはどんな問題群なのでしょうか？」。フィリップスが到着すると、私はこう尋ねた。それから二時間にわたり、フィリップスはＮＳＦの各プログラム・マネージャーがどんなことを扱っているかを聞いた。そのうちの一人が「私はＫＤＤ（knowledge discovery and dissemination）を行っています」と言ったとき、彼は特に興味を示した。ＫＤＤは、アナリストが異なるデータ源から情報を素早く発見するのに役立つ。

一方、フィリップスは、私の申し出をＦＢＩにもまわしていた。二〇〇一年当時、ＦＢＩには微生物学者は二人しかおらず、バイオテロに使われる可能性のある細菌やウイルスの全遺伝情報を特定する設備もなかったというのは信じがたい話だ。細菌の全遺伝物質を塩基配列決定するだけでは、信頼性が低すぎて犯罪の解決に役立たないと考えられていたのだ。

しかし、ＮＳＦは、細菌のＤＮＡ塩基配列を決定するのに最適な科学者を知っていた。ＮＳＦは、そのような科学者の多くに資金を提供していたことがあったし、あるいは提供している最中だった。そこで、ＦＢＩと異例の協力関係を結ぶことにした。我々は知りえた科学的内容をいかなるものもＦＢＩと共有するが、ＦＢＩは最終的に法廷で裁判に用いるために犯罪捜査の詳細を可能な限り秘匿するというものだ。その後七年間の、政府の科学機関、ＣＩＡ、ＦＢＩ、司法省の協力関係は素晴らしいものだった。私のオフィスには、まるで００７《ダブルオーセブン》の映画のように、緊急時用の赤いＣＩＡ直通電話が設置されてさえいたのである。

ＮＳＦがＣＩＡやＦＢＩと話し合いをしている間、ホワイトハウスや議会は生物兵器がもたらす深刻な脅威について学んでいた。元ホワイトハウス報道官のアリ・フライシャーは、ジョージ・Ｗ・ブッシュ大統領と大統領執務室で並んで座り、「炭疽菌について、どのように広がるか、どのような防御策があるかなど、最もぞっとするようなブリーフィングを受けた」と回想している。私たちが何年も前から主張してきたことが、ある閣僚によって確認された。「国は生物学的攻撃に対してまったく準備ができていなかった」のである。大統領も大統領夫人もシプロフロキサシン（商品名シプロ）を服用するように言われた。これは米国食品医薬品局（ＦＤＡ）から認可された肺炭疽治療用の三種類の抗生物質の一つである。（もし、米国のわずか三つの都市で同時に炭疽菌が散布されたら、市民を治療するシプロフロキサシンが足りなくなることを当時私たちは知らされていた）。

バイオテロ攻撃に必要な科学的研究開発を組織化するための国家戦略システムがなかった。軍の科学顧問は、ほとんどが工学者か物理学者で、核爆弾などの爆発物がもたらす脅威に重点がおかれていた。放射能についてはよく知っていても、数週間で数千人、あるいは数十万人が死亡するような感染症については経験がない。核爆弾と炭疽菌芽胞による生物兵器の破壊力がほぼ同等であることも十分理解していなかった。そして、たった一人のテロリストが爆弾よりはるかに簡単に炭疽菌兵器をつくることができるということも。

その後の数ヵ月から数年間、私はＣＩＡの情報科学委員会の委員として、あらゆる種類の攻撃の可能性に備える努力をするつもりだった。なぜなら、従来型の脅威に備えるだけでは、それ以外の脅威には備えられないからだ。しかし、その年の十月、私の優先課題は、「すでに進行中の生物学的攻撃を引き起こした人物を追跡すること」になった。

炭疽菌はきわめて難しく独特な科学的問題を提起していた。世界のある地域で発見された炭疽菌と他の地域で発見された炭疽菌との遺伝的差異がほとんどないのである。多くの細菌は、新しい環境に適応する過程で時間が経つうちに遺伝子に変異を起こす。しかし、炭疽菌は一生の大半を仮死状態で過ごし、その間はDNA複製が起こらないと考えられている。さらに、炭疽菌は感染した相手を素早く殺す。休眠状態から目覚めて猛烈な毒性を発揮し、また休眠状態に戻るまでの過程が迅速なのである。そのため変種はまれで、見つけるのは至難の業だ。

私は、このような違いを見つけることができる科学者は、J・クレイグ・ベンターとクレア・M・フレイザーのチームだけだと確信していた。その年の初め、ベンターと国立衛生研究所（NIH）のフランシス・コリンズはヒトゲノムの塩基配列決定を報告しており、また、サイエンス誌はクレア・フレイザーを「微生物ゲノミクスの世界的リーダーであることに疑いはない」と評したばかりだった。私もフレイザーも、ある病原体と別の病原体を区別するための完全な分子指紋を得るには、炭疽菌のDNAの全塩基対の順序を決定する完全な塩基配列決定を行わなければならないと考えていた。

二〇〇一年秋の時点では、塩基配列決定はまだ恐ろしく高価で時間もかかるものだった。ほとんどの研究者は、細菌のDNAのわずか一％ほどの塩基配列しか決定しておらず、その小さな断片が全体を代表していると仮定していた。しかし、ゼロから始めるわけではない。非営利研究機関であるゲノム研究所（TIGR）は、すでにマイコプラズマ・ジェニタリウムとヘモフィルス・インフルエンザ〔訳注：

インフルエンザ菌。インフルエンザウイルスとは無関係〕という二つの細菌の全ゲノムを解読しており、炭疽菌の遺伝暗号を構成する五百万以上の塩基を解読する方法がすでに存在していたのである。

スティーブンスの死を知った午後、急いでオフィスに戻り、TIGRを運営しているフレイザーに電話する準備を整えた。私の立場は微妙だった。法律上、NSFの長官は、研究者に資金を提供することはできない。NSFの専門家が、各助成金申請書を徹底的に審査し、承認するかどうかを決めるのだ。そこで、個人的な電話となる午後六時まで待って、フレイザーに電話をかけた。NSFの法律顧問のアドバイスに慎重に従いながら、もし、炭疽菌株の塩基配列を決めるという申請書がNSFに届いたら、公正な審査を受けるだろうし、通常なら何ヵ月もかかるところ、一週間か二週間で緊急資金を用意できる、と助言した。

残念なことに、慎重に話しすぎたため、フレイザーに私が言わんとしていることは伝わらなかったようだ。ニュースでトンプソン長官の話を聞いた多くのアメリカ人と同様、彼女もスティーブンスの死は「一度きりの常軌を逸した事件」と考えていた。それで私は、次の週、届かない助成金申請書を待つことになった。

◆◆◆

その苦悩の日々の間に、全米はスティーブンスと彼の病気について詳しく知ることになった。スティーブンスは、スーパーマーケットで販売されている二つのタブロイド紙ナショナル・エンクワイアラーとサンの写真編集者だった。一〇月二日の朝、病院に運ばれたスティーブンスは、ほとんど意識がなく、会話もできない状態だった。医師は細菌性髄膜炎と考え、脊髄穿刺《せきずいせんし》を行って診断を確定した。検査技師は、病院の感染症専門医であるラリー・M・ブッシュ医師を呼び出し、緊急診断を依頼した。ブッシュ医師が脊髄液を顕微鏡で調べたところ、大きな細菌が連なっていて、それらは炭疽菌のように見えた。

ブッシュ医師は炭疽症例に遭遇したことがなかったが、その当時の米国医師会誌ＪＡＭＡに掲載された、さまざまな生物学的大量破壊兵器に関する記事を読んでいた。イラクの生物兵器開発計画や、ロシアのスベルドロフスクの生物兵器工場から炭疽菌の芽胞が誤って漏洩《ろうえい》し、その結果、風下二・五マイルの地域で六十六名が死亡したとの報道から、炭疽菌に対する懸念が広がっていたのである。

ＪＡＭＡの炭疽菌の記事には、炭疽菌のカラー写真が添えられており、ブッシュ医師には、スティーブンスの脊髄液に見られたものと同じ種類の細菌に見えた。米国疾病予防管理センター（ＣＤＣ）はスベルドロフスクの事件で確立された手順に従ってＦＢＩに通報した。フロリダのテレビニュースはすぐに、防護服を着たＦＢＩ捜査官がスティーブンスの職場で証拠品を集めている様子を映し出した。炭疽菌の芽胞を含む白っぽい粉が彼のコンピューターのキーボードと机、そしてビルの郵便室から発見された。郵便室の従業員二名が炭疽菌陽性と判定されたが、どちらも治療が功を奏した。おそらくスティーブンスとその同僚は郵便で送られてきた封筒か小包から炭疽菌に接触したと思われたが、そのような封筒も小包も発見されなかった。その会社では日常的にゴミを焼却していたのである。

スティーブンスが亡くなって一週間後の一〇月一二日、突然、事態が急変した。ニューヨークの会社員が、ＮＢＣ放送のニュースキャスター、トム・ブロコウ宛ての封筒を開けたところ、中に、白っぽい灰色の粉と、大文字のブロック体で書かれた無署名でスペルミスのあるメッセージのコピーが入っていたのだ。

THIS IS NEXT
TAKE PENACILIN NOW
DEATH TO AMERICA
DEATH TO ISRAEL
ALLAH IS GREAT

次はこれだ
今すぐペナシリンを飲め
アメリカに死を
イスラエルに死を
アラーは偉大なり

上院多数党院内総務トム・ダッシュルのワシントンDCの事務所でインターンをしていた若い女性グラント・レズリーは、三日後、同様の手紙を開封した。レズリーはすぐに炭疽菌ではないかと気づいて、腕の長さほどのところで慎重に封筒を持ったまま、助けを求めた。彼女の迅速な行動により、十分な量の粉末が保存され、徹底的な検査が可能になった。ハート上院議員会館で炭疽菌と接触した可能性のある六百二十五人以上が、鼻腔《びくう》ぬぐい液の採取、場合によっては抗生物質の投与を受けるために列をつくった。この迅速な行動によりいくつもの命が救われたのかもしれない。

その後数日の間に、ニューヨーク・ポスト紙に一通、パトリック・リーヒ上院議員宛に一通、炭疽菌入りの手紙が届いた。リーヒ上院議員の手紙は未開封で回収され、なかには一グラム近い芽胞が入っていたので、十分な分析ができた。すべての手紙は米国郵政公社が配達したものであった。これらの手紙がすべてを変えた。スティーブンスが故意に殺されたことに疑いはなくなった。私たちはテロに対処しているのだ。

フレイザーが危機の重大さを認識するとすぐに、TIGRは助成金を申請した。NSFは、政府機関としては異例の早さで、一週間以内に申請を承認した。スティーブンスの病気が発見されてから三週間後の十月二十六日、クレア・フレイザーと主任共同研究者のティモシー・D・リードは、「フロリダの炭疽菌株の塩基配列を解読し、それを他の株と比較する」ための資金を手に入れたのである。これは、一つの細菌種の二つ以上の菌株の全ゲノムを比較する初めての試みとなる。TIGRの助成金申請は、比較ゲノム学と微生物法医学という、急速に発展しつつある二つの科学分野を組み合わせる斬新なものであった。

この助成金が交付される前日、米国民にさらに衝撃的なニュースがもたらされた。記者会見で国土安全保障省のトム・リッジ長官が、手紙の中の炭疽菌はエイムズと呼ばれる株に由来するものであることを、おそらく不注意にも、明らかにしてしまったのである。つまり、炭疽菌の粉末はアルカイダが開発したものではなく、米国内の、おそらく軍事研究施設でつくられたものである可能性が非常に高い、ということだ。FBIはこのことを十月五日から、スティーブンスが入院してまだ生きていたときから知っていたのである。

CDCが「フロリダで炭疽菌症例が発生した」とFBIに報告したとき、FBI捜査官は直ちにスティーブンスの脊髄穿刺で得た試料を入手していた。そして、ロスアラモス国立研究所の炭疽菌の遺伝学研究の権威であるポール・L・ジャクソンに、次の指示を仰いだ。

ジャクソンは「どの株か同定しろ」と答えた。「誰かが誰かを殺そうとしているなら、私は『犯人は人間だ』と言う」。スティーブンスが炭疽菌で死にかけていると言うだけでは、曖昧すぎる。

ジャクソンは「いくらか反発があった」と記憶しているが、FBIはすぐに彼のアドバイスに従って、スティーブンスの脊髄液試料を炭疽菌のエキスパートである二人の研究者に送った。ノーザンアリゾナ大学のポール・ケイムとアトランタの疾病予防管理センター（CDC）のタニヤ・ポポビッチである。

翌日の午前中には、ケイムとポポビッチから不穏な報告があった。スティーブンスの病気の原因はメリーランド州の陸軍研究所で開発されたエイムズと呼ばれる菌株らしい、と。

「なんてことだ」とジャクソンはうめいた。

◆◆◆

十月二十五日にリッジ長官がこのニュースを発表したとき、細菌学者はエイムズの素性を正確に把握していた。

一九八一年にテキサス州南部で生後十四ヵ月の雌牛が炭疽に感染し、その後死亡した。その牛の臓器から採取して培養された細菌がメリーランド州フレデリックにある米軍の医学研究施設フォート・デトリックの米国陸軍感染症医学研究所に送られた。同研究所の科学者は、この雌牛の炭疽菌株は特に強力で、やがて第一次湾岸戦争で米兵に投与されることになる炭疽ワクチンの有効性を試験するのに理想的と判断した。その雌牛の試料が「エイムズ、アイオワ」と書かれた箱で届いたので、「エイムズ」と呼ばれるようになったのだった。

そのニュースを聞いて安堵《あんど》していいはずだった。クレア・フレイザーが述べたように、「実験室でつくられた菌株ということであれば、この株の出所を同定するために、炭疽菌の生息地である世界中の汚染された土をかき集めて、炭疽菌株を比較する必要がない」からである。だがその一方で、エイムズによるスティーブンスの死は、殺人よりもたちが悪く、国家安全保障上の危機ともいえるものだった。世界中の研究所で――ある専門家は、文字どおり「あらゆる研究所で」と言った――エイムズ炭疽菌の試料が研究用に保管されていたからだ。

エイムズが大きな科学的問題を提起していることは確かだった。二〇〇一年当時、スティーブンスを殺したエイムズ株の芽胞がどの研究室でつくられたものかは、誰も、本当に誰もわからなかったのである。エイムズ株の試料はどれも、見た目も挙動もまったく同じであり、実験室で何をしようが炭疽菌の株は変化しないというのが当時の科学者たちの統一見解だった。エイムズを郵送していた人物は、追跡不可能な完璧な凶器を手に入れたと思っていたに違いない。

さまざまな研究所に保管されているエイムズ試料を識別する方法を見つけなければならないことは明白だった。干し草の山から針を探すどころの話ではない。緊急に新しい科学的方法を創造しなければならない。それは簡単なことではないだろう。

◆◆◆

理論上、細菌が増殖する際には、まったく同じ自身のコピーを二つつくる。しかし、実際には、自然に変化が起こりうる。つまり、変異を起こすのだ。実験室で何ヵ月、いや何年も細菌を培養し続けていると、何度も複製が繰り返され、間違いが起こる機会、つまり変異が起こる機会が多くなる。四十年ほど前、大学院生として博士論文のために細菌の培養を行っていたとき、実験室で何ヵ月も何年も培養を続けると、細菌の形や見た目が変わったり、乳糖を発酵させる能力を失ったり得たり、その他の代謝特性が変化したりするのを観察した。細菌のさまざまな種や株を扱った結果、私は明確なパターンを見出した。永久的な変化には、その生物のDNAの変化が伴っていた。つまり、スティーブンスの炭疽菌のDNA塩基配列を直ちに決定しなければ、オリジナルの菌株のDNAではなく、実験室で誘発されて変化を起こしたDNAの塩基配列になってしまうも知れないのだ。フレイザーはエイムズ株のDNA塩基配列解読を急いでスタートさせなければならなかった。

リーヒ、ダッシュル両上院議員やニューヨーク・ポスト紙へ炭疽菌入りの手紙が送り付けられたことが明らかになった直後、FBI長官のロバート・S・ミューラー三世のオフィスに呼ばれた。彼は手紙の中に入っていた粉末の高解像度画像について私の意見を求めた。送付先がニューヨークであろうと、ワシントンであろうと、フロリダであろうと、すべての粉末から炭疽菌の陽性反応が出ていた。そしてすべてがエイムズ株に由来するものだった。これらの試料の出所は知らされなかったが、粉末が二回に分けてつくられたに違いないことは明白だった。ジョージタウン大学で電子顕微鏡の専門家ジョージ・チャップマンと一緒に研究した経験から、それは明らかだった。最初のロット（のちに、フロリダとニューヨークに送られた封筒に入っていた芽胞だと知った）には、外来物質がたくさん付着していた。一方、ニューヨークやワシントンDCに送られ、より多くの人を感染させた第二陣の芽胞は、付着物が少なく鮮明で、軽くてふわふわしており、きわめて純粋で毒性が強そうに見えた。このように芽胞が精製されているということは、封筒に入れた人物が実験室で働いた経験を持ち、大学や産業界、軍などが運営する研究機関にしかないような設備を持っていることを示唆していた。

まもなく、FBIの調査により、私たちが知らされていたのとは違ってエイムズ株は「所かまわず」いろいろな研究施設に送られたのではないことが明らかになった。エイムズ株が送られたのは、英国、カナダ、スウェーデンの三ヵ国の研究施設だけだったため、アルカイダの犯行である可能性はさらに低くなった。FBIは二月九日に一般の人々に情報提供を呼びかけた。FBIのプロファイリングによれば、犯人は一匹狼で、炭疽菌を入手でき、それを精製する知識、ノウハウ、実験室を持つ成人男性であると推定された。エイムズについて少しでも知っている者全員が容疑者となった。オハイオ州コロンバスにあるバテル記念研究所のマイケル・R・カールマン博士がFBI捜査官の一人にこの粉末のエアロゾル特性について技術指導を申し出たところ、捜査官は丁重に断り、「どうやらわかっておられないようだが、現在、あなた方はみんな、容疑者なのです」と述べた。

しかし、私たちは、気づいていなかったが、すでに最初の幸運をつかんでいた。

◆◆◆

スティーブンスの死亡から二週間後、陸軍感染症医学研究所の熟練した民間テクニカルスタッフであるテレサ（テリー）・G・アブシャー――彼女いわく「数え切れないほどの」エイムズ培養株を観察した経験があった――は、トム・ブロコウ宛ての封筒にあった粉末から炭疽菌細胞を培養していた。彼女は芽胞を栄養豊富な寒天培地が入った十二個のシャーレにまき、それを動物の体内と同じくらいの温度に保った。このような条件下におけば、細菌は保護殻から出て、分裂、増殖するだろう。通常二十四時間以内にこのシャーレの寒天培地の上に盛り上がった灰白色の炭疽菌コロニーを見ることができる。しかし、アブシャーは分析すべき試料をたくさん抱えていたので、通常の二倍の四十八時間培養されるまで、ブロコウの試料を観察する時間がなかった。栄養細胞〔訳注：炭疽菌の芽胞が体内で発芽してできる細胞〕は成長サイクルの後期に達し、形や質感が変わっているだろう。しかし、このバッチはそんなふうには見えなかった。アブシャーには、あるコロニーが特に奇妙に見えた。拡大鏡を使わなくても、通常の灰白色よりも黄褐色に近い色をしていた。

汚染物質だろうかといぶかりながら、アブシャーは一連の試験を行い、その奇妙な黄褐色がかった細胞の山が百パーセント炭疽菌であるかどうかを確認した。確かに炭疽菌だった。アブシャーの上司は、微生物学の博士号を持つパトリシア・L・ウォーシャムに相談してみたらどうだと言った。ウォーシャムは、炭疽菌の芽胞が発芽してできる異常なコロニーの形成について研究していたのである。アブシャーとウォーシャムはブロコウの試料からもっと多くの粉末を確保した。確かに、この粉末を四十八時間以上培養すると、奇妙な形の黄褐色がかったコロニーが出現することがわかった。

ダッシュル、リーヒ両上院議員やニューヨーク・ポスト紙に送られた手紙に入っていた芽胞を培養したところ、やはり同じように奇妙な変種が出現した。そして、さらに異なる特徴を持つ変種コロニーが複数発見された。これは非常に骨の折れる難しい仕事であり、高度に訓練されたこの二人の女性の献身と知性を誰も過小評価してはならない。ウォーシャムとアブシャーはそれらの粉末が実験室で扱われる前に、変種を発見すると直ちに保存した。そして、彼女たちは、これほど早く奇妙な点が発見されたことから、手紙が郵送されたときにはすでに、炭疽菌の粉末はおそらくこれらの特徴を持っていたのだろうと考えた。これはもともとのテキサス牛の炭疽菌と、スティーブンスを殺した炭疽菌の間に発見された一つ目の違いだった。

ウォーシャムはこの細胞の奇妙なコロニーを採取して精製し、何度も繰り返し新鮮な寒天培地に移した。案の定、コロニーの形と色における違いは歴然としていた。スティーブンスの死後二ヵ月も経たない十一月下旬には、エイムズ株の異なる実験室試料は識別できることが判明したのである。

これが決定的な証拠となった。しかし、「黄褐色」がかった細菌と「灰白色」の細菌を見分けた二人の研究者による法廷での証言だけでは、反対尋問に耐えられないことはわかっていた。この目に見える変化を、特定の遺伝子の変化と結び付けなければならない。

◆◆◆

悪いニュースが次から次へと入ってきた。十一月二十一日までには、さらに四名の死亡が報告された。郵便局員二名とニューヨークの病院職員一名、そしてコネチカット州の九十四才の女性は、郵便受けが差出人不明の手紙により炭疽菌に汚染されていたのである（のちに、郵便局の高速仕分け機が手紙を強く押し付けるため、粉が封筒の穴から空気中に出て、他の郵便物に感染する可能性があることがわかった）。ニューヨーク、ワシントン、コネチカット、フロリダに送られた粉はすべて炭疽菌陽性であった。手紙を受け取ったマスコミ関係者や議員が最も注目を集めたが、肺炭疽患者の大半は郵便物取扱人で、職務中に炭疽菌と接触したのだった。炭疽菌に対する意識の高まり、抗生物質、集中治療室での積極的な治療により、十一人の肺炭疽患者のうち六人が命をとりとめた。さらに十一人が皮膚炭疽にかかったが、彼らも助かった。

スティーブンスが炭疽と診断されてから十一月後半までに、およそ一万人が炭疽菌に感染した可能性を考慮して抗生物質を服用し、オフィスビル全体が除染のために閉鎖された。郵便局では、ジャック・マーバーガー博士が率いるホワイトハウスの科学技術政策室が組織した省庁間グループによって、迅速に作成されたプロトコルに基づいて、少量の郵便物を放射線で殺菌していた。噂《うわさ》、デマ、脅迫、パニックが世界中を駆け巡る中、ワシントン市民は炭疽菌から身を守る部屋をつくり、ラテックス手袋とフェイスマスクを着用して郵便物を開封した。ワシントン・ポスト紙のコラムニスト、リチャード・コーエンは「我々はパニックに陥った」と書いている。

このような危機的状況下では、優秀な科学者をできるだけ早く集めて解決策を講じる政府の手順があると思うかも知れない。しかし、そんなものはなかった。けれどもヒトゲノム計画に詳しい政府機関の生物学者の間では、将来のバイオテロの可能性に備えて、炭疽菌だけでなく、最も危険な微生物病原体のDNA塩基配列をすべて解読しておくべきだという声が高まっていたのである。私が所属していた省庁間委員会も、そうするよう政府にせっついていた。

生物のDNAを解読するのは国立衛生研究所（NIH）の管轄で、すでにヒトゲノムや感染性病原体のゲノム解読に多大な投資をしており、いくつかの炭疽菌株を含むバイオテロ病原体の解読も計画中であった。そこで、スティーブンスの死の直後、NIHのアレルギー・感染症研究所のアンソニー・ファウチ所長に電話をかけた。そして、スティーブンスから分離した炭疽菌のゲノム塩基配列解読を一刻も早く行う必要があると確認しあった。

塩基配列解読を専門とするホワイトハウスの特別委員会は最近解散したばかりだったが、急遽《きゅうきょ》再召集された。その委員会が細菌性病原体の塩基配列決定に焦点を当てることが明らかになると、私は熱心に参加するようになった。特別委員会の初会合は、十二月十八日の夜に設定された。通常、省庁間会議は、科学技術政策室が承認しなければならない。しかし、ヒトゲノム計画をスタートさせたエネルギー省のリーダー、アリ・パトリノスは、時間がないことを承知していた。パトリノスは物事を実現させることのできる優れた人物で、規則を無視してＮＩＨ、ＮＳＦ、エネルギー省の関係者を通常の経路を通さずに会議に招いたのである。

私たちは、炭疽特別委員会の力により全米のリソースを結集し、変種炭疽菌の発生源を突き止めたいと考えていた。しかし、もっと大きな計画もあった。危険な感染症や将来の生物学的攻撃の可能性に備えて、準備を整えたかった。ファウチの会議室で行われた最初の会議で、私たちはすぐに、我が国は病原性微生物の遺伝情報をデータベース化する必要があるという点で合意に達した。ＤＮＡ鎖上のすべての塩基配列を決定すべきであり、いくつかの試料領域だけでは十分ではない。完全な情報がなければ、疫病、攻撃、事故、犯罪、捏造《ねつぞう》が起こった場合、その生物学的原因の特定に、保健当局は貴重な時間を失うことになる。それに、完全な塩基配列でなければ、法廷で通用するような鉄壁の識別はできない。

パトリノスはこの結果に満足した。集中した会議の最中、彼はしばしば、二種類のメモをとっていた。一つは、近くに座っている詮索好きな人が肩越しに読める英語のメモ、もう一つは、自分だけがわかる母国語のギリシャ語で書かれた秘密のメモである。その会議の後、パトリノスはギリシャ語で「結果に非常に満足した」と書いている。上層部に相談せずに会議を招集したことには、リスクを冒すだけの価値があったのだ。

だが、その後、何の進展もなかった。

私は、じりじりしながら一週間ほど待った。時間がどんどん過ぎていく。スティーブンスを殺した炭疽菌のＤＮＡ分析に使えたはずの時間が、である。

私は再びトニー・ファウチに電話をした。

「この件は私がやります」と言った。

「いいでしょう」とファウチは答えた。彼は国立アレルギー・感染病研究所の優秀なゲノム科学者であるマリア・ジョバンニを連絡係に任命し、ジャック・マーバーガーはその後すぐにレイチェル・レビンソンをホワイトハウスとの連絡係に任命した（明敏な読者は、私たちのプロジェクトで活躍した女性科学者の数に気づくだろう）。電話を切った途端、9・11以来の無力感が消えた。私にはやるべき仕事がある。なすべきことをわかっていたし、行動する手段もあった。ようやく何か建設的なことができるのだ。

資金を動かす力を持ち、ヒトゲノム解読の取り組みでの「実務」経験がある専門家からなる省庁間チームが必要だった。各機関の代表として発言できるくらい政府内の地位が高くなければならないが、高すぎるのもよくない。長官クラスの人々が塩基配列について熟知しているとは思えない。

私はすぐに、このチームを公式の委員会にしてはならないことに気づいた。公式委員会となると、情報公開法が適用されることになる。このチームは、静かに、内密に、非公式に活動することを目的とした非公式なグループでなければならなかった。十七以上の機関の長たちは、毎週金曜日の午後の一時間、ゲノム研究の専門家たちが姿を消す理由を知っているが、チームの記録はどこにも残らない。議事録もつくらず、公聴会も開かず、多くの人が知っているのに記録上は存在しない、役所的には宙ぶらりんの存在である。私たちは、自分たちが同じような考えをもって週に一回集まるだけの「単なる」グループであるという事実にもかかわらず、ＮＩＧＳＣＣ（National Interagency Genome Science Coordinating Committee：全米省庁間ゲノム科学調整委員会）と名付けた。ＮＩＧＳＣＣは、二〇〇二年から三年間は毎週金曜日に一時間、その後四年間は隔週で、さらに三年間は必要に応じて開催されることになった。言いたいことがある人は発言し、一時間が終わると、全員が行動計画を手にして散会するのだった。

二〇〇二年初頭の最初の会議では、会議室（機密情報隔離施設、SCIFと呼ばれる）の入り口で一人の男性に携帯電話を回収されたが、中は普通の会議室と同じで、人が多くて息苦しく、椅子も足りなかった。私は模造紙を使ったプレゼンで、「危険な細菌とウイルスを特定する」という長期的な目標の概要を説明した。私たちは国家の資源を結集して、三つのことを同時に行う。スティーブンスの炭疽菌の発生源を突き止めること、危険な感染症に備えること、そして生物学的攻撃に備えて必要な情報を提供すること、だ。最初の会議の目的は、最も危険な病原体を、その塩基配列決定に資金を進んで提供できる機関とマッチングさせることだった。

私は最も危険な微生物病原体のリストをつくった。国土安全保障省のベス・ジョージは炭疽菌の塩基配列決定に資金を出せると言い、その後エボラと天然痘の塩基配列決定にも追加で資金を出せるように手配した。NIHのマリア・ジョバンニはほかの炭疽菌株の塩基配列決定に資金を提供すると言い、「NIH傘下の国立アレルギー・感染症研究所は、NSFやエネルギー省のような他の政府機関と協力することができます」と述べた。そして、国立アレルギー・感染病研究所には塩基配列解読能力とデータ解析のプラットフォームがすでにあるので、塩基配列決定に着手したばかりの炭疽菌だけでなく他の炭疽菌株も、そして炭疽菌以外のバイオテロ病原体の塩基配列決定も可能だということだった。予算が少ない機関は、「うちが提供できる資金はこれくらいだ」と言ってくれた。各機関は、それぞれの手続きに従って、外部の研究者に資金を提供した。

最初の三年間は、炭疽菌対策が最優先だった。ある研究室がエイムズの試料を培養して実験を行ったとき、その試料を継続的に培養し続ければ、その中に変種が生まれることを証明する必要があった。従来の微生物学者の中には、我々が不可能に挑戦していると思った人もいたかもしれない。陸軍感染症医学研究所の炭疽ワクチンの専門家であるブルース・E・アイビンズはアブシャーが発見した最初の変種のことを知ったとき、彼女の発見を否定したのである。彼は目に見える変化が特定の遺伝子の変化に起因するとは考えなかったのだ。アイビンズは上司に、「エイムズのある特定の株と別の株を見分けることはできません」と言った。この時点では、アイビンズの言うとおりだった。ある懐疑的な「専門家」は、私たちが「スター・ウォーズ」のようなことをしようとしていると言った。たとえそうでも、やってみるしかない。

しかし、どんな株同士を比較すればいいのか。当初、FBIは、TIGRのクレア・フレイザーとティモシー・リードに、スティーブンスを殺したエイムズ株と、TIGRがすでに国防総省の依頼で塩基配列決定していたエイムズ株とを比較するよう求めていた。後者の菌株は、ポートン・ダウンにある英国軍の研究所から来たものだった。

FBIのDNA調査の第一人者ブルース・ブダウルは、FBIの科学的アプローチの近代化に最も貢献した人物だと私は思っている。彼は9・11の犠牲者の身元確認を行っていたのだが、そちらを一時中断して協力してくれた。ブダウルは、ポートン・ダウンの試料が比較対象として適切でないことにすぐ気づいた。英国は炭疽菌の毒素遺伝子を除去するために、極端な高温、強力な抗生物質、強い化学薬品を使っていたのである。ポートン・ダウンのエイムズ株はもはやテキサスの雌牛の炭疽菌の代用にはならない。FBIとの会合で、ブダウルはFBIの上司たちにこの悪いニュースを報告した。スティーブンスから採取した試料とテキサスの雌牛から採取したオリジナルの試料を比較しなければならない、と。幸いにも、ユタ州のダグウェイ実験場では、一九八一年に雌牛が死んだときから、その雌牛の炭疽菌のオリジナル試料を低温保存していた。実験室で一度も変異を起こしたことのない処女エイムズ株だ。それ以来、基準株は、ポートン・ダウンやスティーブンスから採取されたものではなく、オリジナルのテキサス雌牛のエイムズ株になる。TIGRのクレア・フレイザーのチームは、一から出直さなければならなくなった。

しかし、アブシャーとウォーシャムが観察した目に見える変化は、DNAの変化によるものだと誰もが確信していたわけではなかった。私にはそうだという確信があった。博士論文で、異なる栄養源で長期間にわたって細菌を培養すると、形態や代謝にそのような変化が起こることを発表していたからだ。ワシントンDCの郵便局員に感染して死に至らしめた炭疽菌を調べたところ、その菌から培養した細胞のうち異なる特徴を持つのは一部の細胞だけであることがわかった。しかし、その特定の細胞は実験室で分離して再培養してもその特徴が失われなかった。このことから、郵政公社由来の培養株に含まれる細胞の一部に変異が起こっていたことが示唆された。

変異を見つけるために、TIGRはまず基準試料（テキサスの雌牛から採取した炭疽菌）の全ゲノム塩基配列決定を行い、次に手紙に入っていた炭疽菌粉末のゲノム塩基配列決定を行った。その後で両者のどこが違うかを特定し、最後にFBIが米国、英国、スウェーデン、カナダの研究所から集めた千七十のエイムズ株試料と比較して、同じ違いを持つ株を見つけださなければならない。これはじつに大変な仕事だ。

探偵作業と並行して、新しい分析技術も開発しなければならないだろう。しかも、必ず成功するとは限らない。まるで飛行機を設計して、つくりながら飛ばしているようで、作業がはかどらなかった。そしてその間も、犯人が再び襲ってくる可能性を案じていた。

夫のジャックにこの話を打ち明けることができなかった。彼は私が炭疽菌の調査に協力していることは知っていたが、それについては何も知りたくないと言っていた。それは幸いだった。いずれにせよジャックに話すことはできなかったのだから。これは国の一大事であり、遅々として進まぬように思える作業にいら立ちを覚えつつも、何事も慎重に、正確に行わなければならなかった。しかし、あまりにも大きな問題だった。

◆◆◆

分析作業の流れが決まった。まず、フラッグスタッフにあるノーザン・アリゾナ大学のポール・ケイム研究室のテクニカルスタッフたちが標準的な細菌検査で各試料が炭疽菌エイムズ株であることを確認した。次に、熱、酵素、その他の化学薬品を使って細菌の細胞壁を溶かし、DNAを遊離、洗浄、沈殿させることにより、DNAを精製した。このDNAはTIGRや他の実験施設に送られ、ヒトゲノム計画で開発された半自動化技術を使ってDNAの解析が行われた。DNAはランダムな長さに切断され、サイズごとに分類された後、それぞれの断片がクローン化され、最も可能性の高い塩基配列に再構築された。最終的には、二十九の政府機関、大学、民間研究所がこの調査に参加し、封筒や郵便関連の物品から採取された芽胞粉末や試料を分析した。各施設は極秘裏に作業を進めた。

TIGRでは、かつて私の研究室にいたジャック・ラヴェルが二〇〇二年にクレア・フレイザーとティモシー・リードの研究室に加わっていた。リードが別のポジションを得てTIGRを離れたため、ラヴェルがその後を継いで研究室リーダーとなった。計算生物学者のスティーブン・L・サルツバーグは、ミハイ・ポップとアダム・フィリッピーを率いてバイオインフォマティクス解析を行い、実験で得られた結果を解釈した。

一つの細菌の複数の株の全ゲノム塩基配列決定を行うには新しい技術が必要で、そこから新しい種類のデータと新しい計算アルゴリズムが生み出された。科学者の中には、計算手法と塩基配列決定装置がエラーを発生させると考える者もいた。また、遺伝的変異が現れたとしても、それは一度きりの偶然の産物で、数週間後には元に戻ってしまうかもしれないと考える微生物学者もいた。機械による塩基配列決定の誤りを減らすために、サルツバーグのチームは、塩基配列の中で最も可能性の低い組み合わせを排除するアルゴリズムを開発した。そして、より多くの変異が見つかることを期待して、塩基配列の中で最も可能性の高い領域を何度も繰り返し配列決定した。

一方、ミハイ・ポップは、DNAのさまざまな断片を組み合わせて炭疽菌の全ゲノムを組み立てるためのアルゴリズムに取り組んでいた。しかし、ある日、手元のデータを見て、ポップは自分のプログラムがエラーを犯したと思った。そのプログラムは異なる場所に現れるはずの二つのDNA塩基配列をくっつけて配置したのである。「誰もソフトウェアを信じないはずだ」とポップは言う。「これが本当の生物学的シグナルなのか、それともソフトウェアのエラーなのかを見極める必要があった」。バイオインフォマティクスチームは、すぐにTIGRの研究室が近道をしたことを知った。「私たちが利用できるDNAの量は限られていた」とポップは振り返る。「分析のあらゆるステップでDNAが失われる。そこで、ラボは、ステップの一つをスキップすることで、DNAを節約することにしたのだ」。攻撃に使われた株の重大な変異、一〇〇〇塩基対の大きなDNA重複をアセンブラー〈訳注：シーケンシングでDNA断片の配列を再構築するプログラム〉が見逃していたことにTIGRチームが気づいたのはその時だった。

この作業は非常に厳密で、しかも時間がかかった。ラヴェルとＴＩＧＲの数人の同僚は、ＮＩＨの支援により最先端の技術とバイオインフォマティクス・プラットフォームを使って、必要なときに必要な部分だけ知らせるという原則のもとでＦＢＩと共同作業を行った。ＴＩＧＲの科学者たちは、ＦＢＩ捜査官主催の会議にあまりにもたくさん出席したため、ポップは銃を持った人でいっぱいの会場に向かって話すことに慣れてしまいそうだったという。しかし、前進はしていた。このプロジェクトに取り組んで一年ほどして、ラヴェルとＴＩＧＲの研究者たちは、アブシャーとウォーシャムが発見した奇妙な形の変種コロニーに関連するＤＮＡの特徴を次々に見つけ始めた。

ラヴェルと、生物科学の博士号を持つ数人のＦＢＩ捜査官は、最も特徴的な変異を四つ選び、それらに焦点を当てた。ＦＢＩの規則に従い、試料は密かにコード化され、試料の出所を知っているのは二人の捜査官だけで、ラヴェルらＴＩＧＲの人々に知らされることはなかった。その後五年間、ラヴェルは、米国、英国、カナダ、スウェーデンの研究所から集められた千七十のエイムズ試料から、この四つの変異を探し出すことになる。彼は四つの変異をすべて持つ試料を見つけようとしていた。

炭疽菌攻撃から六年近くたった二〇〇七年九月、ラヴェルが数人のＦＢＩ捜査官に最新の解析結果を報告しているときに、一人の捜査官が「あの試料はどうだった？　見せてくれないか」と言った。ラヴェルはその試料がすでに三つの変異で陽性という解析結果が出ていることを知っていた。そして、ちょうどその月に四つ目の変異が陽性であると判明していたのだ。新しい結果を見た捜査官の顔が、破格の喜びの表情へとみるみる変わっていった。ラヴェルは、「この試料は、きっと何か重要な意味があるのだろうと思った」と、のちに語っている。

ラヴェルはフランス人なので、普通なら、研究室のみんなとシャンパンで祝杯をあげるところだろう。しかし、彼は誰にも言うことができなかった。自分の研究室のメンバーにさえ、捜査官が試料を見て微笑んだと言えなかった。彼らの研究が機密指定解除されるのは、この一年後だ。「しかし、五年の歳月を費やした仕事が、何かの役に立ったのだという思いはあった」という。「科学の世界では、研究を発表しても、それに興味を持つのは世界のごく一部の人だけということがある。しかし、今回は、もっと大きなインパクトを与えることができたと感じた」

ゲノム解析による追跡の結果、ついに決定的な証拠が見つかった。要するに、四つの遺伝的変化が、郵送された芽胞の分子的特徴だということが確認され、そしてFBIが収集した千七十個のエイムズ株試料のうち八個がこの四つの変化をすべて備えていたのである。この知識をもとに、FBIは従来の捜査のやり方で、これら四つの変異を持つ炭疽菌芽胞入り手紙を郵送した人物を特定することができるだろう。

そして間もなく、四つの変異すべてが陽性のエイムズ試料は、陸軍感染症医学研究所（くしくもウォーシャムとアブシャーが最初に変異を特定した場所）のフラスコに入っていたものだと、FBIは断言できるようになったのである。それはフラスコRMR－1029で、炭疽ワクチン専門家のブルース・アイビンズの生物学的封じ込め研究室のウォークイン冷蔵庫に保管されており、磁気カードでアクセスを保護されていた。FBIは二〇〇八年半ばまでに、そのフラスコの炭疽菌試料の周囲で一人きりで作業をしたのはアイビンズだけであることを証明し、長い間FBIに目をつけられていた別の容疑者は、このフラスコにまったく接触したことのないため疑いが晴れたのである。

いったいどんなことが起こったのか、アイビンズの単独の犯行だったのか、共犯者がいたのか、あるいは、アイビンズが本当にこの事件に関与していたのかどうかは、藪《やぶ》の中だ。なぜならFBIがアイビンズを逮捕する準備を進めている間に、アイビンズは鎮痛剤のタイレノールを大量に飲んで昏睡《こんすい》状態になったからである。三日後の二〇〇八年七月二十九日、彼の死は自殺と断定された。

アイビンズは炭疽ワクチンを共同開発しており、そのワクチンは湾岸戦争帰還兵に投与された。ワクチン接種を受けた人々は、疲労、関節痛、頭痛などの慢性的な症状を訴えていた。もしアイビンズが本当に手紙を出した犯人なら、「炭疽ワクチン計画が停止される恐れがあったため、炭疽菌入りの手紙でパニックが起これば、まだワクチンが必要だということを証明できると思ったのだろう」と多くの人が考えた。しかし、彼の死によって、アイビンズの動機と意図を明らかにすることは不可能となり、ましてやそれを理解することはできなくなった。二〇〇八年八月十八日、FBIは記者会見を開き、FBI史上最大の捜査の科学的裏付けを説明した。この会見では、FBIがほとんどすべての話をした。私は「ゲノム塩基配列決定の取り組みの大部分に資金を提供した」NSFの元長官として紹介され、手短に、「新たな本格的な学問分野である微生物法医学」を行うために協力した諸機関からなる共同体について触れた。

アイビンズの死後、FBIは調査の機密指定を解除し、七年間頭を悩ませてきたことに関する答えが得られる可能性が出てきた。炭疽菌のDNAが変化することはごくまれなのに、なぜ手紙の中の芽胞は変化した遺伝子を多く含んでいたのか？　その答えはおそらく、アイビンズの合法的な研究は、異なる研究所のエイムズ株を組み合わせて炭疽ワクチンをつくることだったからなのだろう。異なる炭疽菌株を集めることによって、各研究室での操作の際に生じたさまざまなストレスによる変異も集まることになったのである。また、エイムズ株を大量に増やしたことで、まったく偶然に、その混合物自体がさらに二つの変異を獲得したようである。

ずっと後になって、自殺後に作成されたアイビンズの精神状態に関する分析報告書（問題のある部分は削除されていた）を入手した。その報告書は、独立した九人の委員会によって「異議なく」作成されたもので、「重要で長期にわたる精神障害と診断可能な精神疾患の病歴があり……それらが知られていたならば、彼は機密レベル情報へのアクセス権限を剥奪されていただろう」と書かれている。弁護士からおそらく起訴されるだろうと聞いた後、アイビンズはグループセラピーに参加し、そこで同僚を殺害する計画があると口を滑らせた。彼はすぐに地元の病院に強制入院させられ、その後精神病院に一週間以上入院させられた。精神医学委員会は、アイビンズを入院させることによって、「大量殺人を防ぐことができた可能性が高く」、また、「栄光に包まれて」死ぬという彼の希望を叶えることができたと結論づけた。

アイビンズの死から二年後、FBIは七年にわたる捜査を総括した九十二ページの「米国炭疽菌事件調査概要（Amerithrax Investigative Summary）」を発表した。その最初のページには、「この事件のために特別に開発された画期的な科学的分析」の功績が記されている。開発した個人または組織の名前は明らかにされていないが、この分析により、攻撃に使われた炭疽菌粉末がアイビンズのフラスコから出たものだったことが突き止められたのである。

◆◆◆

私たちのグループＮＩＧＳＣＣの科学的調査は、予想よりも長く、七年間も続き、私はグループが解散するまで長を務めた。当初、私たちは考えが甘かったのだ。病原体のＤＮＡ塩基配列データがあまりに少なかったので、ある細菌種の三～五株のＤＮＡ塩基配列を解読すれば、その細菌種について十分なことがわかり、攻撃に使われた炭疽菌の出どころが明らかになると考えていた。しかし、炭疽菌はめったに変異を起こさないので、違いを見つけるにはもっと多くの株のＤＮＡ塩基配列解読を行わなければならなかった。こうした解析は飽き飽きするほど単調で、非常に時間がかかり、費用もかさんだ。

今日、全ゲノム塩基配列決定法は、ＳＡＲＳ《サーズ》（重症急性呼吸器症候群）ウイルス、ＳＡＲＳ－ＣｏＶ－２（新型コロナウイルス）、リステリア菌、レンサ球菌、メチシリン耐性黄色ブドウ球菌（ＭＲＳＡ）、豚インフルエンザウイルス（Ｈ１Ｎ１）、肺炎桿《はいえんかん》菌、エボラウイルス、ジカウイルスなど、数多くの感染症の対策に用いられている。塩基配列決定は、現在、アウトブレイクを追跡するために広く使われており、精密医療という新たな科学の基礎となっている。ラヴェルとＴＩＧＲの同僚たちは、マイケル・ブルームバーグがニューヨーク市長だった頃に、同様のアプローチを用いて、彼への脅迫状に同封されていたリシン（トウゴマの種子に含まれる危険なタンパク質、アミノ酸のリシンではない）を特定することになる。

多くの参加者にとって、ＮＩＧＳＣＣは彼らのキャリアの頂点であり、何人かのメンバーはその功績により勲章を授与された。ＣＩＡは、ジョン・フィリップス、彼の率いる専門家チーム、ロナルド・Ａ・ウォルターズ（ＮＩＧＳＣＣのきわめて有能な事務局長）、そして、ＮＩＧＳＣＣの長を務めた私を含む何人かにメダルを授与した。

ＮＩＧＳＣＣは、並外れたチームワークがどんなことをもたらし得るかを示す素晴らしい例だった。クレア・フレイザーはこのグループを「壮大なオーケストラ」と呼んだ。危機的状況に対処するためには、連携が重要だ。私たちは合理的かつ公平に協力し合った。独裁的な命令を下す者はいなかった。性別が議論されることもなく、問題になることもなかった。恐ろしい問題を解決するために何ができるかに集中していて、そんなことにかまっていられなかったのだ。

また、NIGSCCの調査は、考えられるすべての緊急事態に対処するために、必要なすべての専門知識や技術を持つ機関、研究機関、産業は存在しないことの証明にもなった。それなのに、引退や予算削減や政治的制約のせいで、連邦政府職員による強力な科学チームの編成がもはや不可能になるのではないかと危惧している。

この経験を振り返って、何よりもうれしかったのは、ヒトの遺伝学に関する基礎的な科学研究が、致死的な炭疽菌粉末の謎を解くのに役立ったことであった。同時に、この調査は私個人の知的好奇心を大いに満足させてくれるものでもあった。

炭疽菌調査の終わり頃には、世界の科学界は危険な病原体を迅速かつ正確に特定する方法を切実に必要としていることを強く感じるようになっていた。私は今こそ、そうした方法を開発するべきときだと考えた。そこで、資金や支援を得るために、民間企業に目を向けた。そういう世界で、まったく新しい機会を得ると同時に、驚くなかれ、科学界の女性にとってまったく新しい問題を発見することになるのだ。

8 オールドボーイズクラブからヤングボーイズクラブ、そして慈善事業家まで

炭疽菌の調査は、実際に、人生を変えるものだった。凶器を特定するのに六年もかかり、その間に罪のない人々が殺され、傷つき、殺人の濡《ぬ》れ衣《ぎぬ》を着せられた。もし、関与した危険な微生物をより迅速かつ正確に特定できていたら、こうした悲劇のいくつかを防げたかもしれない。

私は大学院時代から微生物の特定を行っていたので、DNA塩基配列を使って、ほぼあらゆる種類の試料に含まれるすべての微生物の病原体を数分で特定する方法を考案し始めた。試料の出所がチェサピーク湾内の水か地元の下水か、患者の直腸ぬぐい液か採血か、土や空気中の塵《ちり》か、などということは問題ではない。DNA分析を使うことによって、細菌、ウィルス、寄生虫、菌類の存在と相対的な量、その種、株、亜株、特徴を調べる方法だ。私のアイデアは、コンピューター、ゲノム科学、確率数学を使って、試料中の病原体（すでに塩基配列がわかっているもの）を、データのライブラリーと照合するというものだった。この方法なら、多くの人の命を救うことができ、微生物学に革命を起こすことができるはずだ。それが私の夢になった。

二〇〇四年、国立科学財団（NSF）の長官としての六年目、任期終了まであと数ヵ月という時期に辞職し、数ヵ月かけてアイデアをデータ管理システムへと具現化させようとした。しかし、アルゴリズ

ムを実用的な手法に発展させるには、NSFや国立衛生研究所（NIH）の助成金では足りないだろう。そこで、これまで自分が足を踏み入れるとは思いもしなかった分野、つまり、ビジネスや起業の世界で運を試してみることにした。

その後十年間、巨大な多国籍複合企業から自分の会社、そして非営利団体へと、ビジネス界を渡り歩くことになった。その過程で実業界が大学や政府機関よりもさらに女性差別的であることを発見することになるのだが、女性起業家を支援する女性ベンチャーキャピタル企業や、一人の科学者として世界的に重要な問題に取り組める自分に合った非営利団体を見つけることもできた。これらの年月は、大いなる学びの経験となった。この経験を共有することで、今日、大学や政府の枠を越えて活躍しようとしている多くの科学者の助けになってくれることを願っている。

連邦政府や州政府からの助成金が大幅に削減されたことで、科学研究は高リスクのキャリアに変わってしまった。博士号取得者の半数はすでに学究環境から離れており、二〇一七年には生命科学の博士号取得者の四、五人に一人しか大学の終身雇用のポストまたは終身雇用につながる職についていなかった。他分野の博士号取得科学者も同様に政府関連機関を離れつつある。若手でもベテランでも、研究室や学生に資金を提供する必要がある科学者、あるいは自身が仕事を必要としている科学者は、資金を得るために、民間企業、ベンチャーキャピタル、財団、あるいは軍にへつらっている。これらはすべて男性優位の世界であり、女性にはコネがないことが多い。教授は、自身の研究の生産性、論文発表、教育だけでなく、特許や取締役会の席、自分が起業に関与したスタートアップ企業の数でも評価されるようになった。そのため、シニアな教授であっても、ビジネスとの付き合い方を学ばなければならない。

私は、米国が科学分野の博士号を過剰に生み出しているという意見には反対だ。高度な技術を必要とするこの国の経済が成長を続けるためには、多くの、いやもっと多くの博士号取得者が必要だ。しかし、今日、科学界で成功するためには、誰もが自身で自分の未来の計画を立てなければならない。そして、多くの人にとって、その未来にはビジネスや産業界に身をおくことも含まれているかもしれない。

◆◆◆

私はこの先のことについて、何の準備もしていなかった。ビジネスに足を踏み入れる多くの女性科学者と同様、私も既存の企業へ入社した。光学・イメージング分野を得意とする日本の多国籍複合企業であるキヤノンから、顧問就任の打診を受けたのだ。同社はライフサイエンス市場への参入を目指し、診断薬の子会社を立ち上げようとしていた。この仕事は、しっくりくる気がした。その子会社で微生物の迅速特定法を開発する一方、学術研究や科学団体でのボランティア活動も続けられると考えたからだ。そこで、キヤノンUSライフサイエンス社の会長兼上級顧問として、新たなキャリアをスタートさせた。

肩書きは素晴らしかった。しかし、多国籍複合企業の子会社を立ち上げる過程で、大企業は大学や政府機関よりももっと官僚的で独裁的であることを学んだ。権威ある非営利団体「カタリスト」が警告したように、企業の世界では性別に基づく不平等が根付いていたことは言うまでもない。

今日でも、有名校でMBA（経営学修士）を取得した女性は、給与や地位の面で男性の同級生に遅れをとっている。二〇一九年三月の時点で、S&P500を構成する企業のCEO（最高経営責任者）のうち女性はわずか二十四人だった。女性がトップに任命されるのは、その企業が、男性たちが取り組みたくない深刻な問題を抱えている場合ではないかという疑念がある。欧州中央銀行で初の女性総裁となったクリスティーヌ・ラガルドは、これを「ガラスの崖」と呼んでいる。女性が失敗すると、周囲の男性は責任を免れることができるのだ。

特に、日本企業では、シニアエグゼクティブとして成功を収めている女性は少ない。実際、私が一九九〇年代初めに日本政府機関の諮問委員を務め、日本の主要研究所を視察した際、博士号を持つ女性が職位の低いテクニカルスタッフとして働いているのを見かけた。すると、「日本では通常こういうものです」と説明された。今日、日本政府は意識的に、指導的立場に就く専門職の女性の数を増やそうとしている。成功を収めている多くの日本企業と同様、キヤノンも、伝統的な慣習や考え方から脱却しようと努力しているが、うまくいっているとは言い難い。

結局、誰も手をつけていない新しい医療診断法の開発はリスクが高すぎるとみなされて、キヤノンに入って三年が過ぎた頃には、キヤノンは自社が得意とするイメージングとカメラ製造により近い道を歩みたいのだということが明らかになった。新しいことにチャレンジするタイミングだった。起業家になろうと思ったことはなかったが、私は自分の会社のボスになる必要があったし、大学や政府機関での経験から、資金をコントロールすることが非常に重要だということも知っていた。自分の会社を興さなければならない。それはそんなに難しいことではないはずだと考えていた。数十億ドル規模の資金を動かすNSFを率いていたのだし、在任中にNSFは、米国で最もよく管理された政府機関として、米国行政管理予算局からクリスタル・イーグル（ガラスのワシの置き物）を授与されたのである。それに、多くの企業の役員を務めてきた。そこで、二〇〇七年に私は思い切ってコスモスIDという会社を興した。目標は、億万長者になることではない。微生物学と診断学を最新化し、医療を改善する方法を開発し続けるために必要な資金を集められればよかったのだ。

私は、ビジネスと学術の世界がこれほど根本的に異なるものだとは思っていなかった。倫理観や目標、信頼できる人物やデータ、発表できるものとできないもの、誰の命令には疑問の余地がないのかなど、何もかもが異なっていた。表向き、ほとんどの科学者は「自然の壮大な法則を解き明かす」という同じ目標を掲げている。ビジネスにもルールはあるが、その倫理観は上司や会社、業界によって異なる。大学では人の価値は知性で測られるが、ビジネス界では会社のために資金を集められるかどうかで決まる。

現在、女性のビジネスを支えている団体の多くは、二〇〇七年にはまだ存在していなかったか、設立されたばかりだったので、誰にアドバイスを求めたらよいかわからなかった。ビジネスに関心のある女性生物学者の団体に招かれ、講演を行ったが、彼女たちの話を聞いてみると、基本的なビジネス戦略についての助けが必要だということがわかった。私はすでに、産業界、学界、政府、金融界から、恐ろしく知識の豊富な投資家たちを集めて諮問委員会をつくっていた。しかし、残念なことに、ロバート・ポーターとロッド・フレイツという創業期からの投資家兼顧問二名が、会社設立後間もなく亡くなってしまった。彼らは、馴染《なじ》みのないビジネス界に足を踏み出した私を導いてくれるはずだった。優秀なビジネスマンでありながら、心優しく、大きな支えになってくれていた。彼らを失った私には、重要なことに関するアドバイスをもらえる人がいなくなってしまった。たとえば、弁護士を二人雇う必要があるのか、といった問題だ。一人は会社の弁護士、もう一人は私個人の利益を代表する弁護士である。特に、新しい投資家が加わり、私が唯一の経営者でなくなった後は、そうした配慮が必要になった。それで、指導者のいない新参者の私は、三つの重大な過ちを犯し、コスモスＩＤの最初の九年間を必要以上に困難なものにしてしまったのだ。

まず、戦略的なミスを犯した。この会社は、主要投資家からの二百万ドルと、二百万ドルの助成金により立ち上げられた。助成金のうち一番大きかったのは、国土安全保障省からで、危険な微生物を迅速かつ正確に特定するためのものだった。会社には、執行役員（ＣＥＯ）が一人、主任科学者が一人、そして計算科学者とエンジニアを中心とした数名のスタッフがいた。しかし、初代ＣＥＯは、すぐに収益を上げることが最優先だと考えていたため、初期の資金を製品開発に時期尚早に費やしてしまった。本来であれば、さらなる開発のための資金を調達し、病原体の検出に関する我々の発見と初期の成果を論文発表し、会社の評判を高めることに焦点を当てるべきだった。そうすれば、製品発売のための基礎ができていたはずだ。

第二に、有能な経営者を見つけることはとても重要だが、バイオテクノロジー企業を運営するのに十分な科学知識をもつＣＥＯを見つけることは、少なくとも当時は困難だった。イェール大学、コロンビア大学、カリフォルニア大学サンタバーバラ校の研究者は、男性は自分の能力を三十％も過大評価していることを明らかにした。しかし、残念ながらこの研究は、私が会社の経営者を選ぶ際の指針にするのには間に合わなかった。「男性は、自分はすごいと思い込んでいて、どんなことに取り組むときも『私を欲しがらないやつはいない』と考えている」と、イェール大学経営大学院のビクトリア・ブレスコルは、アトランティック誌に語った。コロンビア・ビジネス・スクールのアーネスト・ルーベンは、男性が自分の能力を過信していることが、トップになる女性が少ない理由の一つだと結論づけている。残念なことに、一部の研究者は、男性が自分の価値をもっと正確に見積もることが解決策だとは考えておらず、女性はもっと自信過剰な男性のように振る舞うべきだと言う人もいる。

私が採用に失敗したもう一つの大きな理由は、科学者は通常、同僚を信頼していることだった。結局のところ、科学者が発表する論文は、同僚による査読を受けて学術誌に掲載され、その後、他の専門家がその論文を批評し、確認し、あるいは否定したりするわけだ。ところがビジネス界には、そのような査読プロセスはない。科学界では研究は正確でなければならないが、ビジネスでは儲《もう》かればいい。そのため、身元照会を額面どおりに受け入れることは、易しそうに見えて実は難しい。今では私ももっと賢くなって、身元照会をチェックし、身元照会者の身元照会をさらにチェックし、さらにそれらの照会者の身元照会もチェックするようになった。

三つ目の、そして最も重要な過ちは、会社は一つのチームだという信念を私が持っていたことだった。それが科学界や政府機関での私の運営方針であり、実際、コスモスＩＤの科学者たちは、互いに刺激し合うチームとして機能していたし、現在もそのように機能している。しかし、仲間意識を持つという意味で、私は早い段階で経営陣の二人の主要な人物と会社の所有権を共有してしまった。彼らの会社へのコミットメントが私と同じくらい強いと考えてのことだった。

社内で問題が起こったとき、有利な立場に立って交渉する方法を知っていることは、とても重要だ。私は組織のための交渉には成功してきたが、リンダ・バブコックとサラ・ラスチェバーが二〇〇三年に出版した『女性は要求しない（Women Don't Ask）』で指摘しているように、労働組合や寄付者と巧みに交渉できる女性でさえ、自分自身のためには同じことができないのである。バブコックによれば、女性は他人の世話役や擁護者になるように教育されているのだが、いざ自分が主導権を握る立場になると、偉そうで気難しいとみなされてしまう。

私がビジネスで本当に失望したのは、アイデアを奪い取るという西部開拓時代の牛泥棒的慣習だった。ある有名な財団の助成金申請書をよく読んでみると、助成金を使って開発したすべての知的財産を、財団の所有とすることを要求していることがわかった。アイデアや発見を、それを使わないかもしれない者に、あるいはその団体が所有する他の製品と競合した場合に、そのアイデアを埋もれさせてしまうかもしれない者の手に渡らせるべきだろうか？　アイデアは共有され、人々を助けるために、特に非常に困っている人を助けるために使われるべきだ。私は、自分が利益追求者ではなく、科学者であることを改めて自覚するようになった。

その頃、アトランティック誌に掲載されたカティ・ケイとクレア・シップマンの記事「自信の性差」を読んだ。この記事には、ビジネスにおいて自信は能力と同じくらい重要であるにもかかわらず、女性はしばしば成功に必要な自己肯定感を欠いている、と書かれていた。この記事を読んで、五十年の経験から、自分は病原性微生物の特定について多くの知識を持つ選ばれた者の一人であり、私には、こうした方法を最新のものにする使命があると気づかされた。そのとおり！　この会社は私が考え出したもの、絶対に成功させる、と自分に言い聞かせた。そして、この原稿を書いている現在、設立から十二年が経ったコスモスＩＤは、医療や食品、水の安全に関するアプリケーションをいくつか発売し、会社の将来は有望だ。

◆◆◆

女性科学者はビジネスに手を出すべきではないのだろうか？　いや、そんなことはけっしてない。ビジネスにおける女性やマイノリティについての考え方は転換期を迎えていると思う。なぜなら、会社の重役たちは、私たち女性やマイノリティが会社を大きくする助けになることを学びつつあるからだ。文化を変えるには何十年もかかる。女性についての社会の根本的な見方を変えるには、さらにもっと多くの年月がかかるが、そのような変化は絶対に必要だ。しかし、おそらく歴史上初めて、有力な男性たちが、女性にもリーダーシップを発揮させれば、企業の収益がもっと増えると認識し出している。クレディ・スイス、マッキンゼー、ブルームバーグ、アーンスト・アンド・ヤング、ビーオブエー証券といった巨大金融サービス企業がこのメッセージを広めている。国際通貨基金（ＩＭＦ）がヨーロッパの二百万社を対象に行った調査によると、ハイテク製造業や知識集約型サービス業で上級職に女性を一人増やすと、三十四〜四十％資産収益率が上がることがわかった。それはなぜか？　そのような組織では、独自の見解によって強化される「より高い創造性と批判的思考」が必要だからだ。では、企業の上級職はすべて女性が担うべきなのだろうか？　ＩＭＦの論文では、女性の上級職の最適な割合は約六十％だと結論づけている。利益を上げるのは女性という存在ではない。異なる視点が新しいアイデアをもたらすのだ。

Ｓ＆Ｐ５００を構成する中で女性取締役がいなかった最後の企業は、二〇一九年に女性取締役を一名加えた。しかし、それは女性が一夜にして男性と同等になることを意味するものではない。実際、役員の入れ替わりが非常に少ないため、女性が男性と同等になるにはあと四十年かかるという調査結果もある。また、役員会が、性別や民族に関係なく、新人の意見に耳を傾けるようになるまでには時間がかかる。さらに、新しい女性役員は、男性役員と同じようにはリーダーシップを発揮する機会を与えられない。通常、女性の取締役は任期が短く、役員会の長を務める数も少ない。二〜三人の女性が入れば、互いの主張をサポートし合い、より早く変化を起こすことができる。ヨーロッパのいくつかの国やカリフォルニア州では、取締役に女性の割り当てを義務づけている。割り当ては可能な解決策だが、それを積極的差別是正措置《アファーマティブ・アクション》と考える人もいるため、論争が続いている。

テクノロジー企業における多様化は、さらに困難なものとなるだろう。全米経済研究所によれば、一九六〇年代以降のこの国の国内総生産（ＧＤＰ）成長の約二十五％は、法律、医学、科学、学術、経営などの分野を白人女性と黒人女性、そして黒人男性に開放したことによるものだという。しかし、二十五年前にワールド・ワイド・ウェブが順調に動き出したとき、それに飛びついたのは、ほとんどがリスクを好む若い男性だった。その結果、情報技術や電子商取引の革命は、その利益、魅力、パワーと共に、あらゆる民族系の女性や、アフリカ系・ラテン系アメリカ人男性のすぐそばを素通りしていった。今日のハイテク産業では、マイクロソフト、グーグル、アップル、ツイッター、ヤフーの従業員の約七十％が白人とアジア人の男性であり、女性は主に、特許や利益を生む発見につながらない、販売やマーケティング部門の地位の低い仕事についていることが多い。

さらに悪いことに、科学、技術、工学分野の女性の半数以上が、キャリアの半ばで「ガラスの天井」にぶつかり、会社を辞めている。米国の実業界とＳＴＥＭＭ（科学・技術・工学・数学・医学）分野の女性に関する最初の二つの大きな研究でも、同じ現象が報告されている。シルヴィア・アン・ヒューレットらが著した『アテナ・ファクター（The Athena Factor）』（二〇〇八年）では、三十五～四十歳の中堅女性社員で、科学、技術、工学の分野で学位をもち、相当な経験をつんだ人の五十二％が、家庭を築くためではなく、昇進の見込みがあまりに低いために仕事を辞めるつもりであることを明らかにしている。キャロライン・シマードとアンドレア・デイヴィス・ヘンダーソンによる二〇一三年の研究「技術分野のはしごを登る（Climbing the Technical Ladder）」では、技術系の女性の五十六%が、ガラスの天井に突き当たった後、キャリア半ばで辞めてしまうことが明らかになった。

もし、技術系の男性の半分が職を辞したら、国は非常事態を宣言するだろう、とヒューレットは指摘する。米国企業はすでに、STEMM人材の不足が企業の成長を制限しているため、外国人を雇用しなければならないことに不満を抱いている。もしSTEMM分野の女性社員の離職率が二十五%減れば、企業は十一万人の優秀な人材を雇用できるとヒューレットは計算した。

シリコンバレーのスタートアップ企業の中には、大学の友愛会のようなノリで、多くの女性を技術系から追い出してしまったところがある。たとえば、ウーバー・テクノロジー社の創業期はアルコール漬けで、各フロアに毎日二十四時間、開けたビール樽が置いてあった。ウーバーの取締役会が、同社の新規株式公開に備えてセクシャル・ハラスメントの訴えを調べるために元米国司法長官エリック・ホールダーを採用したとき、ホールダーはなんと会社のイメージをクリーンにするために四十七種類もの異なるステップをとることを推奨した。他の初期のスタートアップ企業の社員たちは、業界の会議の檀上でマスターベーションの真似事をしたり、会社のイベントで女性を「特典」として宣伝したり、WobbleiBoobsやTitfindersやTitstaresにアダルト向けアプリを売ったりしている。また、シリコンバレーのリーダーには、露骨な女性差別主義者が多すぎる。ペイパル、ユーチューブ、リンクトイン、イェルプの初期の投資家であるピーター・ティールは、二〇〇九年に、「女性に投票権を与えることは民主主義と資本主義にとって害悪だ」と書いている。有害な労働環境の結果、「女性は世界史上最大の富の創造の場から組織的に排除され、我々のグローバルカルチャーの急速な改造において発言権を否定されてきた」とジャーナリストのエミリー・チャンは、『ブロトピア――シリコンバレーのボーイズクラブを粉砕する（Brotopia: Breaking up the Boys' Club of Silicon Valley）』で述べている。

さらに、技術業界では年齢差別が横行しており、シニアな女性は「つねに」その弊害を受けているとベンチャーキャピタルファンド「スプリングボード・エンタープライズ」の創業者で代表のエイミー・ミルマンは述べている。同ファンドはハイテク関連企業の女性創業者七百人以上に八十億ドル以上を調達してきた。「昔は、四十歳以下は上級職には応募できなかった。ところが今では、『五十歳以上なんて、だれが雇う？　あの人たちは、この業界のニーズをまるっきりわかっていないのだから』というわけだ」とミルマン。ある中年の女性科学者が男性の投資家たちに出資を求めたところ、その多くが自分たちの髭も白髪まじりだというのに、彼女を見て、「二十代の男性をCEOに据えることが必要だ」と言ったそうだ。

◆◆◆

起業を志す女性は、男性ばかりのベンチャーキャピタル業界という、特に難しい問題に直面している。私はこれまでの人生で、まわり道をして障壁を避けたり、障害物を乗り越えたりしながら仕事をしてきたので、起業して会社を大きくするために資金が必要な女性起業家にとって、この問題は本当に大変なのだと心から思っている。重装備で取り組まなければならないのだ。

ベンチャーキャピタリストは、新しい企業が生き残り、繁栄するために必要な資金を提供するという公益的な役割を担っている。しかし、ベンチャーキャピタルの世界は、金持ちの男性たちによって牛耳られている。多様性がより高い利益を生むことが証明されているにもかかわらず、二〇一八年に女性創業者の企業がベンチャーキャピタルから得た資金は全体の三％未満にとどまっている。ベンチャーキャピタル業界は「唖然《あぜん》とするほど」同質的だと、ハーバード・ビジネス・スクールのポール・ゴンパーズ教授と共同研究者のシルパ・コヴァリが報告している。なお断っておくが、「唖然とするほど」というのは彼らの言葉であって、私の言葉ではない。彼らは、一九九八年以来、米国のすべてのベンチャーキャピタル組織を調査し、この業界が二十八年にわたり、驚くほど均一であることを発見した。投資家のうち女性はわずか八％、ラテン系は二％、黒人は一％未満である。MBAを持つベンチャーキャピタリストの四人に一人は、同じ教育機関、つまりハーバード・ビジネス・スクールで学位を取得している。二〇一八年の時点で、四分の三近くのベンチャーキャピタルが女性投資家を採用したことがなく、最高財務責任者（CFO）やマーケティングおよび広報の責任者になっている女性はいても、どの企業に投資するかを決定するような役割にはついていない。ワシントン大学の歴史学者マーガレット・オマラは、ある世代のハイテク企業の起業家たちが、次世代のハイテク企業に投資することによって、富を維持し、ある小さな集団に富を集中させていると書いている。経済学者のアリソン・ウッド・ブルックスとフィオナ・E・マーレイは、男女の起業家が同じようなプレゼンテーションをしても、金持ちの白人男性ベンチャーキャピタリストは男性、それも魅力的な男性に投資したがることを発見した。そして、問題はさらに深刻化する。男性主導のスタートアップ企業は、男性の役員や男性の諮問委員を任命する傾向があるからだ。しかし、興味深いことに、共同経営者《シニア・パートナー》に娘がいる場合、その会社は女性パートナーを採用する確率が二十五％高くなるという。

私の友人で米国微生物学会の元会長のキャロル・A・ネイシーは、自分の三つの会社のうちの一つについて、男性のベンチャーキャピタリストに売り込みをしているときに、四回も秘書に間違われたことがあるという。だいたいこんなシナリオだ。男性の一人が「ねえ、君、コーヒーを一杯頼む」と言うと、ネイシーは「かしこまりました。ミルクとお砂糖は?」と明るく答える。そして、コーヒーを出した後、演台に呼ばれてプレゼンテーションをするときにその男性の顔を見るのが楽しいという。何年も経験を積んだ結果、彼女はこのシステムをうまく利用する方法を見出した。「男性ばかりのベンチャーキャピタルの集まりでは、私がほとんど話をする。それから最高業務責任者(CBO、男性)と私は人々の表情を見る。もし彼らが、私が話したことについて納得できないような顔をしていたら、CBOが同じことを繰り返し説明する。するとみんなは納得するのだ」

私たち女性の勝算は低いかもしれない。しかし、賢い女性科学者たちは、私たちが長年にわたって学術界で模索したように、ビジネスの世界でもうまく立ちまわる方法を見つけ出そうとしている。

◆◆◆

私は、大学が科学、工学、テクノロジー企業における多様性を支援するためにもっと努力すべきだと思っている。一九八〇年に制定されたバイ・ドール法によって、大学は、教員が政府資金による研究で生みだした知的財産を所有できるようになった。そして今日、大学は投資家が教員の研究を利用して、ほとんど男性だけの経営陣、男性だけの取締役会、男性だけの科学諮問委員会を持つ企業の立ち上げを許可している。女性研究者がリーダーとなっている分野においても、だ。大学は、役員に多様性があることが証明された場合のみ、教員の発見を投資家が利用するのを許可するプロトコルをつくるべきだ。こうした変化が起こるかもしれない……おそらく……いつか。

もちろん、特に被害にあいやすいのは学生たちだ。ある日、マサチューセッツ工科大学(MIT)のナンシー・ホプキンズのオフィスに、優秀な女性ポスドクがやってきて泣き出し、止まらなくなった。彼女は問題を抱えていた。昼休みになると、彼女の指導教員のオフィスに男性研究員たちがやってきて、自分たちが立ち上げた会社について教員と話し始めるのだという。女性の大学院生やポスドク研究員はそうした会話に入れてもらえず、研究室に残って働くことが非常に多い。ナンシー・ホプキンズは、「私たちは、学生たちに平等な機会を与えていない」と気づいた。「MITの奇跡」(第4章)は、同僚の男性たちの考え方を変えることはできなかったのだ。「彼らは大学の外に出ても、ベンチャーキャピタルの世界で、相変わらず女性を差別している」と彼女は言った。彼女と、スーザン・ホックフィールド(元MIT学長)とサンゲータ・バティア(MIT工学科教授)の三人は、MITの教員が設立した二百五十社のうち、女性が設立した企業は十%未満であることを突き止めたが、教員の二十二%は女性なのである。スタンフォード大学の別の調査でも、同様の食い違いが見つかった。大学教員の二十五%が女性であるにもかかわらず、教員が立ち上げたスタートアップ企業のうち女性創業者は十一%にすぎなかった。もし、MITの男女が同じ割合で起業していたら、さらに四十社のバイオテクノロジーのベンチャー企業が新しい発見をしていたことだろう。

大学は長い間、科学分野の女性研究者の支援において実業界よりはるかに先を行っていたのだが、いま、一部の大学は超富裕層からの多額の寄付金に依存している。このいわゆる「科学慈善活動(サイエンス・フィランソロピー)」が、主要大学の年間研究費の三十%近くを提供している。これは、誰が何を研究するかに影響を与えるに十分な額だ。寄付者の多くは、基礎研究ではなく、応用研究に関心を持っている。両者の違いは、たとえばアルツハイマー病研究において、基礎研究では、加齢に伴って神経細胞がどのように変性していくのかを解明しようとするだろうし、応用研究では、アミロイド斑を減少させる薬剤をつくろうとするだろう。いずれにせよ、個人からの大口寄付金の五十七％以上が生物医学研究に使われており、証明するデータはないが、おそらくそのほとんどが全米トップ十、あるいはトップ五十の大学に寄付されていることは間違いないだろう。これらのウルトラリッチな寄付者の中には、科学者からなる委員会の助言を受けている人もいるが、多くはそうした助言は受けておらず、さらに彼らは、自身が助成する研究に対して外部の同僚評価《ピアレビュー》を受けようとしないと、元ＭＩＴ理学部学務担当学長のマーク・カストナーは考えている。彼は、「科学慈善活動連合」の元代表で、現在は主顧問を務めている。この懸念される傾向は、研究のことをよく知らない少数の富裕層の気まぐれに科学を委ねている可能性があると、ＭＩＴの経済学者フィオナ・マーレイは二〇一三年に警告している。

いずれにせよ、大学に与えられる連邦政府の助成金の四十〜七十％は、図書館、光熱費、警備などの大学の間接費に充てられている。しかし、ＮＳＦや慈善家からの寄付金には、通常、間接費は含まれていない。もし民間からの寄付が科学研究に大きな役割を果たし続けるのであれば、私たちは大学のために、あるいは大学がとっている多様性対策のために、どうやって資金を集めればよいのだろう？

◆◆◆

では、女性科学者はどのようにして、生きにくい企業の世界に参入する準備をしたらいいのか。博士号取得のための教育では、優れた科学者になる方法は学べるが、起業して、経営する方法までは学べない。また、高度なビジネストレーニングを迅速かつ簡潔に受けることは困難だ。私は、当時自分の上司だった大学の学長に、財務管理を詳しく学ぶ機会を利用することを認めてほしいと頼んだことがある。すると「職場で学べばいい」と断られた。私はキャリアの初期に上場企業の役員になったことがあり、企業役員の役割に関するハーバード・ビジネス・スクールの二週間のプログラムに参加する費用を出してもらった。この講座は、取締役会のメンバーの職務を理解するのに非常に役に立ったが、会社を立ち上げて経営していくには十分な内容ではなかった。会社のリーダーシップと経営戦略の機微を理解する必要があった。

ＭＢＡがその答えになることはほとんどない。博士課程やポスドク研修で十年間にわたり独自の研究に取り組んだ後、大学を卒業したばかりの学生を対象にした修士課程でさらに二年間を過ごしたいという科学者はほとんどいないだろう。一つの解決策は、博士課程を刷新して、ビジネスでのキャリアを考えている理系の大学院生が、マーケティングやビジネスファイナンスなどのコースを受講したり、バイオテクノロジー企業でインターンとして一学期を過ごしたりできるようにすることだろう。私は、米国科学アカデミーや公立・ランドグラント大学協会の委員を務めた際に、このような提案をしたが、博士課程を現代に即したものにすることは「墓場を動かそうする」のと同じで、不可能ではないにしろ、きわめて難しいことがわかった。

二〇〇九年、ＳＴＥＭＭ学部の学生が別のキャリアを歩めるよう、科学修士号を職業と結び付けるための米国科学アカデミーの委員会の議長を務めることになった。その委員会で私は、ビジネスに興味のある理系学生を対象とした、新しいタイプの修士課程の創設を指揮することができた。従来、理系の修士号は、博士号を取れなかった学生への残念賞的な扱いを受けてきた。しかし、プロフェッショナル科学修士号、いわゆる「ビジネスのための科学」修士号は、科学技術管理者、投資アナリスト、刑事司法研究所の法医学者などの道に進んだ多くの女性を引き付けた。

このような時代の変化の中で、大学は、教授になる以外の道を選ぶ人々も養成できるように博士課程を調整しなければならなくなっており、さもなければ博士課程は無意味なものになってしまうかもしれない。ほとんどの大学には、教員の研究成果の商業化を支援する部署があり、学生もそうした部署の助けを必要としているかもしれない。

幸いなことに、大学が変わるのを待たない女性もいる。二十年前、スプリングボード・エンタープライズが非営利のベンチャーキャピタルファンドとしてスタートしたとき、女性主導の企業への投資に関心を持つ女性はほとんどいなかった。しかし今は違う、と創業者で代表のエイミー・ミルマンは言う。スプリングボードは、トレーニングセッションとピッチナイト〔訳注：投資家に売り込む機会〕を計画し、スタートアップ企業のためにアドバイザーやテンプレートを提供している。ミルマンの夢は、女性主導の企業を支援し投資する、女性が経営するベンチャーキャピタルという、パラレルワールドをつくり上げることだ。彼女だけではない。マサチューセッツ州バブソン大学の起業学教授であるキャンディダ・ブラッシュは、研究者、教育者、起業家を集め、女性が成長資金を獲得するための新しい方法を探っている。男女を問わず、個人の起業家たちがいま、女性創業者を指導している。これまで女性のネットワーク組織とかかわってきた経験から、そうした組織は非常に役に立つ可能性があると私は考えている。

ビジネス界からの女性科学者への支援は広がっているが、企業との連携によって研究内容が制限され、自分の科学研究が損なわれるのではないかと心配する人も少なくない。それは理解できる。しかし、そうした懸念にもかかわらず、私がいま力を入れている二つの活動は、企業からの資金援助を受けている。どちらも金儲けのために始めた活動ではないが、それらの活動は、女性科学者がビジネスでの利益を上げながら働くための非常に満足できるやり方があることを示している。

私の場合、それぞれの活動のきっかけは一本の電話だった。

コスモスＩＤを興してから三年が経った二〇一〇年四月二十日、ロンドンに拠点をおく国際的なエネルギー複合企業であるＢＰ社がリースしていた石油掘削施設「ディープウォーター・ホライズン」がルイジアナ州南東部の海岸で爆発し、十一人が死亡するという事故が発生した。この事故は、米国史上最大級の環境破壊事故であり、海域への原油流出事故としては世界最大であった。ＢＰ社の評判は大きく損なわれた。

原油流出事故から二週間後、当時ＢＰ社の最高科学責任者（ＣＳＯ）であった物理学者のエレン・Ｄ・ウィリアムズから電話がかかってきた。彼女がメリーランド大学の物理学教授だった頃からの知り合いだ。現在ウィリアムズは、同大学の卓越教授〔訳注：特にすぐれた業績をあげた教授に与えられる称号〕であり、材料研究科学工学センター長だ。爆発事故の直後、ＢＰ社は、メキシコ湾の環境と公衆衛生に及ぼす原油流出の影響、および将来の原油流出を軽減する方法の研究に五億ドルを拠出することを約束した。なぜなら、今後もこのような事故は起こるだろうからだ（この金額は、同社が最終的に支払わなければならない数百億ドルの罰金や和解金とは別枠である）。ウィリアムズは私に、ＢＰ社の研究プログラムの立ち上げと運営を依頼してきた。その五億ドルの資金は十年かけて、無条件で使われることになる。

これは、メキシコ湾での科学研究に対する前代未聞の多額の資金投入であり、それをどのように使うべきかというきっちりとした既存の規則もなかった。しかし、災害から何か良いものを生み出すチャンスでもあった。私はいくつかの科学組織を一からつくり上げた経験があり、ＮＳＦの元長官で、米国微生物学会、米国科学振興協会、国際微生物学会連合の会長を務めたという経歴が、ＢＰ社の計画に信頼性を与えることができるだろう。さらに、私の初期の研究の多くは、海洋における石油汚染と炭化水素の微生物による生分解に関するものだった。

「BP社は口を出さないという約束を守るでしょうか」と私は尋ねた。研究を考案し、それをどこでどのように行うかを考えるのは、科学者でなければならない。

「ええ、もちろんです」ウィリアムズは約束してくれた。

もしBP社が本心から申し出ているのなら、研究資金の新しい使い方を自由に設計することができる。私は、NSFの手順をテンプレートとして、メキシコ湾研究イニシアティブを設立することを思いついた。資金は公開コンペで選ばれた優秀な科学者に与えられ、試料採取、モデル化、データ分析などの研究活動に使われる。結果は査読付きの科学雑誌に掲載され、収集したデータはすべて確立されたデータベースで一般に公開されなければならない。これらはすべてBP社の干渉を受けずに行われる。私の考えをウィリアムズに伝えると、「当然、そうするべきです」という答えが返ってきた。

このような研究であれば、社会的に重要な問題に取り組むことができる。メキシコ湾は数十年にわたって法的規制が緩かったために肥料や糞尿が流出し、広大な無生物領域が形成されていた。しかし、政府機関はメキシコ湾の生態系の研究に、年間一千万ドル以下しか提供していなかった。私は、国際的な専門家と地元の科学者が協力すれば、メキシコ湾研究イニシアティブ（Gulf of Mexico Research Initiative、略称ＧｏＭＲＩ、発音はゴムリー）はメキシコ湾を囲む五つの州（テキサス、ルイジアナ、ミシシッピ、アラバマ、フロリダ）の大学の科学研究力を強化できると考えた。

もしこれが成功すれば、このイニシアティブは、慈善家、政治家、企業、ベンチャーキャピタリストが一流の科学研究に責任を持って資金を提供する方法を示すことになるだろう。産業界や民間が研究資金と全体的な方向性を提供するが、社会的難題を解決するために何をどのように研究すべきかを科学者が決定すれば、質の高い科学が実現できることを証明できる。結果的に、これは科学界での女性の活躍を推進する良い機会にもなったのである。

そこで私は、ＢＰ社が本当に心からこの理念に賛同してくれるのなら、引き受けましょうとウィリアムズに告げた。

ＧｏＭＲＩを迅速に立ち上げなければならない。ディープウォーター・ホライズンは、深さ一・五キロの油井の封鎖に要した四ヵ月間に、推定で二億六百万ガロンの原油をメキシコ湾に流出させ、沼沢地の草を枯らし、鳥、魚、海洋哺乳類の命を奪い、メキシコ湾の海産物産業と観光産業に大損害を与えた。次に起こる原油流出事故に備えるため、私たちは原油流出が起こったときに何をすべきか、その後どうやって原油を除去したらいいのかを知る必要があった。

私がこの研究イニシアティブの代表に就任してメンバー候補についてＢＰ社と話し合った後、六人の世界的な専門家（私は彼らと面識があり、尊敬していた）がＧｏＭＲＩの委員に任命された。そのうち四名は、トップクラスの海洋学研究センター（スクリプス海洋研究所、モントレーベイ水族館研究所、ウッズホール海洋研究所、英国の国立海洋学センター）に所属していた。副代表は、スクリプス海洋研究所のマーガレット・ライネン所長にお願いした。ルイジアナ・シーグラントカレッジ・プログラムのチャールズ（チャック）・ウィルソンが、プログラムの日常的な運営を担当する主任科学者を務めることになった。すぐにウィルソンと私は、毎日のように電話やメールで連絡をとり合うようになり、研究プログラムの進捗状況や経費、あるいは大型プロジェクトの運営につきものの緊急課題について話し合った。

五億ドルの研究資金を出すというニュースが広まると、ルイジアナ州上院議員メアリー・ランドリューは、湾岸地域の政治家を率いてホワイトハウスに赴き、資金の管理を要求した。ホワイトハウス、BP社、湾岸地域の五つの州の知事らは、責任ある財政運営を保証するための契約を結ぼうとしていた。私はこれに不安を感じた。もし知事たちが研究委員会に手先を送り込んできたら、必要とされる研究に関する決定が政治的な偏見によってゆがめられ、資金がビルやカジノ、クルーズ船といった高額の物件に使われてしまうのではないか? 幸いなことに、BP社は断固たる態度をとった。初年度のみの政治的譲歩として、四千五百万ドルを湾岸五州に分配し、各知事には我々の研究委員会に科学者二名を任命する権限を与えたのだ。同時に、私は委員会の代表として、行うべき科学研究を科学者が管理できるように、契約にいくつかの重要な文言を加えるよう主張した。

たくさんの但し書きが必要だった。契約では、二十人の学術界の科学者からなる委員会が、すべての資金調達と研究の決定を行うことが義務付けられていた。また、委員会の科学者は全員、「専門家が認める研究資格を持ち、学術機関……または他の全米で認められた研究機関の出身者」でなければならないとも定められていた。研究委員会のメンバーは、「政治的に任命された者、BP社の社員、学術・研究機関以外の州職員」であってはならない。また、いかなるメンバーも有権者、利害関係者、利益団体を代表することはできない。各知事は、各州に在住する科学専門家のリストから二名の委員を選ぶことになる。リストは研究委員会が提供するものとなるだろう。

最初の六人の委員と私は、早急に湾岸地域の大学の教員名簿に目を通し、その中から一流の海洋科学者を選定した。十分に吟味した候補者リストを各知事に渡して、その中から選んでもらった。GoMRI研究委員会に招かれた科学者全員（十名の優秀な新メンバー）がそれに応じてくれたことは、私たちの活動の重要性が理解されている証だと感じた。

流出から一年も経たないうちに——このような大がかりな取り組みとしては電光石火の速さだ——GoMRIの資金を受けた科学者たちは、大気中、沿岸湿地、堆積物、浅瀬、深海、サンゴ礁、昆虫、商業漁場から石油と分散剤の貴重な試料を採集した。しかし、私たちが研究に没頭している間にも、一般の人々は次のような疑問に対する答えを知りたがっていた。「石油は永遠にここに残るのだろうか?」「魚は食べても大丈夫なのか?」「またビーチに戻れるのか?」「子どもたちががんになるのでは?」事実に基づいた権威ある答えが求められた。そのため、GoMRIが資金を提供するすべての研究チームは、その資金の一部を一般への普及活動に費やすことが義務付けられていた。GoMRIの支援する研究プロジェクトで働く多くの優秀な女性海洋学者は、優れた情報発信者であることが判明した。ジョージア大学の海洋学教授だったアマンダ・ジョイは、危機的状況の間、メキシコ湾に関する科学的事実について説明するためにしばしばメディアに登場した。数年経った今でも、テレビで彼女を見ていた人々が道で彼女を呼び止め、「あなたは〝湾岸レディー〟よね?」と尋ねてくるという。

私たちは映像制作会社と契約し、GoMRIの歩みをテレビ、学校、一般向けに記録することにした。一本目の映画には白人男性の専門家が次々と映し出された。私は次の二本の映画では、メキシコ湾で行われている海洋学研究における女性の貢献がバランスよく正確に表現されるよう要求した。

GoMRIの科学者たちのおかげで、流出した原油を生態系に優しい分散剤で処理する方法について、より多くのことがわかるようになった。分散剤とは水面などに形成される油膜の除去を助ける薬剤だ。GoMRIの科学者たちは、メキシコ湾で、流出した石油をきわめて効率的に消化する細菌を見つけた。実際、ジョイは、今後の流出事故の際には、養分の添加も検討すべきだと提言している。流出事故の影響を受けた水に養分を与えることで、油分解細菌の増殖を促すのである。さらに、思いがけないオマケもあった。二〇二一年にハリケーン「アイザック」がメキシコ湾を通過した際、潮流を調べるために湾の水系に設置したブイからデータを取得し、それを分析したところ、ハリケーンが水上を移動する様子がこれまでにないほど鮮明に描き出されたのだ。いまや第一対応者〔訳注：災害などの発生時に現場で最初に対応にあたる警官・消防士・救急隊員など〕は、風や波の状態によって湾の表層流がどのように変化するかを知ることができるようになった。

科学者コミュニティの構築に関しては、私たちは新世代の湾岸地域科学者に資金を提供した。内訳は四百五十五人のポスドク研究者、六百三十人の博士課程学生、五百六十二人の修士課程学生、千四十八人の学部生、百十五人の高校生で、その中の何人かは湾岸地域でキャリアを積むことになるだろう。メキシコ湾研究イニシアティブに携わる四千三百十二人と共に、私たちはメキシコ湾を世界的な海洋研究の中心地にすることで、科学研究がいかに地域全体に恩恵をもたらすかを有権者に示すことができるだろうと期待している。

◆◆◆

GoMRIが軌道に乗り始めた頃、「セーフ・ウォーター・ネットワーク」の創設CEOのカート・ソダーランドから電話がかかってきた。セーフ・ウォーター・ネットワークは、共にオスカー受賞者である俳優で映画監督のポール・ニューマンとジョアン・ウッドワード夫妻や、ゴールドマン・サックスの元会長でロナルド・レーガン大統領の国務副長官の一人だったジョン・C・ホワイトヘッドといった慈善家たちが立ち上げた非営利団体だ。二〇〇六年に設立されたセーフ・ウォーター・ネットワークは、現実的な価格で世界の発展途上地域に安全な水を届けることを目的としている。ニューマン夫妻の義理の息子であり、セーフ・ウォーター・ネットワークの創立者でCEOのカート・ソダーランドが、私に理事会への参加を検討してみてくれないかと打診してきた。バングラデシュで何年もコレラ対策に携わってきた私は、興味をそそられた。しかし、ソダーランドは最初から私に警告してきた。他の理事の多くは米国の大企業の幹部であり、物事を成し遂げる方法を知っていると自負している傾向があるという。そしてそのうちの何人かは、私のような学術界の人間はやり方がわかっていないと考えている、と。

案の定、ニューヨークでセーフ・ウォーター・ネットワークの理事会に出席すると、ホワイトヘッドがさっそく私をやりこめようとした。「あなたに会うのが楽しみだった。我々はあなたが実行力のある人なのか知りたくてね」と彼は言った。

「それは何よりです」と私は答えた。「私もこの団体が実行力のある集団かどうかを確かめに来たんですよ。そうでないなら、帰らせてもらいます」

世界保健機関（ＷＨＯ）とユニセフによると、地球上の三人に一人、つまり約二十二億人が安全な水に恵まれていないという。コレラ以外にも、サルモネラ菌、赤痢菌、カンピロバクター、ヘリコバクター、ジアルジア、クリプトスポリジウム、ロタウイルス、ノボウイルスなど、二十五種類以上の病気が水を媒介して広がる。発展途上国の病院のベッドの半数は、水媒介性疾患の患者で占められている。コレラによって引き起こされることの多い下痢は、五歳以下の子どもでは、世界で二番目の死因である。また、安全な水は、基本的な健康問題であることに加え、女性たちの問題でもある。開発の遅れている世界では、女性や少女が水を運ぶ役割を担っているので、便利な場所に安全な飲料水源を提供できれば、少女たちは学校に通えるようになる。

より豊かな国々では百五十年もの間コレラが発生していなかったのは、ある単純な理由による。水処理施設と配水システムがあるからだ。しかし、欧米諸国は、発展途上国が同じものを建設できるよう手助けしていない。何も手を下さなければ、今後十年から十五年の間に四十億人が安全な水を手に入れられなくなるとセーフ・ウォーター・ネットワークは予測している。

二〇一九年の時点で、セーフ・ウォーター・ネットワークは、インドとガーナの一部で、電話ボックスほどの大きさの浄水キオスクで百万人以上の人々に水を提供している。成功の鍵は、二十リットル五セントという低価格ながら、現実的な料金を顧客に課していることだ。この金額でキオスクの運営費用、操作技師やスタッフのトレーニング、部品の修理や交換、消費者の教育などをまかなうことができる。もしセーフ・ウォーター・ネットワークが本物のネットワークを構築できれば、つまり安全な水に関心を持つすべての政府機関、慈善団体、非営利団体が競争する代わりに協力しあえれば、このモデルによって安全な水が不足している世界中の人々に水を供給できるようになるだろう。共通の課金システムがあれば、供給者のコストを削減でき、安全な水のための資金をより多く確保することができる。共通の戦略的計画があれば、安全な水の供給者はシステム間のギャップを埋め、地域全体をカバーできる。科学的な専門知識の共有により、ジェリカン〔訳注：二十リットルの液体が入る容器〕やロバの荷車やパイプなどで利用者に供給される間、水を安全に保つという最大の問題の一つを解決することが可能になる。場所によっては汚染率が六十%にもなることがあるが、それは川の水が混ざったり、容器が適切に洗浄されていなかったり、子どもが家の水入れに手を突っ込んだりすることが多いからだ。キオスクと家庭の間のすべての段階で水の安全性を検査すれば、供給者は水質低下がどこで起こっているのかを知ることができ、どの部分で技術や消費者教育を改善したらいいのかがわかる。

水の安全性は、今後十年間の大きな課題となるだろう。気候変動により、海水面は上昇し、安全な飲料水はますます不足するようになっている。セーフ・ウォーター・ネットワークのおかげで、私の水系疾患に関する経験を公衆衛生の向上に役立てることができている。したがって、これは私が最も力を入れている活動の一つになっている。

自分の会社、メキシコ湾研究イニシアティブ、セーフ・ウォーター・ネットワークでの経験から、自分が本質的に資本家ではなく科学者であることを実感した。ビジネス界でリスクや利益を生む可能性に喜んで挑戦する女性科学者も大勢いるだろう。しかし私は、発見すること、つまり人々の生活を改善したり、命を救ったりする方法を見つけ出すことのほうに関心がある。

科学に携わること六十年、人々の生活をより良く、より健康にする方法を見つけることは、私の喜びだった。女性や報われることの少ないマイノリティのために、ネットワークを築き、データで武装して、大学や企業、政府の門戸を開くことも喜びだった。私の経験から、さらなる変化が可能であることがわかっている。私たちは、科学界をそこで働く人々にとってより良い場所にすることができるのだ。

9 個人ではなくシステムの問題

これまで、本書は個人的な物語として、私が一九五〇年代に科学の世界に足を踏み入れてからの年月を振り返ってきた。しかしここで方向を変えて、科学界の女性たちがおかれている現在の状況にフォーカスしなければならない。いま、若い女性たちと話をすると、彼女たちはこう尋ねる。何か変わったのでしょうか？

それに対する私の答えは、イエスだ。たとえば、私の母校であるパデュー大学やワシントン大学には、女性の学長がいる、あるいは過去に女性が務めたことがある。

また、こう質問する若い女性たちの声も聞こえる。じゃあ、もう安心していいんですね？

この問いにはノーと答えるだろう。

多くの科学者が、心の底で、科学的能力は男性だけが持つY染色体に結び付いているといまだに信じている。しかし、現在、科学において女性が不平等な扱いを受けているのは、制度的、社会的な問題だということを示す説得力のある証拠が得られている。女性は仕事で成功するために必要な知性を持っている。科学、技術、工学、数学、そして医学（ＳＴＥＭＭ）における生物学的性差はごくわずかか、存在しないことは、数え切れないほどの研究で証明されている。三十ヵ国以上における百万人を超える男女の学業成績の大規模な歴史的分析によると、数学や科学を含む学校の科目では、一世紀近くにわたって女子の方が良い成績を修めている（調査対象者の七十％は米国の学生）。他の研究によると、女性は自分の能力を過小評価しがちだが、男性は自分の能力をそれよりももっと大幅に過大評価する傾向がある。さらに、今日の女性は成功を保証するべきはずの科学の学位を持っている。実際、二〇〇〇年以降、理工系学士号の半数以上を女性が取得している。生命科学の分野では、一九九〇年代後半から一世代にわたって、学士号の約半分、博士号の半数以上を女性が取得している。

科学的頭脳と科学の学位の両方を持っているにもかかわらず、女性はいまだに学術界やビジネスで成功できていない。ポスドク研究員になることは、大学や研究施設での科学分野のキャリアへの足がかりとなるが、ポスドク研究員のうち女性博士が占める割合はたった三十九％で、教授職に就いている女性は全体のわずか十八％である。なぜ、こんなことが起こるのだろうか？　女性たちが科学に関心を持っていないからではない。国は少女や女性たちに科学に興味を持ってもらおうと何百万ドルも費やしてきたが、前にも述べたように、わざわざそんなことをしなくとも、女性はつねに科学に興味を持ってきた。しかし、実際には、女性は何十年もの間、科学の世界から積極的に締め出されてきたのだ。そして、金銭面でも女性たちは、損をしてきた。

ＳＴＥＭＭ分野の女性に対して差別がもたらす莫大な損失は、私たち全員に影響を及ぼす。ワシントンＤＣのジョージタウン大学教育・労働力センターの研究教授で主任経済学者のニコール・スミスの研究によると、その理由はこうだ。

簡潔に言うと、多くの女性は科学、技術、工学、数学に十分な興味を持っており、ＳＴＥＭＭ分野で学士号を取得している（スミスの研究では女性の医学博士は含まれていない）。その後、さらに博士号を取得しようとする女性の多くが、おそらく他の分野で博士号を取得することになる（米国では、女性たちの正確な数を把握できる統計はない）。しかし、STEMM分野の経歴がありながらSTEMM分野の仕事に就かなかった女性博士号取得者は、STEMM分野の仕事に就いた女性博士号取得者よりも年収がおよそ四千八十六ドルも低くなるという、かなりの代償を支払うことになる。

多くの女性が損をしている。STEMMの博士号を持つ約十四万人の女性がSTEMMではない職に就き、残りの労働人生で不利益を被っている。一方、STEMM学士号を持つ女性のうち、博士号を取得してSTEMMの仕事に就いている女性は六万一千人ほどしかいない。もし、これらの女性たち全員が男性と同じ賃金を得るなら、彼女たちの年俸は合計で三十六億ドルも多くなるだろう。

こうした女性たちだけでなく、連邦政府も毎年、推定で七億七千二百万ドル分の税金を失っている〔STEMMキャリアであれば、税率が高くなる（二十五％）と仮定した場合〕。それだけではない。経済と国民の幸福の観点から、推定で年間四十六億ドルもの損失がでている。なぜなら、低賃金で働く女性は投資額が少なく、飲食や不動産、買い物、旅行などに使えるお金が少ないためだ。

四十六億ドルというと、国内総生産（GDP）の〇・〇二％にすぎないが、ボルチモアやワシントンDCのホームレス問題を解決したり、米国の子供たち全員にプレキンダーガーテン（四歳児クラス）を提供するのに十分な金額だ。

世界経済は、米国の科学研究者が新しい技術や企業を立ち上げることを期待している。学部教育では女性の数が男性を上まわり、理工系学部の学位の半分以上を女性が取得しているのだから、必要とする発見や進歩がもたらされるかどうかは女性にかかっている。

では、なぜ女性たちは科学から遠ざけられ続けているのか。

社会学者は「無意識のバイアス」(無意識の偏見とも言う)のせいだと言う。私たちの原始的な脳と根元的な反射は、自分たちと違うものはすべて信用できないと、私たちに思い込ませる。外部からの脅威に対する防御として、こうした無意識のバイアスは理にかなっている。洞窟の中で焚火《たきび》をして獲物の肉を焼いていると、森からガサガサという音が聞こえてくる。顔を上げると、そこには見たこともない顔の生き物が——「殺される!」というのが最初の反応だった。文明が発達する以前は、無意識のバイアスがこのようにヒト種の存続に役立っていた。だから、無意識のバイアスにまったく意味がないわけではない。しかし、現在では、無意識のバイアスが私たちの足かせになっている。今は、心を開いてまわりの人々と交流することのほうがもっと重要だ。

ニューヨーク大学の心理学者ジェイ・バンバベルが示したように、無意識のバイアスは合理的かつ慎重な熟考によって克服することができる。バンバベルは、誰かがお金を盗んでいるところをプレイヤーが見るオンラインゲームを企画した。その泥棒は、プレイヤーのグループ内またはグループ外のメンバーだった。その泥棒に対する処罰を素早く反射的に決めたプレイヤーは、自分のグループの犯人にはグループ外の犯人よりも寛大な罰を与える傾向があった。しかし、時間をかけて熟考してから罰を決めた場合、プレイヤーはほとんど偏見を持たず、グループ内のメンバーも外部の者も等しく罰した。

ということは、無意識のバイアスを抑えられる戦術があるはずだ。米国のクラシック音楽のトップオーケストラでは、新人演奏家のオーディションをカーテンで仕切って行い、演奏者の性別がわからないようにしてから、四十年間で、女性演奏家の割合が五%から四十%近くまで増加した。しかし、扉が開いたからといって、同じポジション、同じ報酬が保証されるわけではない。オーケストラの例に戻ると、首席バイオリニストなどの主要なポジションは、二〇一九年の時点でも七十九%が男性である。また、女性演奏者が必ずしも男性演奏者と同程度の給与を得ているわけでもない。二〇一九年に、スター女性フルート奏者が同一賃金を求めてボストン交響楽団を訴え、非公開の金額で和解した。

無意識のバイアスを理解すれば、科学界での雇用状況を変えることもできる。二〇一二年、ヤフーで大量解雇が起こった後、マイクロソフトは男性ばかりだったヤフーの研究所メンバーをほぼ全員採用した。マイクロソフトの研究所長ジェニファー・T・チェイズは、新しい従業員の文化をどう変えればいいのか悩んでいた。「うーん、みなさん。ここには一方の性が欠けているようですね」とチェイズは彼らに言った。彼女は研究所のメンバー一人一人と話し合い、もっと多様性のある研究所で仕事をすることで、各自の研究課題のインパクトが高まると説明した。さらに、無意識のバイアスに関する科学的根拠に基づいたワークショップに研究所のメンバー全員を参加させた。このように女性の上司に背中を押された男性たちは、より広い視野で研究所メンバーを探すことにし、面接のやり方を一部変更した。候補者が現れる前に、研究所の各メンバーは候補者の論文を一つ選んで読み、候補者に会う前にその人の研究に対する印象を固めておく。また、候補者についての意見書をすぐに共有するのではなく、全員の評価が書き上がるのを待ってから意見を出し合うことで、集団思考を排除した。二年以内に、女性ゼロだった研究所は女性の比率が三十%になった。そしてこの変化をもたらしたのは、男性研究者たちだった。

しかし、すべての男性が偏見をなくすことに理解を示すわけではない。微生物学者のジョー・ハンデルスマンが、科学における女性に対する無意識のバイアスについて男性研究者に話をしようとしたところ、男性研究者の多くは自分が問題に加担しているとはつゆほども考えていなかった。「私たちはそんなことはしていない」と彼らは言った。「科学は客観的なものだ。我々は優秀な人しか採用しないし、面接すればそれがわかるんだよ」

「たぶん、同じ話を千回くらい聞きましたよ」と、ハンデルスマンは私に言った。しかし、あるポスドクが彼女に指摘したように、科学者が無作為化二重盲検試験を行うのは、自分たちのデータに偏見がないとは言い切れないことを知っているからだ。だとしたら、実験データ以外のことでも偏見がないとは断言できないのではないか？

ハンデルスマンと彼女のイェール大学の研究チームは、科学者自身を対象に実験を行うことにした。ハンデルスマンは、全米の六つの主要な研究大学の生物学、化学、物理学科の百二十七人の科学者に、アンケートの目的を告げずに職の応募書類を評価してもらった。表向きは、新卒で研究室長を目指す人からの応募で、書類のほぼすべてが同じものだった。ただし、半分の書類には「ジョン」と、残りの半分には「ジェニファー」と署名されていた。

結果は憂慮すべきもので、科学における意図しない差別の根深さが明らかになった。男性の科学者も女性の科学者も、同じ資格の女性応募者よりも男性応募者の方が能力が高いと判断したのである。ジェニファーよりジョンを採用すると答えた教員が多かったのだ。ジェニファーへの支持は少なかった。そして、年俸も四千ドル近く安くなる（ジョンは三〇二三八・一〇ドル、ジェニファーは二六五〇七・九四ドル）。おしなべて、教員たちは、年齢、性別、研究分野、終身在職権に関係なく、ジョンを支持したのである。この結果は、「客観性を自負する人々を強く脅かすものだった」とハンデルスマンは述べた。

ハンデルスマンは結果に呆然としたが、特に、女性科学者を助けようとする科学者が少ないという事実に驚かされた。ハンデルスマンが言ったように、「女性が助言を求めに行くたびに――質問をし、プログラムについて学び、夏の研究プロジェクトを探し、誰が現地調査旅行に行くかについて授業後に二分間質問するたびに――いつも女性はぞんざいに扱われる。それが繰り返されれば、自信を喪失したり、心を強く持つことができなくなったりするだろう」

一つ一つの差別的出来事は些細《ささい》なものに思われても、何度も何度も繰り返されれば貯金の複利のように、モグラ塚ですら巨大な山になる、とハンター大学の心理学者ヴァージニア・ヴァリアンは、一九九八年の著書『女性の出世は、なぜこんなに遅いのか（Why So Slow?）』の中で述べている。女性は男性と同じ給料で働き始めても、十〜十二年後には男性の方が大学での地位がまるまる一ランク上になっている。ノーベル賞受賞者のエリザベス・ブラックバーンが述べたように、「一トンの羽毛は一トンの重さがある」。つまり、どんなにささやかな行為でも、それが積み重なれば重大な影響を及ぼすのである。

ジョー・ハンデルスマンのジョンとジェニファーの研究以来、科学界の女性に対する根強い偏見が、ノーベル賞受賞者から学部生に至るまで、ほぼすべてのレベルで実証されている。二〇一四年、マサチューセッツ工科大学（ＭＩＴ）の生物学の大学院生ジェイソン・シェルツァーとツイッター（当時）のソフトウェアエンジニア、ジョーン・スミスは、男性の生物学者は叙勲が多ければ多いほど、その学者が育てた女性の数が少なくなることを示した。そして、そうした科学者たちがノーベル賞や米国科学アカデミーの会員、ハワード・ヒューズ医学研究所からの助成金を獲得していた場合、彼らのポスドク研究員は女性よりも男性が九十％多い傾向にあった。最悪なのは、大学が若手教員をこうしたエリート男性を養成する研究室から採用する傾向があることだ。

一年後の二〇一五年、ノーベル賞受賞者の生化学者サー・リチャード・T（ティム）・ハントは、女性科学ジャーナリストの会議で、その理由をこう語っている。「女性が研究室にいると、三つのことが起こるんだ」と彼は言った。「あなたが彼女たちに恋をし、彼女たちがあなたに恋をし、そして、あなたが彼女たちを批判すると、彼女たちは泣くんだよ」。ハントは、この問題を避けるために、男女が別々の研究室で働くべきだと提案した。さらに、BBCラジオ4で、「私は研究室の人と恋に落ち、研究室の人は私と恋に落ちる。それは科学にとって非常に破壊的である。なぜなら、研究室では人々が同じ土俵に立つことがきわめて重要だからだ」と述べ、さらに問題をこじらせた。これらのコメントはまったくばかげているが、この件は、多くの女性がどんな種類の偏見に対処しなければならないかを物語っている。ハントはその発言についてのちに謝罪しており、以後、女性の問題を活発にサポートしている。

二〇一七年十月に、映画プロデューサーのハーヴェイ・ワインスタインの性的暴行に関する報道が始まり、＃MeToo運動が活発になった。その数年前、科学者が普通の人々と同じように偏見を持っているというニュースが全米メディアを沸かせた。この科学界のスキャンダルの主役は、イェール大学医学部、カリフォルニア大学バークレー校、米国自然史博物館、シカゴ大学、カリフォルニア工科大学、ワシントン大学、ダートマス大学の有名な男性教授たちだった。彼らは医学、天文学、人類学、分子生物学、天体物理学、脳科学などの分野で活躍しており、大半が、大きな助成金を獲得していた。そして、ほとんどの場合、大学の経営陣は彼らの行動に対して過去に苦情があったにもかかわらず、ときには何年間も無視していたのである。メディアに取り上げられたのち、ときには教授陣からも抗議があり、件の教授たちは助成金を失い、場合によっては職を失った。

残念ながら、おそらくもっと賢明な新世代の若い男性たちの登場を待っていても、科学界から偏見をなくすことはできないだろう。ワシントン大学の生物学部の男子学生千七百人に、クラスで最も優れた学生を挙げてもらったところ、実際には女子学生の方が成績が良かったにもかかわらず、男子学生はつねに女子学生の成績を男子学生の成績よりも〇・七五グレード・ポイント〔訳注：成績をA、B、C、D、Fの5段階で評価し、それぞれに対して4、3、2、1、0のグレード・ポイント（GP）を付与する〕も低く見積もったのである。「成績がBの男子生徒とAの女子生徒が同じ能力を持っていると考えるようなものだ」と、この研究の共同責任者であるサラ・エディは言う。さらに、男子学生の性差別的偏見の強さは女子学生の十九倍と推定され、これほどの差がある場合、それを軽減するために自分たちができることはあまりないのではないかとエディと共同研究者らは考えている。「大学レベルの科学講師にできることは限られている」と彼女は言う。「大学入学前に少なくとも十八年間、そういうふうに慣らされてきたのだから」。変える必要があるのは、女性ではなく、システムなのだ。

科学分野における女性に対する偏見は、ワシントン大学の若い男性たちに限ったことではないのは確かだ。男性の方が論文を多く発表しているが、女性の論文の方が引用されることが多く、影響力があると複数の研究で示されている。男性は、女性が書いたコンピューター・コードのほうがよいと思うが、それはコードを書いた人が女性であることを知らない場合である。女性のための推薦状は短く、その女性応募者が「熱心に働き」「勤勉である」ことを強調するのに対し、男性のための推薦状には「傑出している」「並外れて優秀」といった言葉が使われる。男女平等に関して世界のトップと考えられているスウェーデンでさえ、女性が科学分野で職に就く際に、男性と同等に評価されるためには、世界で最も権威のある科学雑誌（ネイチャー誌など）に男性よりも三編多く、またはその分野のトップジャーナルの場合は二十編多く論文を発表しなければならない。STEMM分野の男性は男性の同僚とは仕事の話をよくするが、女性の同僚とはもっぱら雑談だ。そして、男性同士で研究について議論するとき、彼らは女性は能力が低いと評価する。経済学のような分野では、男性との共著論文では女性はまったく評価されない。ハーバード大学の経済学大学院生ヘザー・サーソンズは、この現象を発見し、これについての論文を次のような言葉で始めている。「この論文は意図的に単独執筆にしている」。二〇一五年にPLOS ONE《プロスワン》誌に論文を投稿した二人の女性は、「一人か二人の男性生物学者」に共著者として参加してもらい、論文を改訂するように言われた。ちなみに、査読者がこの論文を不採択とした理由は、"the **qulaity** of the manuscript is **por** issues on methodologies and presentation of **resulst**."（おそらく、それぞれの太字は quality と poor と results のミススペル。「論文のしつはひくく、方法とけっかの提示に問題がある」）ためだったそうだ。PLOS ONE誌が、のちにその査読者と、この決定に関与していた編集者の一人を解任したのは立派だった。

このような例は枚挙にいとまがない。多様性を推進する女性やマイノリティーの経営者は、業績評価が下がるというペナルティを受けるが、同じことをしても男性経営者の場合はそうはならない。STEMM分野の男性教員は、男女差別に関する研究を女性よりも信じたがらない。また、偏見に関する研修会で教員が固定観念化した偏見は容認できないと明言しない場合、研修がかえって問題を大きくしてしまうこともある。MITの女性たちが過小評価され、少ないリソースしか与えられないことに抗議するために立ち上がってから数年後、三人の女性科学者が一流の研究施設であるソーク生物学研究所に対して、同様の訴訟を起こした。この二〇一七年の訴訟では、女性研究者に対する過小評価と敵意、少ない賃金と研究費、少ない実験スペースといった男性優位の文化が非難された。同研究所のトップの地位にあったある男性科学者は、八人の女性による性的暴行の申し立てのさなか、管理休職とされた。彼は二ヵ月後に辞職し、訴訟は翌年に和解した。

偏見をドルに換算するとこうなる。平均して、国立衛生研究所（ＮＩＨ）は男性により大きな助成金を与えており、女性よりも一件あたり四万一千ドル多い。ＮＩＨに見られる助成金の男女差は、イェール大学やブラウン大学のような一流大学ではさらに大きくなり、それぞれ六万八千八百ドル、七万六千五百ドルとなっている。また、女性のポスドク研究者は、ＮＩＨから助成金を得るのに、同等の論文を発表している男性研究者よりも一年長くかかる。

変化を起こすのはやさしいことではない。科学界のリーダーがその分野における偏見と戦うためにとりうる重要な行動の一つは、ふさわしい女性を講演に招待することだ。講演の招待は、論文と同じくらい科学者のキャリアアップに欠かせない。どちらも、その科学者の研究が、研究コミュニティ全体から敬意を持たれていることを、昇進・終身在職権委員会に示すものだからだ。四半世紀前、国立科学財団（ＮＳＦ）のメアリー・クラッターが、講演者が男性のみの科学会議への資金援助を拒否しようとしたことを思い出してほしい（第6章）。あるいは、一九九〇年代に、バーバラ・イグレフスキーが米国微生物学会誌に掲載する論文の審査委員会に女性を参加させようとして、実現までに十年の月日がかかったことを（第3章）。

二〇一四年には、二人の勇敢なリーダーが、米国微生物学会の重要な会議での講演に呼ばれる女性の数を増やそうと試みた。その頃、米国微生物学会の会員数は三万九千人を超え、その約半数は女性だった。しかし、ジョー・ハンデルスマンとアルトゥーロ・カサデバルが集めたデータによると、二〇一〇年、二〇一一年、二〇一三年に開催された同学会の主要な会議では、半分のセッションが男性のみの委員会によって組織されていた。こうした男性のみの委員会の三分の一は、男性の講演者のみを招待していた。数学者のグレッグ・マーティンが計算したところ、「無作為に」男性だけの委員会ができる確率は天文学的に低いにもにもかかわらず、だ。「こういうことが偶然に起こるわけはない」とマーティンはアトランティック誌に語っている。ハンデルスマンとカサデバルの統計では、こうした男性ばかりの招聘《しょうへい》委員会にそれぞれ一人ずつ女性を加えるだけで、女性の講演者の数がおよそ七十二%増加するとも推定された。

最初の年、カサデバルはこの統計結果を各委員会に送ったが、何も起こらず、男性ばかりのセッションの数は変わらなかった。そこでカサデバルは、個人的なアプローチを試みることにした。委員会の各メンバーに「より良い方向に変えていきましょう。特別な事情がない限り、男性ばかりのセッションをつくらないようにしましょう」と直談判したのだ。どうやらそれが功を奏したようだ。一年後の二〇一五年、米国微生物学会の会議では、例年よりおよそ百人も多く女性が講演を行った。全体として、講演者の四十八・五%が女性で、この分野の女性の割合と基本的に一致した。米国微生物学会の歴史上初めて、総会は講演者数における男女平等を達成した。カサデバルは、男性ばかりのセッションが「ほとんどなくなった」ことにより、変化は比較的短期間で起こりうることが示されたと、ある程度の満足感を持って語った。その四年後、NIHのフランシス・コリンズ所長は、「あらゆるバックグラウンドの科学者が公平に評価され、講演の機会が与えられる」会議でのみ講演を行うと発表した。

変革は可能だ。七十年前、メリーランド大学は、アフリカ系アメリカ人の学生の入学を認めていなかった。しかしいま、博士課程を卒業する黒人学生の数が全米で八番目に多い大学であることを誇りに思っている。メリーランド大学で数学と統計学の博士号を取得した黒人学生の数は、全米のどこの大学よりも多いのである。

米国全体では、もっと短期間に大規模な意識改革が行われてきた。喫煙、飲酒運転、ベトナム戦争、

ＬＧＢＴＱ（性的マイノリティ）の権利などに対する考え方は劇的に、ときにはわずか十年ほどで、変化してきた。多くの人の多大な努力が必要だったが、変化は起こり、しかもそれは比較的急速に起こった。今日、科学分野における女性、アフリカ系アメリカ人、ラテン系アメリカ人、ＬＧＢＴＱの人々に対する考え方も変わり始めている。しかし、まだ先は長い。

米国科学アカデミーは、科学的な事柄について国に助言を与えるために十九世紀半ばに設立された名誉ある組織である。どの人を新しいメンバーにノミネートするかを決めるのは現在のアカデミーメンバーであり、また、科学界は百五十年以上にわたって白人男性が中心であったため、現メンバーの八十三％が男性で、平均年齢は七十二歳である。しかし、これも変わりつつある。約三十年前、アカデミーは、「科学、工学、医学における女性に関する委員会（ＣＷＳＥＭ）」を設立し、その主要な目的は女性をより多くアカデミーに選出することであった。この委員会には何のリソースも与えられず、アカデミーの年次総会の期間中の、日曜日午前七時に、アカデミーの旧地下カフェテリアに集まることになっていた。地下の天井はパイプがむき出しで、照明も悪く、スライドやマイクを設置する場所もない。朝食はおのおの自腹でカフェテリアで買ってきて食べることになっていた。十年ほど前、誰かがこのあからさまな性差別に不満を述べたため、運営評議会は場所を二階に移動させたが、日曜日の午前七時というスケジュールは変わらず、私たちに許された時間はたった一時間だった。なぜなら、二階の部屋は「もっと重要な」会議に必要だったからだ。

アカデミーの運営評議会に選出されたとき、私は、ＣＷＳＥＭの会議が雑用室から二階に移動できた「光栄」について公に思い出を語った。とはいえ、まだ早朝の薄暗い時間しかもらえなかったのだが。翌年には、会議室で昼食をとりながら、というスケジュールになった。そして二〇一四年、ＣＷＳＥＭ

は、ジョー・ハンデルスマンを講演者に招いた。当時ハンデルスマンはホワイトハウスの科学技術政策室の科学担当副局長に任命されていた。私たちの昼食会議は「グレートホール」に移されたが、食事代はこれまでどおり各自の負担だった。次の年、国土安全保障省のジャネット・ナポリターノ長官を講演に招いたが、グレートホールのテーブルはほとんど男性で埋まっており、最初の質問も男性に任されていた。CWSEMメンバー用のテーブルは用意されていなかったのだ。CWSEMの設立者の一人であるマキシン・シンガーは、部屋の奥の出口に近いところに座らされ、米国科学アカデミーのCWSEMスタッフであるキティ・ディディオンに至っては、チケットさえ手に入らなかった。彼女は部屋の外に座って、閉じられたドア越しに聞き耳を立てるしかなかった。このような経験をした後、私たちが問わなければならないのは、「この国、この社会、そしてこのリーダーたちは一体どうなっているのだろう?」というものだ。「私たち女性はいつまで調査を続け、話し合わなければならないのだろう?」

事実を記録した厳密な報告書が必要だった。三つの米国アカデミー(科学、工学、医学)すべてが協力して取り組まなければならないだろう。そして、この報告書は、不平や泣き言だと片付けられないように、非常に優秀で、尊敬され、信頼できる人たちからなる委員会によって作成されなければならない。アカデミーの長であるマーシャ・マクナットと私を含むCWSEMのメンバー(当時は私が委員長)は、研究のために素晴らしいメンバーを集めた。共同委員長には、空軍長官としてテールフック・スキャンダルに対処したシーラ・E・ウィドナルと、ウェルズリー大学学長のポーラ・A・ジョンソン、元下院議員で大使のコンスタンス・モレラ、そして精神科医、弁護士、実業家たちだ。アカデミーの一流のスタッフが二年以上かけて、調査を依頼し、データを収集し、発見したことを集計、解釈した。

この報告書「女性へのセクシャル・ハラスメント（Sexual Harassment of Women）」で明確な発見があった。

● STEMMキャリアにおける女性に対するセクシャル・ハラスメントの対処や防止は、法律に頼ることはできない。なぜなら、そのアプローチでは問題は解決されてこなかったからだ。法律は、教育機関に対し、セクシャル・ハラスメントに関する方針を定め、それに従っていることを示すよう求めているだけであり、そのような取り組みがハラスメントの減少や防止に有効だとは証明されていない。私たちの学術機関は、法律を必要最低限なものとして扱う必要があり、システム全体で文化を変えることでしか、問題を解決することはできない。

● セクシャルハラスメントは、次の三種類の害からなる差別の一形態である。

○ ジェンダー・ハラスメント。女性を否定する言葉、ジョーク、コメント、または非言語的行動（下劣な画像の流布など）により、女性は仲間ではない、または尊重に値しないと伝える行為。最も一般的なハラスメントだが、多くの人はジェンダー・ハラスメントがセクシャル・ハラスメントの一種であることを認識していない。これが続くと、性的強制と同じくらい女性の成功にダメージを与え、それが許容されている場所では、他の種類のセクシャル・ハラスメントも起こりやすくなる。

○ 望まない性的関心。不快な性的誘いかけや性的暴行など。

○ 性的強制。有利な処遇を条件に性的行為を承諾させる場合など。これは見返りハラスメントとも言われる。

● 組織におけるセクシャル・ハラスメントの最大の予測因子は、その集団では伝統的に男性の数が多く、男性がいまだに権力を握っていること、セクシャル・ハラスメント行為が容認されていると認識されていること、研究室、野外調査現場、診療所、病院などで、かなりの時間を教員と研修生だけで過ごすことが多いことである。

● 二つの大学システムの大規模な分析で、医学部学生の四十~五十%が教員からのセクシャル・ハラスメントを経験していることが明らかになった。工学系女子学生の四分の一以上、理学系女子大学生・大学院生の約二割も同じ経験をしている。

幸いなことに、この委員会の報告書は、#MeToo 運動の高まっている間に公表することができ、セクハラとそれが女性のキャリアに与える破壊的影響に鮮明なスポットライトが当てられた。この調査結果は、ニューヨーク・タイムズ紙、ワシントン・ポスト紙、NBCニュース、PBSなど、国内外の百以上の報道機関で取り上げられた。アカデミーが発表した数百の報告書の中で、「女性へのセクシャル・ハラスメント」は、これまで最も報道機関からの要望が多かった文書の上位一%に入り、社会における女性の権利のための闘いのマイルストーンであることが証明された。

報告書が発表される数ヵ月前に、NSFは改訂された諸条件を連邦官報に掲載し、意見を求めた。この研究の主導的資金提供者であるNSFは、現在、調査対象となっているハラスメントの告発をNSFに報告するよう各機関に求めている。米国科学アカデミー、米国工学アカデミー、米国医学アカデミー、米国科学振興協会はいま、科学的不正行為や、性的・性差別的ハラスメントなどの深刻な倫理違反が証明された場合、選出メンバーの会員資格を剥奪《はくだつ》することができるようになった。米国地球物理学連合は最近、ハラスメントを科学的不正行為の一形態と定義した。そして二〇一九年二月、NIH長官のフランシス・コリンズは、同研究所が過去に「このような被害をもたらした風土や文化を認識しておらず、それに対処しなかった」ことを謝罪した。ＮＩＨは、ハラスメントに関与していた十四人の助成金受領者を入れ替えた。

それでも、差別との戦いにおける勝利には程遠い。どうすれば、科学技術の世界で真の平等を実現し、男女が対等な立場で前進し、競争できるようになるのだろうか？　では、そのためのアイデアをいくつか紹介しよう。

10 実現できる！

米国の科学を改革するためには、どんなステップを踏んだらよいのだろうか。この本の締めくくりとして、女性とその仲間たちに、いくつかのアイデアを伝えたいと思う。これらの提案は、私の六十年に及ぶ科学界での経験だけでなく、他の女性科学者たちの経験、そして最近の学術的な研究に基づいている。私のアドバイスは特に、科学の分野でのキャリアを考えている若い女性たちに向けたものだが、親、教師、教育機関、そして現代の重要な科学的課題にかかわる政治家にも役立つだろう。

私の提案は、いくつかの信念を前提としている。

- すべての男女は、学校、研究室、職場、昇進、そして私生活において、平等に扱われるべきである。
- 科学界の女性たちに便宜を図る必要はない。目的を達するために平等な機会を与えるだけでよい。
- 人口の百パーセントから生まれる最良の結果は、人口の五十パーセントから生まれる最良の結果よりもつねに優れている。我が国のすべての才能あふれる人々が同じ土俵で競い合うことができるようになれば、誰を雇い、誰を助成するかは、性別や人種、国籍ではなく、知性と能力によって決定されるようになる。
- 私たちは意識を変えなければならないだろう。機会均等を実現するために法律に頼ってもうまくいかなかった。科学において女性の真の平等を達成するには、幅広い社会の変革が必要である。

二十一世紀はすでに大きな試練を迎えており、今後もさらなる試練が待ち受けている。二〇五〇年までに地球の人口が百億人に達すると予想されているが、気候変動と海面上昇により、食糧と安全な水の問題がさらに深刻化するだろう。世界の安全保障、社会の安定、経済の繁栄のためには、性別、人種、国籍に関係なく、世界中のすべての人々のあらゆる才能と能力が必要になるだろう。

では、米国の科学界をより良いものにするために、私が提案したいことを述べていこう。

まず、前向きに考える

先日、ある会議に出席したときのこと。目標は明確に見えていた。それなのに、まわりの人たちは、やるべきことをやらない理由ばかりを考えていた。どの発言も、これこれこういう理由でうまくいかない、これこれこういう理由で今は時期が悪い、これこれこういう理由でそれは理にかなっていない、ということばかり。しかし、今は下を向いているときではない。今こそ、地平線に目を向け、次の山を越えた先を見るときなのだ。

へこたれないこと。粘り強くやり通す科学者は成功する。その理由は二つある。一つ目は、確立した体制は変化に抵抗しようとするから。そしてもう一つは、自然は簡単にはその秘密を明かそうとしないからだ。そうした体制の中をうまく渡っていくのに役立つスキルは、実験で思うような結果が出なくて、次のステップを考えなければならないときにもあなたを支えてくれる。

自分の目標を知るべし。なぜなら、目標達成の道はまっすぐではないかもしれないからだ。その道は思ったよりも長く、険しく、障害物を迂回《うかい》しなければならないかもしれない。しかし、その道があなたを向こう側へと導いてくれるのなら、その道を行きなさい。体制を変える最良の方法は、自分の才能が許す限り成功することだ。そうすれば体制を内側から変えることができる。

◆◆◆

国立衛生研究所（NIH）を説得して産婦人科プログラムを立ち上げたフローレンス・ヘーゼルティンの言葉を引用しよう。『ノー』を答えとして受け取ってはならない。『ノー』は単に、相手があなたを助ける気がないことを意味するだけだ。あなたにできないという意味ではない」

このアドバイスを古臭いと思うなら、環境微生物学者で終身在職権を持つルイジアナ州立大学准教授のクリスタル・N・ジョンソンの話を聞いてほしい。ジョンソンは、ミシシッピ州の田舎の、非常に貧しいアフリカ系アメリカ人家庭で育った。チューレーン大学での最初の学期は、グレード・ポイントの平均〔訳注：学業平均値。通例A＝四、B＝三、C＝二、D＝一、F＝〇で計算する〕が〇・五という成績で終わり、学業保護下におかれた。「結果に打ちひしがれたが、それが私の心に火をつけたのだ」とジョンソンは言う。彼女は猛烈に勉強し、インターネットで、電子メールを介してアドバイスを仰ぐメンターを集めた。彼女はこれを「eメンタリング」と呼んでいる。そしてグレード・ポイントを上昇させて、優秀な成績で卒業し、大学院に進んだ。ジョンソンは、学生に柔軟性を持つよう助言している。うまくいかないことがあれば、別の方法を試してみる。否定的なコメントではなく、役に立つコメントを探そう。そして、昔の私のように、うちにこもっているなら、恐れを乗り越える努力をしなさい、とジョンソンは言う。

「ユーモアがあれば驚くほど遠くまで行ける」

――アリス・ファン

◆◆◆

女子も科学や技術を学べることを伝える

「女の子に自立せよと教えなさい。世の中が完全に平等であれば、そんなことを教える必要はないのだが、現状では公平とは言えないので、そうせざるをえないのだ」

――シャーリー・M・ティルマン（プリンストン大学元学長）

◆◆◆

男の子にも女の子にも、自分で洗濯をし、料理をし、自分のしたことの後片付けをすることを教えよう。子供たちに生きていく力を身につけさせてから、社会に送り出そう。

◆◆◆

第6章で書いたように、国立科学財団（ＮＳＦ）の私が好きなプログラムの一つに、ＳＴＥＭＭ分野の大学院生に報酬を払って中学や高校で週に五時間科学を教えさせるというものがあった。科学者やエンジニアを、特に若い女性科学者を学校に招くプログラムを支援しよう。科学者やエンジニアに会ったことがなければ、自分もそういう人になれるとはなかなか思えないだろう。

親たちや先生へ。女の子を、たとえ就学前であっても、あなたは賢いと励ましてほしい。女の子は、六歳になる頃にはすでに、自分は男の子ほど賢くないと思い込まされている。そして、六歳になると、「本当に、本当に賢い」子どもたちのための活動だと思うと、その活動を敬遠するようになる。なぜなら、女の子は「賢い」ことは望ましい資質ではないと思い込まされているか、自分はそんな資質に恵まれていないと考えているからだ。しかし、研究によると、ちょっとした励ましでそうした誤りを克服することができるという。

幼稚園に通う前から、女の子に、自分にも数学やテクノロジーを学ぶ能力があるという自信を持たせてあげてほしい。たとえあなたがその分野について何も知らなくてもかまわない。グーグルが米国の男女千六百人を対象に行った調査では、若い女性がコンピューター科学を学ぶ理由として最も多いのは、家族や教師（彼らがコンピューターについて知っているかどうかにかかわらず）からの励ましだと結論づけている。その他の理由としては、パズルや問題解決や探究への興味、コンピューター科学のコースや活動に幼少期に参加した経験などが挙げられている。

二〇一二年、米国ではコンピューター科学と数学の専門家のうち女性は二十六％にすぎなかったが、コンピューター科学の専門家に対する我が国のニーズは労働供給量を大幅に上まわっている。

「全米女性と情報技術センター（ＮＣＷＩＴ）」のウェブサイトでは、女の子のコンピューターへの関心を高めるために家庭でできる十の方法を紹介している。NCWITは、アップル、マイクロソフト、バンク・オブ・アメリカ、グーグル、インテル、メルク、AT&T、コグニザント財団、およびNSFから支援を受けている。

◆◆◆

高校では、コンピューター・リテラシー(コンピューターでワープロソフトや表計算ソフトを使ったり、オンラインショッピングなどができるようにする)だけでなく、コンピューター科学を教えるべきだ。コンピューター科学とは、あるタスクを実行するためのプログラムを書くことで、論理的な推論、問題解決、新しい技術の応用を組み合わせて、科学、数学、社会科学、芸術の問題の解決策を設計する。まず、川を救う、患者を治療する、新しい学校を建てるといった、自分が興味を持てる問題を選び、それからPython《パイソン》やJavaScript《ジャバスクリプト》などのコンピューター言語を学んで、解決策を設計するのだ。

◆◆◆

もし選択肢があるなら、学業に力を入れている高校を選ぼう。みんな(全員)が良い成績をとることを期待され、ベストを尽くすことが求められる学校を探そう。世界は複雑だ。だから、子どもたち、特に女の子は、自分の能力を最大限に発揮するような教育を受けた方がよい。

卒業生(女子も男子も含めて)が、科学者、エンジニア、医師、弁護士、ビジネスパーソン、起業家、社会意識の高い公務員になっているかどうかを学校に問い合わせてみよう。

ディスカバリー・サイエンスを教えている学校を探してみよう。これは、暗記するのではなく、実際にやってみることで学ぶ科学だ。ディスカバリー・サイエンスは、創造的思考、疑問をもつこと、学習、そして特に理解を育む。

自分を鍛える

他の女の子や女性と一緒に勉強会をつくったり、そうした会に参加したりしよう。勉強会は学習効果を高める。あなたが理解できないことでも、理解している人もいるだろう。問題について話し合うことで、問題解決の助けになりうる。そして友人たちは、あなたが「バーンアウト」しそうになったり、キャリアプランを阻むことが起こって落ち込んだときに、力になってくれる。

良い教育には、他の言語や文化、文学（古典および現代の小説や詩や散文）、そして数学の勉強も含まれる。そう、数学、数学、念のためもう一度、数学が大事だ。女子は数学が苦手というナンセンスは、時代遅れで、間違っていて、ばかげている。ＳＴＥＭＭ以外の学問分野も勉強しよう。米国数学会のフェローでサンディエゴ大学の応用数学とコンピューター科学の教授であるサティアン・ライナス・デバドスは「ＳＴＥＭＭ以外の分野の鍛錬《たんれん》にも若者たちが目を向けるようになれば、世界はもっと良くなるはずだ」と書いている。私は彼に同意する。

人文科学は「ジェンダーと人種、美と受容、真実と力」を扱うとデバドスは記す。「これらの問題は……ロケット科学よりもはるかに難しい」。人文科学は、「文章を精読し、微妙な言葉づかいを解き明かし、さまざまな知の方法を受け入れ、困難な歴史を通して得られた経験を大切にする」ことによって、複雑な枠組みを研究する方法を教えてくれる。

効果的な書き方や話し方を学ぼう。短期的には、読んだ小説や詩、また研究したい科学分野について、熱意と知識をもって語ることができる学生を大学は歓迎する。長期的には、たくさん読書し、たくさん書くことで、思考力が高まり、私生活や仕事を豊かにすることにつながる。どのような分野でも、明確で効果的なコミュニケーションは成功のカギとなる。

私は学生時代に、詩や創作、文学の授業を受け、そのおかげで、問題や課題をさまざまな角度から見ることができるようになったと断言できる。今日の複雑な世界で難題に対処するには、社会科学者や行動科学者、特に作家や芸術家の貢献がこれまで以上に必要とされている。人格に深みのない人は、自分では成功していると思っていても、実は社会的にハンディキャップを負っている可能性がある。

◆◆◆

学校に通い続けること。バンダービルト大学のウィリアム・R・ドイル教授による二〇〇八年の研究によると、女性は男性と同じ収入を得るために二年間余分に大学院で教育を受ける必要があるという。高等教育を受けているのは、男性よりも女性の方が多い。それは学部レベルでも大学院レベルでも同じだ。しかし、ドイルの研究で、同じレベルの教育を受けた若い成人男性の方が、若い成人女性よりも所得の中央値が高いことがわかっている。

◆◆◆

科学や技術を広く探求しよう。学生として学んだことの半分かそれ以上は、おそらく卒業する頃には時代遅れになっていることだろう。現在人気のある分野でも、あなたが就職する頃には廃れているかもしれないし、数年後には脚光を浴びる分野も今はまだ存在していないかもしれない。とはいえ、自分の興味に合ったものを見つけるために十分に探求すれば、困難に立ち向かって成功する可能性は高くなるだろう。

なるべく早いほうがいいが、少なくとも高校では、数学とコンピューター科学の授業を受けること。そうした科目の本を自分で読んだり、追加の講座をとったりすれば、大学で勉強の準備が万全になるだろう。科学の分野を問わず、旧来の科学的手法は、高速コンピューターと確率数学によって可能になった新しい技術を取り入れつつある。現代生物学はモデリング、シミュレーション、データマイニングなど、コンピューター化が非常に進んでいる。また、大きな学際的な科学研究では、コンピューター・プログラミングや統計学が貴重なツールとなる。複雑でグローバルなシステムは、膨大な量のビッグデータで構成され、さまざまな経路をたどる。それらがどのように交差しているかを把握するには、機械学習（人工知能）と強力な可視化ツールが必要となるだろう。

◆◆◆

大学やカレッジを女性への待遇で評価し、その評価をオンラインで公開すれば、女性にとっての競争の場を公平にするのに役立つだろう。女性の扱いに関して、特に大学院教育における女性の待遇について、非常に具体的なカテゴリーをリストアップした集計表をオンライン公開するのが理想だ。どの大学が保育所や子供の放課後預かりを提供しているか、あるいはその補助金を出しているか？　教員と管理職の男女比は？　テニュアクロックと呼ばれる終身在職権を得るまでの試用期間〔訳注：大学によって違うが六〜七年〕を延長することは可能か？　どの学科に女性教員がいるか、いるなら何人か、どのような職位か？　女性の給料は男性の同僚と同等か？　ハラスメントの問題やそれに対する方針も含まれるべきだ。これらの情報はすべてウェブ上に掲載するのが最善であり、そうすれば学生や教職員、保護者、納税者など、誰もがその情報を使って、どの大学に行くべきで、どの大学を避けるべきかを決めることができる。

◆◆◆

大学に入る前に、研究をしたり研究室で働いたりして経験を積んでおこう。そうしないと、実験科学者になるために何が必要なのかを実感できないだろう。

ラトガース大学のテイマー・バーケイ特別教授は「大学でよく目にする光景について」こう語る。「毎年春になると、夏休みに研究室で実験させてもらいたいという高校生がたくさんやってくる。このような生徒の多くは、いわゆる科学ジャンキーだ。彼らは、学期中であろうと夏休みであろうと、自由な時間を使って、科学に触れることのできるあらゆる機会を利用している。授業を受け、研究室で過ごし、特別なプロジェクトを行い、いろいろなレベルの科学コンテストに参加するチャンスをとらえている」

バーケイは、オンラインでどのようなリソースがあるか確認することを勧めている。高校生が授業を受けられる近隣の大学があるかもしれないし、ガイダンスカウンセラーや図書館司書が、夏休みのインターンシップや科学に関係する地元の事業など、大学入学前に科学にどっぷり浸かることができる機会について情報を提供してくれるかもしれない。

◆◆◆

ディスカバー誌、サイエンティフィック・アメリカン誌、ニュー・サイエンティスト誌、ニューヨーク・タイムズ紙の火曜日の科学セクションなどをフォローする。これらはすべてオンラインで読めるし、購読が有料の場合でも、学校の図書館が定期購読していることが多いので生徒は読むことができる。

◆◆◆

現地調査旅行に参加しよう。ただし、事前に情報収集すること。社会科学、生命科学、地球科学など多くの分野では、授業や専攻、就職の際に研究旅行が必要とされている。多くの男性教授は、野外での生活環境は繊細な女性には野蛮すぎると主張し、女性は何十年もの間、こうした旅行に参加するために戦ってきた。現在では、現地調査が基礎となる科学の分野では学部や大学院における女性の数が男性を上まわり、女性の研修生は日常的に研究旅行に出かけている。ただし、研究旅行に参加する前に、学校または主催団体に、研究旅行に関する行動規範やセクハラ対策について確認することが重要だ。

大学院へ進学する

大学院を選ぶ前に、複数の指導者《メンター》からアドバイスをもらおう。たった一人のアドバイスに頼らないこと。あなたが尊敬する教授の中には、大学院のプログラムについて最新の情報を知らない人もいるかもしれない。また、指導者になってくれそうな人がいるからという理由だけで、その大学院を選んではならない。その指導者が重病になったり、転職したり、亡くなったりすることもあるからだ。

◆◆◆

「私は若い女性たちに、少なくとも二、三人の女性教員（できれば終身在職者）と数人の女性大学院生がいない大学院へは入学しないよう勧める……このようなサポートがなければ、女性が（科学の世界で）成功する可能性は低くなる」

——物理学者フェイ・アイゼンバーグ＝セラヴ

◆◆◆

コンピューター科学や統計学も学べる博士課程を検討しよう。財務や経営も学べるとなおよい。

◆◆◆

大学院に入学したら、論文指導教員を慎重に選ぶこと。これは科学者がなしうる最も重要な決定の一つだからだ。女性を仕事の成功に導いた実績のある、優秀な科学者を探そう。ハーバード大学の発生生物学者コンスタンス・L・セプコによる、博士課程の指導教員を選ぶ前に行うべき四つのステップを紹介する。

- 研究室で行われている科学の質を見る。
- あなたをただ低賃金労働者として使うのではなく、良い科学者になるように指導してくれる人を選ぶ。

● 大学院一年目は、三つの研究室をまわってそれぞれで数ヵ月間過ごし、学生がどのようにサポートされているのかを感じとる。励まされているか？　助けられているか？　先生のお気に入りだけでなく、研究室の多くの人に話を聞くこと。また、こうした期間中に一緒に仕事をしたポスドクがいい人だったからという理由だけで、指導教員を選ばないこと。

● 教員のオフィスで一時間座って話をしてみよう。居心地が良いと感じるだろうか？　データについてだけでなく、あなたの将来の計画やキャリアについて、敬意ある双方向の会話ができているか？　あなたの意見は聞いてもらえたか？　オフィスを出るとき、「もう一度ここに戻ってきたいか？」と自分に尋ねてみよう。

◆◆◆

「科学が他の職業と異なるのは、指導を受けた者の将来に対する指導者の影響力に時効がないことだ」と、地球物理学者で米国科学アカデミーの会長であるマーシャ・マクナットは説明する。博士課程の指導教員は、今後何年にもわたり、助成金や学会での講演、出版物の検討の際に、あなたの推薦状となる。また、良い指導者は、アイデアを盗もうとする者から大学院生を守ってくれる。

キャリアを積む

私の最大の幸運は、あらゆる面で理解を示し、支えてくれる人生のパートナーに恵まれたことだ。夫のジャックと私は一緒に大学院に進み、一つのチームとして家族を育て、限られた時間であっても、つねに子供たちと一緒に過ごすことを心がけた。これは簡単なことではなかったが、私たち二人にとっての最優先事項だった。そのおかげで、私たちの人生は愛と喜びに満ちたものになったのだ。

科学者であることと子育ての両立は、本当に可能なのだと知ってほしい。私の娘たちは二人とも仕事の面で充実している。ステイシーは発達小児科学と緩和ケアを専門とする医師／医学博士で、協力的な夫と共に三人の子どもを育てている。もう一人の娘アリソンは才能ある植物学者で、植物の進化に関する研究を楽しんでおり、カリフォルニアの野草や寄生植物に関する権威だ。

◆◆◆

学術的な科学は、他の多くの職業よりも家族生活に有利だとセプコは言う。「私たちは一生懸命に働くが、信じられないほどの自由もある。スケジュールは自分たちで決められる。助成金がもらえれば、自分が本当に興味のあることができる。心から科学が好きなら、これ以上のものはない。もし、あなたが賢い若い女性で、熱心に働けば、たくさんのチャンスがある」

◆◆◆

サイエンス誌、セル誌、ネイチャー誌に論文がなかなか採択されなくても思い悩む必要はない。これらの学術誌は「コネのある人々」のためのものだ、と生物学者ランディ・シェクマンは二〇一三年にノーベル賞を受賞したときに述べた。そして自分の研究室はもうこれらの学術誌に研究論文を送らないと宣言した。一流学術誌の編集者は「人目を引く」論文を求めており、そうした雑誌に発表しなければならないというプレッシャーから、研究者は真に重要な問題ではなく、流行の科学分野を追求するようになってしまう。シェクマンは、ハワード・ヒューズ医学研究所、マックス・プランク協会、そしてウェルカム・トラストが二〇一二年に立ち上げた生物医学分野の査読付きオープンアクセス誌であるｅＬｉｆｅを支援している。査読付きの良い学術誌はたくさんある。

◆◆◆

所属している研究所が有名でないからといって、無名の科学者の研究を見下してはいけない。情報は、著者の経歴ではなく、内容の良さで判断するべきだ。

◆◆◆

孤立していると感じたら――たとえば、学部で唯一の女性だったり、大学の専門分野で唯一の女性教員だったり、唯一のシングルマザーだったりして――オンラインで同じような仲間を見つけよう。そして、月に二回はバーチャルで、年に一回は直接会う定期的な会のスケジュールを組もう。一人で悩まないこと。

◆◆◆

カーネギーメロン大学の経済学者で、『女性は要求しない（Women Don't Ask）』の共著者リンダ・バブコックによれば、男性は女性よりも昇給を要求することが四倍多く、また女性は、要求しても男性より三〇％低い額を要求するという。現実的になろう。当該職種とその責任について、公正に評価し、アドバイザーや指導者と相談して、適切な給与範囲を見積もること。雇用主と交渉する際には、範囲の上限から交渉を始めよう。

まずは推薦してもらわなくては、賞を授与されることはない。自分自身やあなたの指導者があなたに値すると考える賞があるなら、推薦してくれるよう頼もう。男性はいつもそうしている。推薦者に、推薦に必要な情報や推薦状の草稿を提供しよう。逆に推薦を依頼されたら、事実を正しく伝えるために、推薦状の下書きをもらえるかどうか尋ねよう（男性の中には、二人一組になって、お互いの推薦状を書く人がいるが、このようなやり方は賛成できない）。

いつも他の女性を力づけるようにしよう。男性グループの中のたった一人の女性、白人の中のたった一人の黒人、女子会の中のたった一人の男性など、差別が行われていないことを示すために一員に加えられた人は非常に目立ち、型にはめられて、溶け込むのが難しくなる、とハーバード・ビジネス・スクール教授のロザベス・モス・カンターは説明する。もう一人女性がそのグループに加わったら、好むと好まざるとにかかわらず、ひとくくりにされてしまう。だから、敵対し合うのではなく、支え合うのが得策だ。やり方は簡単。たとえば、感じよく話しかけるとか、あなたの言葉や行動は素晴らしいと個人的に相手に伝えるといったことでよいのだ。

男性が手伝えること

すでに女性の良い味方になってくれている男性へ。それを他の男性にも広めてもらいたい。マイクロ・アグレッション（無意識のバイアスや差別的行動）に気づいたら必ず発言して、男性たちが自分のしていることに気づき、自分の発言や言い方をよく考えるようになるまで粘り強く発言を続けてほしい。礼儀や優しさは弱さの表れではなく、女性差別は人格の欠陥を強く表している。あなたは女性の味方として、私たち全員から深く感謝されていることを知っておいてほしい。

◆◆◆

アリス・ファンは、「グループの祝賀会の幹事やまとめ役には二度と手を挙げない……しばらくは男性にやってもらいましょう」と言う。

◆◆◆

人の外見や服装についてコメントしてはならない。そういったことは不適切だ。外見や服装は階級や地位、財力を表すものであり、能力や才能を表すものではない。

◆◆◆

「私の同僚は気のいい連中だが、会議では攻撃的になる。彼らは私の意見に同意できないとき、私が譲歩するまでどなりつける。それは許容できないことだと理解する社会的スキルを持ち合わせていないのだ。女性の同僚にどなられたことは一度もない。それなのに、上の人たちは誰もそれを許しがたいことだと言わない」

——匿名希望

有害な環境に対処する

人生のある時点で、不当な圧力にさらされる環境に身をおくこともあるかもしれない。そのような環境にいる女性のとりあえずの目標は、ハラスメントをやめさせることと、学業やキャリアを守ることだろう。しかし、それは不可能かもしれない。そうなると問題は、「報告するべきか」「報告するとしたら、誰に、どのように？」である。その答えは、その女性自身と状況によって異なる。

ハラスメント行為を報告したくない場合でも、すぐに記録する。具体的に書くこと。「あの人が私に嫌がらせをした」ではだめだ。彼（または彼女）が言ったこと、行ったこと、そして時と場所を正確に記録する。そして、その文書を認証してもらうか、信頼できる友人にその日のうちにメールで送ろう。性的捕食者は、捕まるまで同じ行動を繰り返すことが多い。あなたが自分の経験を文書化したという事実は、のちに自分のハラスメント事件を報告しようとする他の女性の助けになるかもしれない。不良な職場環境の存在を証明するためには、繰り返し広く行われている行為の証拠が必要だ。

大学当局に相談する。たとえあなた一人の問題であっても、あなたを支えてくれる信頼できる仲間と共に、学科長に相談しに行こう。学科長が助けてくれるかどうかわからない場合は、周囲に尋ねてみよう。学科長は、信頼できる人物と思われているのか、それとも問題に関与していると思われているのか？　学科長に相談してもうまくいかない場合、またはリスクが高すぎると思われる場合は、相談窓口、学部長、学務担当学長、学長、理事などもっと上の人に相談しよう。組織的な観点から見ると、ハラスメントは、金銭的な責任を伴うという理由だけでも、大学にとって災難であり、経営陣は注意を払うべきである。それはそれとして、状況がながびいたり、深刻であったりする場合は、弁護士を雇う必要があるかもしれない。

ある著名な中堅女性科学者が、時間外に内密に私に会いたいと言ってきた。世界的に有名な（男性）科学者との間の問題について、どう対処したらいいのか、意見を聞かせてほしいというのだ。

私はその男性を知っていた。他の多くの年配男性と同様、彼は女性が男性と知的に同等だとは思っておらず、いじめを受けた女性が反撃するとは思っていない。そして、だいたいのところ、彼の考えているとおりだ。

「どんな人もひどい仕打ちを我慢すべきではない。そこを出ないといけないわね。でも、キャリアに傷をつけないようにしないと。別の場所で良い職を得るために必要なことをすべてリストアップして、一年かけてそれを達成し、一年後に出て行くのよ」と助言した。彼女はそれを実行し、もっと良い職場に落ち着くことができた。残念ながら、その男性の間違った行為が正されることはなかった。正されるべきだったのだが。

テネシー工科大学の若い女子学生が学科長にハラスメントを訴えたところ、学科長は波風を立てずに、以前私の大学院生だったシャロン・バーク教授に、「あなたのところでその女子学生が論文を仕上げることは可能ですか」と尋ねた。彼女はそれを承諾した。

私は、すべての加害者が直ちに懲戒処分を受け、その虐待行為の被害者に影響がでないようにできればよいと思っているが、そのような苦境には微妙な違いがある。

米国アカデミーのセクシャル・ハラスメントに関する報告書は、虐待の深刻さに応じて懲戒処分を厳しくするよう求めている。すべての行為が解雇の理由となるわけではないが、状況が悪化する前に、加害者には必ず責任をとらせるべきだ。

科学技術が提供する機会を利用する

歴史的に見ても、男性優位の分野から女性優位の分野になると、賃金が低下することがわかっている。これはコンピューター科学で起こっていることで、次は機械学習やロボット工学で起こる可能性が高い。データサイエンス、人工知能、そして新しい可視化ツールは未来を担う分野であり、コンピューター科学に興味のある女性は、今すぐそれらをマスターするために学ぶべきだ。

◆◆◆

科学技術から女性を排除することは、国にとって大きなマイナスとなる。第二次世界大戦中、英国の情報機関が、コロッサスと呼ばれるプログラム可能な大規模電子計算機を初めて開発した。英国のブレッチリー・パークでは、暗号解読者たち（ほぼ全員が女性）がコロッサスと初歩的な計算機や手書きの技術を組み合わせて用い、ドイツ軍の暗号を解読していた。コンピューターが普及すると、コンピューターを操作している女性科学者たちは、数学やコンピューターのことをほとんど知らない男性の代替要員の訓練にまわされた。数学にもコンピューターにも精通している彼女たちは、ノウハウを伝え終わると解雇された。そのため、英国のコンピューター産業は、米国に大きく遅れをとってしまった。

◆◆◆

特許取得は、コンサルティングの仕事を得たり、報酬の高い企業の科学諮問委員に任命されたりするための第一歩となることが多い。しかし、生命科学の分野では、女性の特許取得数は男性に比べて半数である。今日、ほとんどの大学には、科学者が自分の研究を特許化するのをサポートする部署がある。女性はそこを訪れ、活用すべきだ。

◆◆◆

企業や非営利団体の役員になることで、科学的な機会が広がり、ビジネスや産業界で資金を得ることができる。女性は、企業の役員になることに特化した履歴書を作成するとよい。まずは地元の団体のボランティア役員から始め、次に地域の役員、そして最終的には企業の役員を探すリクルーターに履歴書を送ろう。

科学のスポークスウーマンになる

科学と技術は現代社会の重要な二本の柱だが、科学に対する議会の支援は減少している。米国民の五十%以上が進化論を信じず、子供に予防接種を受けさせない親が増えていることは二十世紀最大の医学的革新が受け入れられていないことを意味している。自分の研究を一般向けに説明し、研究に人間の顔を持たせることは、すべての科学者の責任である。米国民に基礎科学研究は非常に重要だということを確信させなければ、この国は深刻な問題に直面することになるだろう。すべての女性科学者は、科学のスポークスウーマンにならなければならない。一般市民や議員に、自分の科学分野を効果的に説明する方法を学ぶのだ。科学と工学に携わる女性が増えれば、科学と工学はもっと進歩し、世界はもっと良くなるというメッセージを力説しよう。ロビー活動を学び、公職への立候補を検討しよう。

女性科学者が発言しなければならない最重要事項は、保育だ。普遍的で、手頃な価格の、質の高い保育の必要性についてだ。米国では、女性科学者の半数近くが、第一子が生まれた後にフルタイムの研究職から離れている。一方、男性のポスドクと子供のいない女性ポスドクの八十％は科学界にとどまっている。教員になった女性は、男性の同僚よりも子供の数が少ないか、希望する数よりも少ない傾向にある。

一九七二年、超党派による普遍的な子育て支援法案が議会を通過したが、リチャード・ニクソン大統領は拒否権を行使した。これにより、二世代の女性科学者と彼女たちが行ったはずの発見が犠牲になった。そして彼女たちの子供たちも二世代にわたって、日中母親が仕事をしている間、安全な場所で過ごし、他の子どもたちと交流して、早期にコミュニケーションや論理的思考を習得する機会を失ってしまった。議会が行動を起こし、すべての人に保育料を支援するようになるまでは、雇用主がそれを行わなければならないだろう。

現在、多くの大学が教員やポスドクや大学院生のために保育施設を提供し、子どものいる学部生や職員には保育料を補助している。また、大学は、教員の子供の大学の授業料を減免することで、教員を支援しようとすることも多い。だが、テネシー工科大学のシャロン・バークは、「若い教員が希望すれば、その資金を保育に使わせてはどうだろうか」と問いかける。

◆◆◆

州立の大学や短期大学を守ることは女性にとって重要な問題だ。女性たちには自宅に近く学費の安い高等教育機関が必要だ。ここ数十年間に、女性はキャリアと家事の平等に向けて前進してきたとはいえ、全般的に見て、女性は男性よりも収入が少なく家事負担も大きい。

◆◆◆

科学研究のための資金を増やすよう声をあげよう。最近のように、研究への資金が減少すると、真っ先に資金が絶たれるのは若い女性だ。助成金は、実績のある科学者やエンジニアによるリスクの低いプロジェクトに割り当てられる傾向がある。

医学研究の主要な資金源であるNIHでは、三十六歳未満の科学者に与えられる全助成金の割合が、一九八〇年の五・六％から二〇一七年には一・五％に減少している。「安全でリスクのないプロジェクトのみに資金を提供する強いバイアスがあることに加え、全投資額の九十九％近くが三十六歳以上の科学者やエンジニアに与えられるとしたら、シリコンバレーはどれほど成功するだろうか？」とブルース・アルバーツ（米国科学アカデミーの元会長）と、ベンカテッシュ・ナラヤナムルティはサイエンス誌の論説に書いている。

「経済的な意味において、これは本当に不合理だ」とテキサス大学オースティン校のテキサス・アドバンスト・コンピューティング・センターのスーパーコンピューター科学者ジョン・ウェストは述べている。「このような人たちに資金を提供し続け、彼らがインターネットに変わるもっと新しいものを提供してくれなかったとしたら、どうなるだろうか？　提供してくれる可能性は低い。だから、新しい人達に資金を提供しようではないか、そうすれば、もしかしたら、すごいことが起こるかもしれない」

基礎研究資金の不足は米国の教育や国際競争力に悪影響を及ぼすことを議員に訴えよう。スプリングボード・エンタープライズ社の創業者であるエイミー・ミルマンは、ワシントンDCで大学院のビジネスコースを時折教えている。ある日、ふとまわりを見渡すと、教室にいる米国民は自分だけだということに気づいた。学生たちは全員、外国生まれだった。国や州の議員たちが公的な高等教育を支援しないせいで、大学は授業料を引き上げて米国人学生には払えなくなり、授業料を全額払える留学生を大量に受け入れている。ＳＴＥＭＭ分野の博士課程在籍者の半数近くが外国人だ。また、米国の州立大学の中には資金繰りに窮して、ＳＴＥＭＭ分野の大学院生のほとんどが主としてアジア、インド、中東などの外国生まれだというところもある。さらに、外国生まれの学生を教育するために何十億ドルも費やされているのに、移民法では彼らが卒業後に米国に滞在することが認められていない。その代わり、彼らは母国に帰らなければならず、その結果、母国で米国の技術に対抗するような技術を開発することになるのだ。米国で教育した人たちが米国にとどまれるように、議員に訴えよう。そしてアルバーツとナラヤナムルティがサイエンス誌に書いたように、「米国はビザと移民政策を再検討し、米国の大学でＳＴＥＭＭ分野の大学院の学位を取得した外国人学生がグリーンカードを取得しやすくし、その一方で各雇用ベースのビザには労働者の配偶者と子供も自動的に含まれるよう規定することが急務である」。ナラヤナムルティは、渡米して四十年後にハーバード大学工学・応用科学部の創設学部長に就任しており、こうした事情をよく理解している。

◆◆◆

女性の指導をしない科学者には責任をとらせる。ＮＩＨの助成金のほとんどは、研究の提案と成果に基づいてのみ与えられる。しかし、助成金配分の際には、研究室の研修生の多様性も考慮されるべきだ。ＮＩＨは、ＮＩＨの主要な研究助成金（ＲＯ１グラントと呼ばれる）の申請者に、研究室でこれまでに研修を受けたすべてのポスドク研究者と大学院生のリストと、各研修生の現在の状況を記載するよう義務付けるべきである。二つの助成金申請の科学的価値が同等と認められた場合、多様な研修生を育成し、彼らの多くが成功している研究室が助成金を獲得するべきだ。これはスタンフォード大学の神経科学者ベン・バレスのアイデアで、この研修生リストは、一般に公開されるべきだ。バレスが言うように、もし最も優秀な男性科学者が最も優秀な若い女性の指導を拒むなら、女性が頭角を現すことは基本的に不可能だ。

◆◆◆

政府機関や大学は現在、男性教員が税金でまかなわれた研究を利用して男性のみのハイテク企業を立ち上げることを認めている。たとえ女性研究者がリーダーを務めるバイオテクノロジー分野であっても、だ。大学には、教員や学生の発見の使用を許可して起業させるための部署がある。大学は、スタートアップ企業の設立者や科学担当の役員を審査すべきである。少なくとも、スタートアップ企業はその分野の主要な女性研究者を役員に加えるべきだ。多様性が成功を導き、利益を上げるという研究報告があるので、これはスタートアップ企業にとっても良いことのはずだ。

◆◆◆

改革を制度化し、長続きさせる。

毎年開かれるスーパーコンピューティング会議には、一万二千人の参加者が集まるが、そのほとんどが男性だ。しかし、その組織委員会の六百人のボランティアは、参加者の統計をとったことがなかった。世界最速の学術的スーパーコンピューターがあるテキサス大学テキサス・アドバンスト・コンピューティング・センターのジョン・ウェストは、それをやりたかった。「しかし、ボランティアばかりの委員会で何かを制度化するには、一年では不十分だ」とウェストは指摘する。「会議の議長の任期は一年なので、何か素晴らしいことを始めても、次につづく二人の議長がそのアイデアを買っていなければ、すぐに廃止されてしまう」。そこでウェストは、二〇一六年の会議の議長になったとき、次の三人の議長を説得して「我々も参加者の統計をとる」と約束させた。そして、それは実際に行われ、その情報をもとに、女性の参加者を増やしていった。

◆◆◆

学術的な科学を超えて考えよう。博士課程に在籍していた六十二名の学生を指導したことは、私の人生の中で最も輝かしいことの一つだ。多くが大学教授になり、四人が米国科学アカデミーに選出されている。しかし、科学の博士号は法律の学位と同じで、それを持つことでさまざまなことができる。教え子の多くは、政府の研究所や機関で働いているが、大学管理者、起業家、環境保護活動家、医学研究者となった人もいる。また、ベンチャーキャピタリスト、ワイン醸造家、アーティストもそれぞれ一人ずついる。

◆◆◆

今日の女性は、NSF、国立科学審議会、米国科学アカデミー、米国科学振興協会の長という、米国で最も権威のある科学職のうちの四つを務めている、あるいは務めたことがある。しかし、ちょっと待って……何かが足りない。四人とも物理学者なのである。二人は地球物理学者、一人は天体物理学者、四人めはコンピューター科学者である。今日の女性科学研究者の大多数は生物学者で、科学の中で最も刺激的で知的な面でやりがいのある分野だというのに、現在、女性生物学者が一人も指導的ポジションについていないとは。

◆◆◆

「男性ティーチング・アシスタントや男性大学院生には、女子学生を含めすべての学生に対して礼儀正しさと敬意が求められており、それを実際に示さない場合は解雇理由となることを伝えよう。これは、男性優位の社会から来た外国人男子学生には特に重要かもしれない」

——物理学者フェイ・アイゼンバーグ＝セラヴ

◆◆◆

セクハラ研修は、やぶへびになる場合もあることを認識しておく。「あの人たちは偏見をもたれている」と聞いた人の中には、偏見にさらされてる人に対してよけいに紋切り型の態度を示すようになり、一緒に働くことを嫌がり、より偏見に満ちたやり方で接するようになる人がいる。今日のセクハラ研修の多くはオンラインのミニコースや短い動画で提供されているが、そういったものの代わりに、不適切な行為の具体例を実演してくれる資格あるトレーナーによるプログラムを要求しよう。研修は、姿勢や信念にうったえかけるものではなく、行動の基準を確立するものであるべきだ。

◆◆◆

男性だけの人事選考委員会を禁止すること（特に教員採用の場合は）。圧倒的な証拠が、男性のみの委員会は、能力が同等な男女の候補者のうち、男性を採用することがはるかに多いことを示している。残念なことに、今日多くの学科では、調査委員会の推薦する人物が、疑問が呈されることも、より高いレベルの審査が行われることもなく、承認されている。

◆◆◆

私はこれまでのキャリアの中で、科学分野における女性の地位が大きく向上していることを目《ま》の当たりにしてきた。しかし、まだまだやるべきことはたくさんある。教育界のリーダーたちは、行動を起こし始めている。

◆◆◆

百以上の科学団体が団結して、二〇一八年末に米国地球物理学連合、米国科学振興協会、米国医科大学協会が設立した「科学・技術・工学・数学・医学分野におけるセクシャル・ハラスメントに関するコンソーシアム」を通じて、セクハラ撲滅に取り組んでいる。このコンソーシアムは、科学分野においてセクハラとされる有名な事件が相次いだことや、「組織風土がセクシャル・ハラスメント発生の最大の予測因子である」と結論づけた米国アカデミーの報告書が発表されたことを受けて結成された。セクハラは許容されるという認識を持つだけでも、セクハラ発生の可能性を高める。同コンソーシアムでは、専門機関、学術機関、医療機関、研究機関がセクハラと闘うためのモデルとなる方針を提供する予定だ。

「高等教育におけるセクシャル・ハラスメントの防止に関する共同行動」は、米国アカデミーの報告書の勧告を実施するための六十三の組織によるもう一つの取り組みである。

◆◆◆

女性科学者とその協力者が、この職業を真に公平なものにするためにとるべき行動のリストを見渡すと、この先の年月は単純でも容易でもなさそうだと感じる。しかし、生物学者のピーター・メダワーが「世界はいまや、非常に複雑で急速に変化する場所となり、人類のおよそ五十％の知性と技術も用いなければ、（改善はおろか）維持することさえ難しくなっている」と初めて書いてから四十五年の間に、ＳＴＥＭＭ分野の女性の職場は改善されてきた。その進歩は、過去数世紀の間に勇敢に率先した行動をとってくれた女性たちの努力の賜物である。参政権運動を起こした女性たち、女性同士の連帯を結び、女性の権利運動とその最近の復興を開始した女性たち、そして＃MeToo運動とその多くの示威行為を勇敢に実現した女性たちのおかげなのだ。本書を読んで、科学界の女性たちがその豊かな歴史の一部であったことを、より深く理解してくれることを願っている。私たちはいま、科学・技術・工学の飛躍的な進歩の世紀にいる。まだやるべきことはたくさんあるが、同時に、私たちにできることもたくさんある。私たち全員が力を合わせれば、未来は無限に広がるのだ。

監訳者あとがき

未来のためにバトンを継ごう

日本で初めて女性の大学生が東北大学に誕生して百十年目の今年、リタ・コルウェル先生の著書『A Lab of One's Own』の翻訳書が刊行されることを、とても嬉しく思っています。

本書は、一九九八年から二〇〇四年まで、女性で初めて米国国立科学財団（NSF）の長官を務められた科学者リタ・コルウェル博士の回顧録です。二〇一七年に日本から国際生物学賞を授与されたコルウェル先生は、海洋微生物学の研究者として、日本の研究者の間でも広くお名前は知られています。本書は、決して平坦ではなかった幼少期からのご自身のキャリアパスを振り返りつつ、これからSTEMM（科学・技術・工学・数学・医学）分野に進みたいと考える女性たちへのアドバイスを含みます。保護者の方や研究機関などで指導的立場にある方々、教育関係や行政の皆様にも、是非お読みいただきたい良書です。

私がコルウェル先生にお目にかかったのは、二〇一三年、東北大学で主催した「女子学生入学百周年記念シンポジウム」の折でした。コルウェル先生と近しい本学の小谷元子先生（現在は研究担当理事・副学長）を介して、基調講演のお一人としてお招きしたのでした。その折にも微生物学者としてのご活躍を伺い、女性研究者へのエールをいただいたのですが(1)、短い時間では語り尽くせなかった、コルウェル先生のご活躍とご尽力の様子を、本書で知ることができました。コルウェル先生のエネルギッシュな活動のルーツは、イタリアからの移民二世としての生い立ちに遡ることができるようです。

大学から大学院生時代、一人の独立した研究者から自分自身の研究室を持つ研究室主宰者（PI）へ、そしてNSF長官という要職や、各種科学委員会の委員、キヤノンUSライフサイエンス（米国）会長・上級顧問（のちに名誉会長）、スタートアップ企業オーナーと、多様なキャリアを持つコルウェル先生。『女性だからできない』ということはない」を体現し、多くの女性研究者にとってのロールモデルです。ご研究は、フィールドワークやウェットな実験からドライな情報科学解析まで、非常に幅広く、しかも社会的なインパクトが大きい点が敬服に値します。圧巻の一つは、第5章で語られるコレラ菌の謎を突き詰めていくエピソード。重篤な消化器感染症であるコレラの病原体であるコレラ菌が、コレラの流行していない時期にどこに存在しているのか、という命題に関して、コルウェル先生は従来の学説ではない仮説を思いつきます。そのヒントはさまざまなところに隠れていたのですが、なかでもフランシス・ハロックという名前の八十四歳（！）の女性研究者が一九六〇年前後に書いたビブリオ菌についての三本の論文も鍵となりました。執筆当時、研究機関に所属していなかった、まさに「隠れた逸材」であるハロックの長年にわたる精密な観察が、もしもっとメジャーな学術誌に掲載されていたら、コレラの自然界における挙動について、二〇～三〇年早く明らかになったかもしれないとコルウェル先生は述べておられます。

第7章に取り上げられた、米国同時多発テロ事件直後の炭疽菌入り手紙の送り主を探すプロジェクトもまた、さながら、推理小説を読み進めるようなワクワク感がありました。そう、サイエンスの営みはミステリーを解き明かすことに似ています。実は、第5章に出てくるコルウェル先生の大学院生であった日本人の方のお名前の漢字を知りたく、SNSで問いかけたところ、匿名の方（図書館業界におられるようでした）から関係のありそうな情報をいただき、四十八時間ほどで突き止めることができた、という裏話もありました。

原著が出版されたのは三年前。一つのきっかけは、二〇一七年頃から米国で始まり、世界中に広まった＃MeToo運動であったものと推察します。「ボーイズクラブ」状態の職場に女性が参画することによって生じる種々のハラスメントは、映画界だけのことではなく、サイエンスの世界でも生じていたことが実名とともに取り上げられます。

しかしながら、本書は「暴露本」ではありません。米国のアカデミアにおいて著しい性差別があった一九六〇年代から、七〇年代、八〇年代、九〇年代と、どのようにジェンダーギャップを埋める努力がなされてきたのか、その点にこそ学ぶべきことが多数あります。それは「たまたま生まれついた属性によって人は差別されてはならない」という、人類にとって大切な概念や哲学だけではありません。データを収集し、分析した結果に基づくストラテジーが必要であるという点に尽きると思われます。

たとえば、もっとも象徴的な成功体験として語られるのは、マサチューセッツ工科大学（MIT）のナンシー・ホプキンズ教授が一九九〇年代前半に行った活動に端を発するものです。コルウェル先生と同世代で、七〇年代半ばにMITのPIになられたホプキンズ先生は、当時、すでにMITでは学生の

1　東北大学女子学生入学百周年記念シンポジウム～リケジョの百年から未来の女性リーダー育成に向けて～
http://www.morihime.tohoku.ac.jp/100th/

約三割が女子学生なのに、女性教員は八％に満たないことは是正すべきと考えました。そこで、差別の実態について、男性研究者より女性研究者の研究室スペースが狭いことを自らメジャーで測ってデータで示し、種々の女性研究者へのヒアリングも行ったうえで、十五名の連名による嘆願書を理学部長のロバート・ビルノーに手渡したのです。

ビルノー理学部長はすぐに当時の学長であるチャールズ・ベストに相談しました。立ち上げられた秘密の委員会によってより多くのデータが集められ、一九九六年に百五十ページに及ぶ報告書としてまとめられ、さらに五年かかってＭＩＴの教授会報において公表されて、これが米国の多くの研究機関におけるモデルとなったのです。ホプキンズ先生はあちこちの講演に呼ばれ、ＭＩＴの取り組みは多数のメディアに露出されました。批判もあったようですが、ベスト学長とビルノー理学部長は「科学分野で女性研究者が少ないのは、彼女たちが選んでそうなっているわけではない」と反論しました。

そして二〇〇四年にＭＩＴに初めて女性の学長が誕生したのです。神経科学者のスーザン・ホックフィールド学長は、「男女を問わず、家族に対する責任によって教員が不利になることはない」というポリシーを打ち出し、二〇一四年にはさまざまな学内インフラ整備が為され、若手女性教員が子どもを持つことが当たり前となりました。まさにバトンが次々と受け渡されてきたといえるでしょう。

また、ＮＳＦが女性研究者支援プログラムとして開始した「ＡＤＶＡＮＣＥ《アドバンス》」のキャッチフレーズは、“Not fix women, fix institutes”でした。第9章のタイトルは、この点を反映したものになっています。女性研究者個人の問題なのではなく、組織の問題として対応すべきという考え方は、障害者に対する「ディスアビリティ（障害は個人の能力の問題）vsインペアメント（障害は環境の問題）」の話(2)に通ずるものがあります。

一九三四年生まれのコルウェル先生は、ちょうど私の母と同じ世代。私が大学院生として発生生物学の研究を開始した一九八〇年代半ばには、すでに海外で何人もの女性PIがおられたので、自分でも頑張ろうと思えたのですが、その背景には先人の女性研究者の大きな努力があったことを改めて思い知りました。

一九九八年に東北大学医学部に教授で着任したとき、まわりに誰も女性教授がいないという現実を目の当たりにしたことが、私自身の女性研究者育成活動の原点です。同学の法学研究科教授で憲法学者の辻村みよ子先生の立ち上げられた東北大学男女共同参画委員会の活動として学内環境整備を進めるとともに、とくに、日本で少ない理系の女性研究者の裾野拡大を目的として東北大学にサイエンス・エンジェル（現サイエンス・アンバサダー）制度を開始し、リーダー育成と両立支援に関するさまざまな取り組みを行ってきましたが、日本の歩みの遅いことに忸怩《じくじ》たる思いがあります。

本書を読みながら何が一番、障害なのかを考えました。思い当たるのは、日本では政治や経済の分野に女性が圧倒的に少ないことです。二〇二二年の統計では、衆議院議員の女性比率が九・九％、参議院が二五・八％となっています。政治・行政・民間・学術分野、どの分野でも女性が三割程度に達すると、その効果は相乗的になり、波状的に広がることが考えられます。このあたりは第6章を参照ください。

とはいえ、くだんのMITも、女性教員の割合が一九六三年のゼロから、一九九五年には八％になり、二〇一四年に一九・二％になったところで停滞していることにコルウェル先生は気づきます。第9

2　熊谷晋一郎 著、『当事者研究——等身大の〈わたし〉の発見と回復』、岩波書店（二〇二〇年）。

章で、若い女性から「何か変わったのでしょうか？」と尋ねられたら「イエス。私の母校であるパデュー大学やワシントン大学には、女性の学長がいる」と答えるが、「じゃあ、もう安心していいんですね？」と聞かれたら「ノー」と答えるだろうと説かれます。「……心の底で、科学的能力は男性だけが持つY染色体に結びついているといまだに信じている」科学者がいる限り、サイエンスにおけるジェンダーパリティ（男女比の均衡）の達成のためには、たゆまぬ努力が必要です。それは世代を超えて、バトンを受け継いでいく営みといえるでしょう。

本書は"No, Girls Can't Do That!"というタイトルの第1章で始まり、最終章"We Can Do It"で閉じられます。第8章では、科学の分野からさらにビジネスの世界におけるジェンダーギャップや無意識のバイアスの事例について取り上げられ、第9章では、コルウェル先生の広い見識に基づき、大所高所から制度の問題について論じられます。最終の第10章には、より具体的なアドバイスが満載。「なぜ、女性が参画しなければならないのか？　今までどおりで何が悪いのか？」と信じている方もいますが、コルウェル先生は「人口の百パーセントから生まれる最良の結果は、人口の五十パーセントから生まれる最良の結果よりもつねに優れている」という信念を貫いておられます。さまざまな女性科学者からのアドバイスの言葉も引用。私がもっとも気に入ったのは、プリンストン大学元学長、シャーリー・M・ティルマン先生の言葉です。「女の子に自立せよと教えなさい。世の中が完全に平等であれば、そんなことを教える必要はないのだが、現状では公平とは言えないので、そうせざるをえないのだ」（第4章でも引用されています）。

今年、九月三〇日に東北大学にて女子大生誕生百十周年を記念する式典を開催し、佳子内親王殿下にお成りいただき、おことばを賜りました。社会に存在する偏見が個人の可能性や選択肢を制限したり、個人が自分自身の可能性や選択肢を制限しうることの問題点を指摘され、多様な人々が力を発揮し、意見を交換できる社会となって欲しいという、まさに、本書でコルウェル先生が主張されたことに通じることばが、聴衆の胸に染み込みました。

監訳のお話をいただいたのは、二〇二二年の春。東京化学同人編集部の杉本夏穂子氏からのメールには、日本学術振興会ワシントン研究連絡センター所長の平田光司先生より本書を紹介されたことが記されていました。冒頭にも触れましたが、コルウェル先生を尊敬していた私として、即答でお引き受けするとともに、翻訳は大学の先輩でもあり、日経サイエンスなどの翻訳記事を多数手がけておられる古川奈々子先生にお願いしたいとお伝えし、ご快諾いただきました。古川先生のセンスある日本語がとても読みやすく、杉本さんの丁寧な編集も相まって、自信を持って本書を送り出すことができます。

皆が自らの可能性を最大限に生かす道を選ぶことができ、それが当たり前の社会になることを願い、多数の方々のご縁がつながった本書が、より多くの方々に届きますように！

日本で初めて百十年前に女子学生が誕生した仙台にて

大隅典子（東北大学副学長および附属図書館長、
東北大学大学院医学系研究科教授）

追記：本書の監訳を行っていた二〇二三年八月の頭、日本のアカデミアにおける男女共同参画推進に尽力されてこられた大坪久子先生の訃報が届きました。大坪先生は日本分子生物学会という、基礎生命科学系で最大の学会に男女共同参画ワーキンググループを立ち上げられ、年会開催中の託児ルームの設置などを実現し、ワーキンググループは後に委員会に昇格となりました。自然科学系の「男女共同参画学協会連絡会」の黎明期より活躍され、一万五千人規模のウェブアンケートをもとに女性研究者支援施策に関する提言を準備し、それは各種の施策につながりました。長年の功績に対して、二〇一五年に、東北大学から第二回澤柳政太郎記念男女共同参画賞をお贈りしました。ご闘病中の噂は聞こえていましたが、本書が刊行されたら真っ先に謹呈したいと思っていたにも関わらず、それが叶わぬこととなってしまったのは、かえすがえす残念です。合掌。

女性が科学の扉を開くとき
偏見と差別に対峙した六〇年
NSF長官を務めた科学者が語る

大隅典子 監訳

2023年11月14日 第1刷 発行

ISBN978-4-8079-2050-1

発行者
石田勝彦

発行所
株式会社 東京化学同人
東京都文京区千石3-36-7（〒112-0011）
電話 (03)3946-5311
FAX (03)3946-5317
URL https://www.tkd-pbl.com/

印刷 中央印刷株式会社
製本 株式会社 松岳社

Printed in Japan

【著　者】

リタ・コルウェル　Rita Colwell

米国の草分け的な微生物学者・分子生物学者・生態学者であり，米国国立科学財団（NSF）の長官となった最初の女性でもある．メリーランド大学とジョンズ・ホプキンズ大学ブルームバーグ公衆衛生大学院の特別栄誉教授．米国科学アカデミーなど各国の科学アカデミーの選出会員であり，天皇陛下から旭日重光章，スウェーデン国王からストックホルム水賞，シンガポール首相からシンガポールの水賞，米国大統領から国家科学賞を授与されている．母校のパデュー大学をはじめ，62の大学から名誉博士号を授与されている．日本では，2017年に国際生物学賞を受賞，科学技術振興機構の国際評価委員，東京大学プレジデンツ・カウンシル・メンバー，沖縄科学技術大学院大学学園理事など，政府機関や大学の委員・理事を歴任．

シャロン・バーチュ・マグレイン　Sharon Bertsch McGrayne

『Nobel Prize Women in Science（お母さん，ノーベル賞をもらう――科学を愛した14人の素敵な生き方)』，『The Theory That Would Not Die: How Bayes' Rule Cracked the Enigma Code, Hunted Down Russian Submarines and Emerged Triumphant from Two Centuries of Controversy（異端の統計学 ベイズ)』など，科学史に関する3冊の著書がある．シアトル在住．

【監訳者】

大隅典子　おおすみ・のりこ

東北大学大学院医学系研究科教授．2018年より東北大学副学長（広報・共同参画担当）および附属図書館長を兼務．神奈川県に生まれ，東京医科歯科大学大学院歯学研究科を修了．歯学博士．専門は発生発達神経科学，分子生物学，神経発生学．科学・技術の啓蒙や女性研究者育成に関する支援活動にも力を注ぎ，「ナイスステップな研究者2006」「令和4年度科学技術分野の文部科学大臣表彰（理解増進部門)」，2022年には東北大学として「第4回輝く女性研究者活躍推進賞（ジュン アシダ賞)」を受賞．専門分野の啓蒙書『小説みたいに楽しく読める脳科学講義』（羊土社）から，『理系女性の人生設計ガイド 自分を生かす仕事と生き方』（共著，講談社ブルーバックス）など女性科学者のためのものまで，幅広い著訳書がある．

【訳　者】

古川奈々子　ふるかわ・ななこ

翻訳家．東京医科歯科大学歯学部卒．日経サイエンス，Nature誌日本語版への翻訳協力など，医学生物学系を中心に翻訳を行っている．訳書に『「幸せをお金で買う」5つの授業』（中経出版)，『一万年の進化爆発――文明が進化を加速した』（日経BP)，『生きるよすがとしての神話』（共訳，角川ソフィア文庫）など．東京都在住．

謝　辞

人生とは，率直なところ，庭に似ている．美しい色とりどりの花々が咲き乱れ，時の雑草の中に点在する庭に．そうした雑草の中には甘い香りを放つものもあれば，チクチクしたり，時には棘《とげ》を持っていたりするものもある．私自身の思い出の庭は，思いやりと多くの優しさに満ちている……そして，少数ながらいくつか棘もところどころに存在している．まず，私に喜びと幸福を与えてくれた人たちに感謝を述べたい．公正さと平等，そして学習の力を重視し，私に土台と強力な保護を与えてくれた父 Louis Rossi，いつもそばにいて心の支えとなり，無条件の愛を与えてくれる姉たち Marie George，Yolanda Frederikse，Paola Biola，冒険と探検の生涯を共に生きてきた愛する夫 Jack Colwell，私の人生を有意義なものにしてくれた美しく才能あふれる娘たち Alison Colwell と Stacie Colwell，そして，新しい次元をもたらしてくれたことに対し，永遠に深く感謝している義理の息子たち Richard Canning と Bruce Ponman へ．

終わりのなき修正と，正確さと文脈を追求する苦悩を共に耐えてくれた忍耐強い私のアシスタント，Vickie Lord.

たくさんの私の教え子たち全員に心から感謝する．特に，Anwarul Huq，James Kaper，Jody Deming，Tamar Barkay，Ronald Sizemore，James Oliver，John Schwarz，金子龍男，Ronald Citarella，Sharon Berk，木暮一啓，Dawn Allen-Austin，Brian Austin，Ivor Knight，Darlene Roszak MacDonell，Steven Orndorff，Charles Somerville，Paul Tabor そして Nur Hasan は，素晴らしい研究成果と多くの議論を通じてこの本に貢献してくれた．

また，多くの友人や同僚もこの本に貢献してくれた．特に，同僚の Antarpreet S. Jutla，Ben Shneiderman，Sam Joseph，Ben Cavari，Carla Pruzzo，Monique Pommepuy，Dominique Hervio-Heath，Patrick Monfort，Nancy Hopkins，Robert Birgeneau，Paul G. Gaffney II，その他多くの素晴らしい同僚，元学生，ポスドク，そして英国，ヨーロッパ，アジア，中南米，アフリカ，オーストラリア，ニュージーランド，カナダからの訪問科学者に感謝する．

共著者の Sharon Bertsch McGrayne には特に感謝しなければならない．彼女は，事実やデータを探し出すことにかけては並外れた才能を発揮し，そのすべて

を理にかなったものにしてくれた．彼女の協力なしには，この本を書くことはできなかった．

Priscilla Painton，Megan Hogan，Susan Rabiner に特別に感謝したい．彼女たちは，緊急事態や危急の事情，時として起こる危機的状況に直面しても，常に冷静かつ理性的に対処し，忍耐と善意を示してくれた．

——リタ・ロッシ・コルウェル

◆◆◆

まず，一緒にこの本を書き上げ，彼女から学ぶ機会を与えてくれた Rita Colwell に感謝したい．また，このプロジェクトを信じ，最初から最後までサポートしてくれた Priscilla Painton にも感謝しなければならない．彼女は，私が期待するすべてを持つ理想の編集者だった．彼女の非常に有能なアシスタント Megan Hogan と Hana Park は，それぞれハードカバー版とペーパーバック版の製作を助けてくれ，その素晴らしい仕事ぶりに感謝している．メリーランド大学の Vickie Lord は，いつでも情報を提供してくれ，元気づけてくれた．エージェントの Susan Rabiner については，彼女の長年のサポートと洞察力のある助言がなければ，本書は存在しなかっただろう．

また，快くインタビューを許可してくれた以下の方々にも感謝する．

プロローグ

Margaret Walsh Rossiter

1　女の子はだめ！

Paola Biola, Barbara Cohn Younger, Jack H. Colwell, Andrew G. DeRocco, John G. Holt, David M. Hovde, Margaret Jauron Luby, Dale Kaiser, Henry Koffler, Lorna Laroe Lieberman, Marianne Mayer Wentzel, Laura L. Mays Hoopes, Harry Morrison, Wenham Museum, Yolanda Rossi Frederikse, Marie Rossi George, Marilyn Treacy Miller Fishman および William Wiebe

2　ひとりぼっち　つぎはぎの教育

Artrice F. Valentine Bader, Anna W. Berkovitz, William J. Browning, George Chapman, Kenneth K. Chew, J. Alfred Chiscon, Martha O. Chiscon, Lorraine

Daston, Jody Deming, Bruce Gochnauer, Karen Gochnauer, Nancy Gochnauer, Benjamin D. Hall, Margaret A. Hall, Estella Leopold, John Liston, Richard Y. Morita, Harry A. Morrison, M. Patricia Morse, Eugene Ernest Nester, Father Joseph Allen Panuska, Helen Remick, James T. Staley, Frieda B. Taub, Shirley M. Tilghman, Suzanne E. Vandenbosch, Arthur H. Whiteley およびアーキビストの John D. Bolcer と Kathleen Brennan

3　女性同士の連帯が必要

Ben A. Barres, Joan W. Bennett, Sheila Bird, Charlotte G. Borst, Jean E. Brenchley, Lynn Caporale, Eugenie Clark, Carol A. Colgan, Kelly Marjorie M. Cowan, Elizabeth L. R. Donley, Walter R. Dowdle, Richard A. Finkelstein, Angela Ginorio, Michael Goldberg, Florence P. Haseltine, Nancy Hopkins, Rita Horner, Alice S. Huang, Barbara H. Iglewski, Samantha B. Joye, Sally Frost Mason, Anne Morris-Hooke, Frederick C. Neidhardt, Vivian Pinn, Şue V. Rosser, Margaret Walsh Rossiter, Sara Rothman, Karla Shepard Rubinger, Moselio Schaechter, Pat Schroeder および ASM アーキビストの Jeff Kar. また，2014 年 4 月 29 日～30 日にボルチモア郡にあるメリーランド大学の微生物学史センター/ASM アーカイブ（CHOMA）を訪問するための旅費を ASM に提供してもらったことにも感謝している．

4　事実を白日のもとに

Lotte Bailyn, Penny Chisholm, Nancy Hopkins, Marc A. Kastner, Marcia McNutt, Christiane Nüsslein-Volhard, Shirley Tilghman および MIT プロボストオフィス機関研究部長 Lydia J. Snover からの情報

5　コレラ

Amanda Allen, Tamar Barkay, Sharon Berk, Jack H. Colwell, Jody W. Deming, William “Buck” Greenough, D. Jay Grimes, Patricia Guerry, John G. Holt, Anwar Huq, Samuel W. Joseph, Antarpreet S. Jutla, James B. Kaper, Ivor T. Knight, Darlene Roszak MacDonell, Patricia Morse, James D. Oliver, Steve A. Orndorff, Estelle Russek-Cohen, R. Bradley Sack, Ronald Sizemore, Charles Somerville, Mark Stromm, Paul S. Tabor, Michelle L. Trombley およびアーキビストの Leslie Fields（マウント・ホリヨーク大学）; Louise S. Sherby と Christopher Browne

（ハンター・カレッジ）; James Stimpert（ジョンズ・ホプキンズ大学）; Jeanne d'Agostino（メモリアル・スローン・ケタリング癌センター）

6　女性が増えれば科学は進歩する

Ruzena Bajcsy, Barry Barish, Diana Bilimoria, Amy Bix, Joseph Bordogna, Norman Bradburn, Norma Brinkley, Mary E. Clutter, Jack H. Colwell, Thomas N. Cooley, Robert W. Corell, Margo H. Edwards, Karl A. Erb, Rachel A. Foster, Jillian Freese, Valerie G. Hardcastle, Alice Hogan, Stacie Furst Holloway, Anwar Huq, Bethany Jenkins, Margaret Leinen, Marcia K. McNutt, Barbara A. Mikulski, Constance A. Morella, Anna Ruth Robuck, Marty Rosenberg, Vernon D. Ross, Tatiana Rynearson, Barbara E. Silver, Howard J. Silver, Alexa Sterling, Philippe M. Tondeur, Michael S. Turner および NSF アーキビストの Leo Slater

7　炭疽菌入りの手紙

Teresa G. "Terry" Abshire, Bruce Budowle, Thomas A. Cebula, Richard Danzig, R. Scott Decker, Daniel Drell, John Ezzell, Steve Fienberg, Claire M. Fraser, Gigi Kwik Gronvall, Jeanne Guillemin, Paul J. Jackson, Norman Kahn, Paul S. Keim, Michael R. Kuhlman, Vahid Majidi, Matthew Meselson, Ari A. N. Patrinos, John R. Phillips, Adam Phillippy, Mihai Pop, Jacques Ravel, Timothy D. Read, Steven L. Salzberg, Scott T. Stanley, Ronald A. Walters, David Willman, Linda Zall および Raymond Zilinskas

**8　オールドボーイズクラブから
ヤングボーイズクラブ，そして慈善事業家まで**

Linda Babcock, Candida Brush, Alan H. DeCherney, Samantha Joye, Marc Kastner, Robbie Melton, Charles "Chuck" Miller, Amy Millman, Carol A. Nacy, Ginny Orndorff, Steve Orndorff および Kurt Soderlund

9　個人ではなくシステムの問題

Arturo Casadevall, Jennifer T. Chayes, Jo Handelsman, Nicole Smith, Claude M. Steele, Lee J. Tune および Jay Van Bavel

10　実現できる！
Tamar Barkay, Ben Barres, Ruth Ann Bertsch, Constance L. Cepko, Andrei Cimpian, Lorraine Daston, Florence Haseltine, Marie Hicks, Nancy Hopkins, Alice Huang, Crystal H. Johnson, Marcia McNutt, Amy Millman, Lucy Sanders, Shirley M. Tilghman および John West

すべての人々に感謝する．

——シャロン・バーチュ・マグレイン

◆◆◆

また，草稿段階の本書またはその一部について，協力したり，批評してくれた多くの方々にも感謝したい．その方々は以下の通り．

Theresa G. Abshire, Ashley Bear, Joan Bennett, Fred Bertsch, Ruth Ann Bertsch, Marie-Joelle Dominioni Blaizot, Bruce Budowle, Richard Canning, Davis J. Cassel, Barbara Cohn Younger, Jean Colley, Alison Colwell, Jack H. Colwell, Stacie Colwell, France Córdova, Scott Decker, Jody Deming, Jennifer Doudna, Elizabeth Morrow Edwards, Claire M. Fraser, Yolanda Rossi Frederikse, Marie Rossi George, Angela Ginorio, Maria Y. Giovanni, Jeanne Guillemin, Jo Handelsman, Dominique Hervio-Heath, Alice Huang, Sam Joseph, Antarpreet S. Jutla, Norman Kahn, Carolyn W. Keating, Ivor Knight, Michael R. Kuhlman, Neal Lane, Hilary Lapin-Scott, Margaret Leinen, Rachel Levinson, Victoria Lord, Gary Machlis, Matthew Meselson, Patrick Monfort, Anne Morris-Hooke, Emilia Muller-Ginorio, James D. Oliver, Ari A. N. Patrinos, John R. Phillips, Monique Pommepuy, Bruce Ponman, Carla Pruzzo, Jacques Ravel, Kitsy Rigler, Debra Samson, Ben Schneiderman, Frieda Taub, Ronald A. Walters, Audrey Weitkamp, David Willman および Chuck Wilson.

◆推薦図書◆

Epstein, Paul R., and Dan Ferber. *Changing Planet, Changing Health: How the Climate Crisis Threatens Our Health and What We Can Do About It*. Berkeley: University of California Press, 2011.

Manning, Kenneth R. *Black Apollo of Science: The Life of Ernest Everett Just*. New York: Oxford University Press, 1983.

McGrayne, Sharon Bertsch. *Nobel Prize Women in Science: Their Lives, Struggles, and Momentous Discoveries*. 2nd ed. Washington, DC: National Academies Press, 1998［初版邦訳：中村桂子 監訳，中村友子 訳，『お母さん，ノーベル賞をもらう――科学を愛した 14 人の素敵な生き方』，工作舎（1996）］.

National Academies of Sciences, Engineering, and Medicine. *Sexual Harassment of Women: Climate, Culture, and Consequences in Academic Sciences, Engineering, and Medicine. Washington*, DC: National Academies Press, 2018.

National Academy of Sciences. *Seeking Solutions: Maximizing American Talent by Advancing Women of Color in Academia*. Washington, DC: National Academies Press, 2013.

Rosenberg, Charles A. *The Cholera Years: The United States in 1832, 1849, and 1866*. 2nd ed. Chicago: University of Chicago Press, 1987.

Rossiter, Margaret W. *Women Scientists in America*. 3 vols. Baltimore: Johns Hopkins University Press, 1995.

Schwartz, Neena B. *A Lab of My Own*. New York: Rodopi, 2010.

Steele, Claude M. *Whistling Vivaldi: How Stereotypes Affect Us and What We Can Do*. New York: W. W. Norton, 2010［邦訳：藤原朝子 訳，『ステレオタイプの科学――「社会の刷り込み」は成果にどう影響し，わたしたちは何ができるのか』，英治出版（2020）］.

Willman, David. *The Ames Strain: The Mystery Behind America's Most Deadly Bioterror Attack*. 2nd ed. Brooklyn, NY: February Books, 2014.

原 注

特に断りのない限り，記載したインタビューはすべてシャロン・バーチュ・マグレインによる電話取材である．また，電子メールもマグレイン宛に送られた．

プロローグ　女性科学者はずっと存在していた

1　マーガレット・ウォルシュ・ロシター：Margaret Walsh Rossiter interview, December 8, 2019, and emails from October 6 and December 3 and 4, 2019; Susan Dominus, “Women Scientists Were Written Out of History,” *Smithsonian Magazine*, October 2019.

1　女の子はだめ！

5　同僚たちでさえ…畏縮してしまうことがある：Al Chiscon, interview, October 2, 2013.

7　イタリア系アメリカ人にとっては苦難の時代だった：Helene Stapinski, “When America Barred Italians,” *New York Times*, June 2, 2017; Rita James Simon, *In the Golden Land: A Century of Russian and Soviet Jewish Immigration in America*（Westport, CT: Praeger, 1997）, 15–16; *The Ambivalent Welcome*（Santa Barbara, CA: Praeger, 1993）, 72; Mahzarin R. Banaji and Anthony G. Greenwald, *Blindspot: Hidden Biases of Good People*（New York: Delacorte Press, 2013）, 77［邦訳：北村英哉・小林知博 訳，『心の中のブラインド・スポット――善良な人々に潜む非意識のバイアス』，北大路書房（2015）］．

7　玄関のドアがノックされた：Marie Rossi George, interview, January 5, 2019.

11　いま思うと，ボックス先生は，…と考えていたのではないかと思う：In Russell L. Cecil, ed., *A Textbook of Medicine*, 7th ed.（Philadelphia: W. B. Saunders, 1947–48）: Cary Eggleston, “Myocardial Infarction,” 1124–25; Dickinson W. Richards, “Diseases of the Bronchi,” 917–18, 920–23; Russell L. Cecil, “Pneumococcal Pneumonia,” 129.

12　卒業アルバム：Barbara Cohn Younger, interview, July 15, 2013; Lorna Laroe Lieberman, interview, July 16, 2013.

14　化学の教師：H. S. Gutowsky, *1972–3 Annual Report, School of Chemical Sciences*（Champaign: University of Illinois Champaign-Urbana, August 1973）.

14　天文学者のナンシー・ローマン：Emily Langer, “Nancy Grace Roman, Astronomer, Celebrated as ‘Mother’ of the Hubble, Dies at 93,” *Washington Post*, December 28, 2018.

14　不思議ではない：“President Kennedy’s Commission on the Status of Women,” Washington, DC: PCSW, 1961; and 60.

14　ハーバード大学の学部生向けのラモント図書館：“HUC Demands Cliffies Be Kept Out of Lamont,” *Harvard Crimson*, January 4, 1966.

15　連邦政府は，…変えていた：Robert W. Topping, *A Century & Beyond: The History of Purdue* (Lafayette, IN: Purdue University Press, 1989), 255, 264.

17　政府支援の黄金期：Margaret W. Rossiter, *Women Scientists in America: Before Affirmative Action, 1940–1972*, vol. 2 (Baltimore: Johns Hopkins University Press, 1995), 48–49, 123.

18　ローラ・L・メイズ・フープス：Laura L. Mays Hoopes, *Breaking Through the Spiral Ceiling: An American Woman Becomes a DNA Scientist* (Morrisville, NC: Lulu Publishing, 2013), 29–34.

18　ガーティ・ラドニッツ・コリ：Sharon Bertsch McGrayne, *Nobel Prize Women in Science: Their Lives, Struggles, and Momentous Discoveries* (Washington, DC: National Academies Press, 1998), 93–116［邦訳：中村桂子 監訳，中村友子 訳，『お母さん，ノーベル賞をもらう――科学を愛した14人の素敵な生き方』，工作舎（1996）］.

19　マリア・ゲッパート・メイヤー：McGrayne, *Nobel Prize Women in Science*, 175–200.

19　イボンヌ・ブリル：Douglas Martin, "Yvonne Brill, a Pioneering Rocket Scientist, Dies at 88," *New York Times*, March 30, 2013; Margaret Sullivan, "Gender Questions Arise in Obituary of Rocket Scientist and Her Beef Stroganoff," *New York Times*, March 30, 2013.

20　バーバラ・マクリントック：McGrayne, *Nobel Prize Women in Science*, 144–74.

20　ロザリンド・フランクリン：McGrayne, *Nobel Prize Women in Science*, 304–32; Brenda Maddox, *Rosalind Franklin: The Dark Lady of DNA* (New York: HarperCollins, 2002)［邦訳：福岡伸一 監訳，鹿田昌美 訳，『ダークレディと呼ばれて――二重らせん発見とロザリンド・フランクリンの真実』，化学同人（2005）］; James D. Watson, *Genes, Girls, and Gamow* (Oxford, UK: Oxford University Press, 2001)［邦訳：大貫昌子 訳，『ぼくとガモフと遺伝情報――ワトソン博士が語るDNAパラダイム誕生の舞台裏』，白揚社（2004）］; Charlotte Hunt-Grubbe, "The Elementary DNA of Dr. Watson," *Sunday Times* (London), October 14, 2007.

21　ワトソンは，…剥奪された：Adam Rutherford, "He May Have Unravelled DNA, but James Watson Deserves to Be Shunned," *Guardian* (UK), December 1, 2014.

21　アリス・キャサリン・エバンス：Rita R. Colwell, "Alice C. Evans: Breaking Barriers," *Yale Journal of Biology and Medicine* 72, no. 5 (September-October 1999).

23　正教授として雇用されていた女性は二十九人：Rossiter, *Women Scientists in America*, 2:128–29.

23　ドロシー・パウエルソン：University of Georgia yearbook for 1937 and 1938, student records, and Alumni Association; University of Wisconsin Graduate School 1942–1945, faculty employment form, Sigma Delta Epsilon scrapbook; University of Maine in Orono, "Workers in Land Grant Colleges and Stations," US Department of Agriculture Miscellaneous Publication 677, Washington, DC, April 1949, 42; July 1959 photograph, パデュー大学のアーキビスト Stephanie Schmidt，彼女の科学的なバックグラウンドとパデューでのポジションに感謝する；*Purdue University Bulletin School of Science Announcements* for the years 1952–53, 1953–54, 1954–55, 1955–56, 1956–57, 1957–58, and 1958–59, Purdue University, Lafayette, IN.

24　本当のところ私はコフラーが好きではなかった：John G. Holt, interview, November 1, 2012; Chiscon, interview.
25　スタンフォード大学の二人の男性研究者：Dale Kaiser and Martin Dworkin, "From Glycerol to the Genome," in *Myxobacteria*, ed. David E. Whitworth（Washington, DC: ASMScience, 2008）, 3–15.
26　否定しなかった：Henry Koffler, interview, January 2, 2013.

2　ひとりぼっち　つぎはぎの教育

29　こうした閉鎖的なやり方：David Stadler, "Herschel Roman and 50 Years of Genetics at the University of Washington"（presentation to the University of Washington Department of Genetics seminar, Seattle, WA, December 14, 1992）; Nancy Hopkins, "The Changing Status and Number of Women in Science and Engineering at MIT"（keynote to the MIT150 symposium Leaders in Science and Engineering: The Women of MIT, MIT, Cambridge, MA, March 28, 2011）, 4.
30　一九五〇年代から六〇年代におけるそのスケール：Linda Eisenmann, *Higher Education for Women in Postwar America 1945–1965*（Baltimore, MD: Johns Hopkins University Press, 2006）; Lorraine Daston, interview, Seattle, WA, April 19, 2017.
30　マーガレット・A・ホールの『ワシントン大学における女性の歴史』：Margaret A. Hall, "A History of Women Faculty at the University of Washington, 1896–1970"（PhD diss., University of Washington, 1984）, and interview, Bellevue, WA, April 11, 2013; Benjamin D. Hall, interview, Bellevue, WA, April 11, 2013.
31　アーナ・ガンサー：Viola E. Garfield and Pamela T. Amoss, "Erna Gunther（1896–1982）," *American Anthropologist* 86, no. 2（June 1984）.
32　ディキシー・リー・レイ：Erik Ellis, "Dixy Lee Ray, Marine Biology, and the Public Understanding of Science in the United States（1930–1970）"（PhD thesis, Oregon State University, 2006）; Dixy Lee Ray with Lou Guzzo, *Trashing the Planet: How Science Can Help Us Deal with Acid Rain, Depletion of the Ozone, and Nuclear Waste（Among Other Things）*（Washington, DC: Regnery Gateway, 1990）.
32　ドラ・プリオール・ヘンリー：P. A. McLaughlin, "Dora Priaulx Henry（24 May 1904–16 June 1999）," *Journal of Crustacean Biology* 20, no. 1（2000）.
32　ヘレン・リアボフ・ホワイトリー：Arthur H. Whiteley, interview, Seattle, WA, January 9, 2013; Eric Pryne, "Helen R. Whiteley, UW Professor," *Seattle Times*, January 1, 1991; Laura L. Mays Hoopes, interview, April 8, 2015.
32　州の反縁故法と大学の規則：Hall, *A History of Women Faculty*; Rossiter, *Women Scientists in America*, 2:123–28, 138–41.
34　フリーダ・B・タウブ：Frieda B. Taub, interview, Seattle, WA, December 15, 2012, and emails.
36　アンナ・ホワイトハウス・ベルコビッツ：Anna W. Berkovitz, interview, April 7, 2014.
38　バイオレット・ブッシュウィック・ハース：Pamela G. Coxson, "In Remembrance of Violet Bushwick Haas（1926–1986）," *AWM Newsletter* 16, no. 4（1986）: 2–3.
39　チスコン：Al Chiscon and Martha Chiscon, interviews, October 2, 2013.
41　ジョン・リストン：John Liston, interviews, Bothell, WA, May 31 and August 9, 2012.

43　エミー・クラインバーガー＝ノーベル：Emmy Klieneberg-Nobel, *Memoirs* (London: Academic Press, 1980), 80–81.
44　サイズは大型冷蔵庫三台分：Howard Wainer and Sam Savage, review of *The Theory That Would Not Die*, by Sharon Bertsch McGrayne, *Journal of Educational Measurement* 49, no. 2 (June 25, 2012).
45　著名な学術誌ネイチャーに：R. R. Colwell and J. Liston, "Taxonomy of Xanthomonas and Pseudomonas," *Nature* 191 (1961): 617–19.
48　シャーリー・M・ティルマン：Tilghman Presidential Speeches, Princeton University, February 28, 2006.
49　マーガレット・ブリッグス・ゴッホナウアー：Nancy, Bruce, and Karen Gochnauer, interviews, December 2012.
49　エリザベス・マッコイ：Rossiter, *Women Scientists in America*, 2:134, table 6.3.
51　掲示板に貼られた小さな通知：Richard Y. Morita, interview, 2013.
51　ジョージ・チャップマン：George Chapman, interviews, August 13 and 22, 2012, and letter, August 29, 2012.
52　サラ・P・ギブス：Sarah P. Gibbs, "Fighting for My Own Agenda: A Life in Science," in *Our Own Agendas: Autobiographical Essays by Women Associated with McGill University*, eds. Margaret Gillett and Ann Beer (Montreal: McGill-Queen's University Press, 1995).
53　西海岸の（男性の）競争相手：Confidential interview, August 30, 2016.
55　近くのジョンズ・ホプキンズ大学…には二人の女性しかいなかった：Rossiter, *Women Scientists in America*, 2:134, table 6.3.
57　アートリス・バレンティン・ベイダー：Artrice F. Valentine Bader, interviews, March 5 and 20, 2018.
58　来年：Chapman, interviews and letter; Father Joseph Allen Panuska, interview, August 18, 2010.

3　女性同士の連帯が必要

59　バーニス・R・"バニー"・サンドラー：Bernie "Bunny" Sandler, " 'Too Strong for a Woman'—The Five Words That Created Title IX," *Equity & Excellence in Education* 33, no. 1 (April 2000), and "Title IX: How We Got It and What a Difference It Made," *Cleveland State Law Review* 55, no. 473 (2007); www.bernicesandler.com; Rossiter, *Women Scientists in America*, 2:374–77, and vol. 3, *Forging a New World Since* 1972, xvii–xviii, 21–22.
61　ウォールストリート・ジャーナル紙のジョナサン・スピバック：Jonathan Spivak, "New Higher-Education Bill Provides More Funds, but Sex-Bias Section Could Spark Controversy," *Wall Street Journal*, July 13, 1972.
62　何千人もの女性が突然…大幅な昇給を受けた：Sandler, "Title IX," 486.
62　教育機関は初めて，公募による求人を行い：Rossiter, *Women Scientists in America*, 3:26, 31.
63　ベン・A・バレス：Ben A. Barres, emails to McGrayne, September 11, 16, 18, and 19, 2016. Also Barres, "Does Gender Matter" *Nature* 442 (July 13, 2006), "Some Reflections on the 'Dearth' of Women in Science" (lecture, Harvard University, March

17, 2008), letter to the editor, *New York Times*, August 12, 2017, and *The Autobiography of a Transgender Scientist* (Cambridge, MA: MIT Press, 2018). Also about Barres: Shankar Vedantam, "Male Scientist Writes of Life as Female Scientist," *Washington Post*, July 13, 2006; Amy Adams, "Barres Examines Gender, Science Debate and Offers a Novel Critique," *Stanford Report*, July 26, 2006; Niuniu Teo, "Transgender Professor Advocates for Women in Science," *Stanford Daily*, October 4, 2013; Neil Genzlinger, "Ben Barres, Neuroscientist and Equal-Opportunity Advocate, Dies at 63," *New York Times*, December 29, 2017; Matt Schudel, "Ben Barres, Transgender Brain Researcher and Advocate of Diversity in Science, Dies at 63," *Washington Post*, January 2, 2018.

65 「回転ドアの時代」: Rossiter, *Women Scientists in America*, 3:33.

65 サリー・フロスト・メイソン：Sally Frost Mason, interview, April 8, 2014, and email, April 16, 2014.

66 リン・カポレイル：Lynn Caporale, interview, October 15, 2015.

67 リタ・ホーナー：Rita Horner, interview, December 19, 2012.

68 スー・V・ロッサー：Sue V. Rosser, *Breaking Into the Lab: Engineering Progress for Women in Science* (New York: New York University Press, 2012), 1.

68 名門大学の女性教員の数が減少した：Rossiter, *Women Scientists in America*, 3:33.

69 「シャークレディ」: Eugenie Clark, *Lady with a Spear* (New York: Harper & Row, 1951)［邦訳：末広恭雄 訳,『銛をうつ淑女——南海に奇魚を求めて』, 法政大学出版局 (1954)］, *The Lady and the Sharks* (New York: Harper & Row, 1969), and email, January 24, 2013.

70 米国内分泌学会の女性たちは, …ヤロウを…：Neena B. Schwartz, *A Lab of My Own* (New York: Rodopi, 2010), 118.

71 ファンは中国で生まれた：Huang, interviews, April 13, 2014, and May 17, 2019.

72 離婚や死別はキャリアの終了を意味していた：Katy Steinmetz, "Esther Lederberg and Her Husband Were Both Trailblazing Scientists and Why More People Heard of Him," *Time*, April 11, 2019; Rossiter, *Women Scientists in America*, 2:118, 155, 331; *American Men and Women of Science 1992–1993*, 18th ed. (New Providence, NJ: R. R. Bowker, 1992).

72 カナダの著名な心理学教授：Hans Selye, "Who Should Do Research," in *From Dream to Discovery: On Being a Scientist* (New York: McGraw-Hill, 1964)［邦訳：田多井吉之介 訳,『夢から発見へ』, ラテイス (1969)］.

73 博士号を持つ女性生物学者が…直面する問題について, …の調査：Eva Ruth Kashket et al., "Status of Women Microbiologists: A Preliminary Report," *Science* 183, no. 4124 (February 8, 1974): 488–94; Mary Louise Robbins, "Status of Women Microbiologists: A Preliminary Report," *ASM News* 37 (1971): 34–40.

74 廊下に掲示した巨大なグラフ："Committee on Women Enters Second Quarter Century," *ASM News* 63, no. 3 (1996): 148–89.

74 メアリー・"ポリー"・バンティング：Huang, interview April 13, 2014; Linda Eisenmann, *Higher Education for Women in Postwar America, 1945–1965* (Baltimore: Johns Hopkins University Press, 2006), 179–205; Karen W. Arenson, "Mary Bunting-Smith, Ex-President of Radcliffe, Dies at 87," *New York Times*, January 23,

1998.

75　ジュディス・グラハム・プールと内分泌学者のニーナ・B・シュワルツ：Schwartz, *A Lab of My Own*, 110; Lisa Lepson, "Judith Graham Pool 1919–1975," *Jewish Women: A Comprehensive Historical Encyclopedia*, Jewish Women's Archive, February 27, 2009, https://jwa.org/encyclopedia/article/pool-judith-graham.

76　シュワルツが…採用されたのは：Schwartz, *A Lab of My Own,* 71.

76　医科学分野の女性が，…獲得できていない：Rossiter, *Women Scientists in America*, 3:3–4; Schwartz, *A Lab of My Own*, 110–11.

77　バニー・サンドラーと女性科学者協会：Rossiter, *Women Scientists in America*, 3:29–40.

78　マージョリー・クランドール：Crandall and Louden letter, in Colwell: Presidential: Boards (PSAB): folder 20, ASM Archives, Center for the History of Microbiology/ASM Archives (CHOMA), University of Maryland, Baltimore County.

79　七百五十人の「専門家」ボランティア：Jeff Karr (ASM archivist), email, July 9, 2014.

80　男性が監督した映画：Sara Buckley, "Women Make Gains in Independent Films," *New York Times*, June 19, 2019.

80　サラ・S・ロスマンの家に集まり：Sara Rothman, interview, June 19, 2014.

81　アルバート・バロウズ：Letter to Frederick Neidhardt, June 14, 1982, ASM Archives.

81　フレデリック・C・ナイドハート：Frederick C. Neidhardt, interview, May 2014, and "Status of Women in ASM," *ASM Newsletter* (October 1982), ASM Archives.

83　アン・モリス＝フック：Anne Morris-Hooke, interview, May 5, 2014.

84　ジーン・E・ブレンチリー：Jean E. Brenchley, interview, April 18, 2014.

85　「懸念」：John C. Sherris, letter to Viola Mae Young-Horbath, July 6, 1984, in Colwell: Presidential: Boards (PSAB): folder 20, ASM Archives.

85　ヴィオラ・メイ・ヤング＝ホーバス：Viola Mae Young-Horvath, letter to John C. Sherris, July 20, 1984, in Colwell: Presidential: Boards (PSAB): folder 20, ASM Archives.

85　退任するモーゼリオ・シェクター会長：Morris-Hooke, interview; Rothman, interview.

86　怒りが鎮まるには時間がかかった：Barbara H. Iglewski, interview, August 14, 2014.

87　サマンサ・"マンディ"・ジョイの例：Samantha Joye, interview, September 4, 2015.

88　こんな話：Kelly Marjorie M. Cowan, interview, May 25, 2017.

4　事実を白日のもとに

90　「そこに立っていたのは，個人的に面識はないけれど，…：Nancy Hopkins, "The Changing Status and Number of Women in Science and Engineering at MIT" (keynote to the MIT150 symposium Leaders in Science and Engineering: The Women of MIT, MIT, Cambridge, MA, March 28, 2011), and afterword to chapter 8 of *Be-*

coming MIT: Moments of Decision, ed. David Kaiser (Cambridge, MA: MIT Press, 2010), 187–92.

90 この話をしたことを後悔することがあるという：Nancy Hopkins, interview with Colwell and McGrayne, January 25, 2018.

91 この反乱の物語は，…始まる：Hopkins, "The Changing Status," 5, 7, 13.

92 自らの目で見る機会があった："Report of the Visiting Team to the Commission on Institutions of Higher Education of the New England Association of Schools and Colleges on the Subject of the Educational Program at Massachusetts Institute of Technology," April 8–11, 1979. Submitted by Visiting Team Chairman, in the records of the Office of the Provost (AC-0007), box 44, folder: New England Association of Schools and Colleges.

93 ホプキンズは，…まだフェミニストではなかった：Hopkins, "The Changing Status," 9–10ff.

93 仕事がうまくいかない：Nancy Hopkins, "Reflecting on Fifty Years of Progress for Women in Science," *DNA and Cell Biology* 34, no. 3 (2015).

94 クリスティアーネ・ニュスライン＝フォルハルト：Christiane Nüsslein-Volhard, interview, Tübingen, Germany, April 23, 1998; Sharon Bertsch McGrayne, *Nobel Prize Women in Science*, 2nd ed. (New York: Basic, 1998), 380–408.

94 ホプキンズは行動の遺伝学に興味を持っていた：Nancy Hopkins, interview, March 20, 1998.

94 ホプキンズは…ゼブラフィッシュの魅力に取りつかれ：Nancy Hopkins, interview, January 10, 2019; Robin Wilson, "An MIT Professor's Suspicion of Bias Leads to a New Movement for Academic Women," *Chronicle of Higher Education*, December 3, 1999.

95 彼女が書いた総説論文をほめてくれた先輩の科学者：Hopkins, interview, January 25, 2018.

95 彼女が創設した新しい遺伝学の講座：Andrew Lawler, "Tenured Women Battle to Make It Less Lonely at the Top," *Science* 286, no. 5443 (November 12, 1999).

95 男子学生は「女性の話す科学的な情報を信じないだろうから，きみは別の遺伝学のコースは教えることはできない」：Hopkins, interviews, July 10, 2019, and January 25, 2018; Hopkins, "The Changing Status," 10.

95 ホプキンズは，毎日自分が…職場に出かけていくことに気づいた：Hopkins, interview, January 25, 2018.

96 男性の研究室は広く：Lawler, "Tenured Women Battle"; MIT Museum, "A Study on the Status of Women Faculty in Science at MIT, 1996–1999," MIT, 2011.

96 ホプキンズは憤慨し：Wilson, "An MIT Professor's Suspicion of Bias"; Corie Lok, "Nancy Hopkins Named Xconomy's 2018 Lifetime Achievement Award Winner," *Xconomy*, July 24, 2018.

96 メアリー・ルー・パーデュー：Hopkins, "The Changing Status," 12–13.

97 彼女たちは…優秀で：Hopkins, "The Changing Status," 16, and "Reflecting on Fifty Years of Progress for Women in Science."

97 秘密裏に活動することにした：Hopkins, "The Changing Status."

97 「千本の針で刺された死」：Lawler, "Tenured Women Battle."

97　ビルノーは，この会合に「ただただ圧倒され：Lawler, "Tenured Women Battle"; Robert Birgeneau, interview with Colwell and McGrayne, June 6, 2019.

98　ビルノーの最大の難題：Birgeneau, interview, June 6, 2019.

99　そのデータは驚くべきものだった：Wilson, "An MIT Professor's Suspicion of Bias."

99　ビルノーは，…問題の解決に着手した：Wilson, "An MIT Professor's Suspicion of Bias"; Genevieve Wanucha, "Women in Marine Science Seize the Day," Oceans at MIT, October 9, 2014, http://oceans.mit.edu/featured-stories/women-marine-science.html.

99　どのような経緯でこのような不公平が存在するようになったのか？：*MIT Faculty Newsletter* Special Edition, XI no. 4, March 1999; Hopkins, interview, January 25, 2018.

100　MIT が，…と知った女性記者たち：Lotte Bailyn, "Putting Gender on the Table," in *Becoming MIT: Moments of Decision*, ed. David Kaiser (Cambridge, MA: MIT Press, 2014); Kate Zernike, "MIT Women Win Fight Against Bias; In a Rare Move, School Admits Discrimination Against Female Professors," *Boston Globe*, March 21, 1999; Carey Goldberg, "MIT Admits Discrimination Against Female Professors," *New York Times*, March 23, 1999.

101　一九八三年に MIT のコンピューター科学科の大学院生たちがまとめた報告書："Barriers to Equality in Academia: Women in Computer Science at MIT; Prepared by Female Graduate Students and Research Staff in the Laboratory of Computer Science and the Artificial Intelligence Lab at MIT," MIT, February 1983.

101　ホプキンズは苦渋と痛みが…消えていくのを感じた：Hopkins, interview, January 25, 2018.

102　ウォールストリート・ジャーナル紙は社説で，MIT の報告書を：Editorial, "Gender Bender," *Wall Street Journal*, December 29, 1999; Bailyn, "Putting Gender on the Table."

102　ベストとビルノーは反論した："Vest, Birgeneau, Answer News Critique of MIT Gender Study," *MIT Tech Talk*, January 12, 2000.

102　検証するモデル：Bailyn, "Putting Gender on the Table"; Zernike, "Gains, and Drawbacks, for Female Professors"; Hopkins, speaking at the Rosalind Franklin Society annual meeting, December 17, 2014.

103　主流から外れるどころか："A Study on the Status of Women Faculty in Science at MIT," 1999, 7.

103　ホプキンズのキャリアも飛躍的に伸びた：Wilson, "An MIT Professor's Suspicion of Bias."

104　マーシャ・K・マクナット：Marcia McNutt, interview at Philosophical Society of Washington, Washington, DC, January 5, 2018.

104　反乱が軌道に乗った要因は何だったのだろうか：Bailyn, "Putting Gender on the Table"; Hopkins, interview; Birgeneau, interview; Penny Chisholm, interview, June 18, 2019.

104　サリー・W・"ペニー"・チザム：Wanucha, "Women in Marine Science Seize the Day."

104 シャーリー・ティルマン：Shirley Tilghman, interview, May 21, 2019.
104 私がルール#1…時間をかけるだけで…：Hopkins, speaking at the Rosalind Franklin Society annual meeting, December 17, 2014.
105 「二重の期待」：Marcia K. McNutt, interview, Philosophical Society of Washington, Washington, DC, January 5, 2018.
105 ロッテ・ベイリン：Lotte Bailyn, "Putting Gender on the Table."
106 代償：Nancy Hopkins, interview with Colwell and McGrayne, March 15, 2018.
106 MIT理学部：Hopkins, speaking at the Rosalind Franklin Society annual meeting, December 17, 2014; Lydia J. Snover（director, institutional research, Office of the Provost, MIT）, email, June 12, 2019.

5 コレラ

108 一九七六年当時，バングラデシュ人の多くは，女の子を…連れて行くことはなかった：Stan D'Souza and Lincoln C. Chen, "Sex Differentials in Mortality in Rural Bangladesh," *Population and Development Review* 66, no. 2（June 1980）; Lincoln Bin Chen et al., "Sex Bias in the Family Allocation of Food & Health Care in Rural Bangladesh," *Population and Development Review* 7, no. 1（March 1981）. これらの参考資料についてはAnwar Huqに感謝する．
109 公衆衛生担当チーム：Richard A. Cash et al., "Response of Man to Infection with *Vibrio cholerae*. I. Clinical, Serologic, and Bacteriologic Responses to a Known Inoculum," *Journal of Infectious Diseases* 129, no. 1（January 1, 1974）.
109 私は科学部門のアドミニストレーターとしてリスペクトされるようになった：William "Buck" Greenough, interview, Baltimore, MD, March 21, 2013.
110 フィリッポ・パチーニ：Christopher Hamlin, *Cholera: The Biography*（Oxford, UK: Oxford University Press, 2009）, 9, 160.
110 ジョン・スノー：Charles E. Rosenberg, *The Cholera Years*（Chicago: University of Chicago, 1962）; Hamlin, Cholera, 179–208.
110 エドワード・フランクランド：S. M. McGrayne, "Clean Water and Edward Frankland," in *Prometheans in the Lab: Chemistry and the Making of the Modern World*（New York: McGraw-Hill, 2001）, 43–57.
110 ロベルト・コッホ：Hamlin, *Cholera*, 209–66.
111 フレッド・シングルトン：Fred L. Singleton, "Effects of Temperature and Salinity on *Vibrio cholerae* Growth," *Applied and Environmental Microbiology* 44, no. 5（December 1982）.
112 トーマス・S・クーン：Thomas S. Kuhn, *The Structure of Scientific Revolutions*（Chicago: University of Chicago Press, 1962）［邦訳：青木 薫 訳，『科学革命の構造 新版』，みすず書房（2023）］.
112 マックス・プランク：Max Planck, *Scientific Autobiography and Other Papers*, trans. F. Gaynor（New York: Philosophical Library, 1950）, 33–34.
116 ロバート・ポリッツァーの一〇一九ページにおよぶ概要：Robert Pollitzer, *Cholera*（Geneva, Switzerland: World Health Organization, 1959）.
116 フランシス・アデリア・ハロック：Frances Adelia Hallock, "The Coccoid Stage of Vibrios," *Transactions of the American Microscopical Society* 78, no. 2（April

1959); “Coccoid Stage of *Vibrio comma*,” *Transactions of the American Microscopical Society* 79, no. 3 (July 1960); “The Life Cycle of *Vibrio alternans* (sp. nov),” *Transactions of the American Microscopical Society* 79, no. 4 (October 1960). About Hallock: Hallock, 1940 Census, New York City; Sloan-Kettering Memorial Hospital, “Halter Retires after Third of Century on Hospital Staff,” *Fourfront* 4, no. 5 (February 1961); archivists Leslie Fields, Mount Holyoke College; Louise S. Sherby and Christopher Browne, Hunter College; James Stimpert, Johns Hopkins University; and Jeanne d'Agostino, Sloan-Kettering Memorial Hospital.

120　ワークショップは…ホテルで行われた：Carl H. Oppenheimer, ed., *Marine Biology IV: Proceedings of the Fourth International Interdisciplinary Conference: Unresolved Problems in Marine Microbiology* (New York: The New York Academy of Sciences, 1968).

122　私の最初の大学院生…によるDNA解析：R. V. Citarella and R. R. Colwell, “Polyphasic Taxonomy of the Genus *Vibrio*: Polynucleotide Sequence Relationships among Selected *Vibrio* Species,” *Journal of Bacteriology* 104, no. 1 (October 1970): 434–42.

122　私のコンピューター・プログラム：R. R. Colwell, “Polyphasic Taxonomy of the Genus *Vibrio*: Numerical Taxonomy of *Vibrio cholerae*, *Vibrio parahaemolyticus*, and Related *Vibrio* Species,” *Journal of Bacteriology* 104, no. 1 (October 1970): 410–33.

123　ハロルド・E・バーマス：Harold E. Varmus, *The Art and Politics of Science* (New York: W. W. Norton, 2009).

124　「若い頃のフィンケルシュタイン」：W. E. van Heyningen and John R. Seal, *Cholera: The American Scientific Experience 1947–1980* (Boulder, CO: Westview Press, 1983), 169–71.

124　米国の六十の医学部では…まだ使われていた：J. Robert Willson, Clayton R. Beecham, and Elsie Reid Carrington, *Gynecology*, 3rd ed. (St. Louis, MO: C. V. Mosby Co., 1973), 47–49.

124　医学研究そのものが主に男性によってなされていた：Florence P. Haseltine, interview, September 25, 2016, and Haseltine, ed., *Women's Health Research: A Medical and Policy Primer* (Washington, DC: American Psychiatric Press, 2005); Pat Schroeder, interview, May 5, 2018, and Schroeder, *24 Years of House Work . . . and the Place Is Still a Mess* (Kansas City, MO: Andrews McMeel, 1998); John A. Kastor, *The National Institutes of Health 1991–2008* (New York: Oxford University Press, 2010); Bernadine Healy, *A New Prescription for Women's Health: Getting the Best Medical Care in a Man's World* (New York: Penguin Books, 1996), 1–27.

126　一人の日本人青年：Tatsuo Kaneko and R. R. Colwell, “Incidence of Vibrio parahaemolyticus in Chesapeake Bay,” *Journal of Applied Microbiology* 30, no. 2 (1975): 251–57.

127　研究室の予算が予想外に減ってしまった：Elizabeth Shelton, “Bacteria Infect Bay's Seafood,” *Washington Post*, August 29, 1970; U.S. Department of the Interior, Bureau of Commercial Fisheries, with Biological Laboratory, Oxford, MD, “Microbiology of Marine and Estuarine Invertebrates,” Contract 14-17-0003-149, January 1, 1966–February 28, 1970, $83,000; and National Oceanic and Atmospheric Admin-

istration (Sea Grant Program), "*Vibrio parahaemolyticus* and Related Organisms in Chesapeake Bay-Isolation, Pathogenicity and Ecology," Grant 04-3-158-7, August 15, 1972-August 14, 1974, $116,100.

130 ジェームズ・B・ケイパー：R. R. Colwell, James B. Kaper, and S. W. Joseph, "*Vibrio cholerae, Vibrio parahaemolyticus*, and Other Vibrios: Occurrence and Distribution in Chesapeake Bay," *Science* 198, no. 4315 (October 28, 1977): 394-6.

131 微生物学の分野は真っ二つに割れてしまい：John G. Holt, interview, November 1, 2012.

131 私はからかいの的にされやすかった：James B. Kaper, interview, Baltimore, MD, March 19, 2013; Ronald Sizemore, interview, August 8, 2014; Huq, interview, February 7, 2013.

132 アンワー・フク：Anwar Huq, interview, February 7, 2013, and Huq et al., "Ecological Relationships between *Vibrio cholerae* and Planktonic Crustacean Copepods," *Applied and Environmental Microbiology* 45, no. 1 (January 1983): 275-83.

134 ジャックはいつも…驚いていた：Jack H. Colwell, interviews, Bethesda, MD, April 18 and November 29, 2017.

135 ウィリアム・"バック"・グリノー：William "Buck" Greenough, interview, Baltimore, MD, March 21, 2013.

138 一九一四年以降米国ではコレラの感染者はほとんどいなかった：Kaper, interview, Baltimore, MD, March 19, 2013, and Kaper et al., "Molecular Epidemiology of *Vibrio cholerae* in the U.S. Gulf Coast," *Journal of Clinical Microbiology* 16, no. 1 (1982).

139 私たちが…書いたルイジアナ州のカニ漁師についての論文：Huai Shu Xu et al., "Survival and Viability of Nonculturable *Escherichia coli* and *Vibrio cholerae* in the Estuarine and Marine Environment," *Microbial Ecology* 8, no. 4 (1982): 313-23.

139 私は，…同僚…に，この論文を提出した：Samuel W. Joseph, interview, March 1, 2017.

139 ダーリーン・ロザック：Darlene Roszak MacDonell, interviews, August 27, 2015, and May 7, 2017, and Roszak and R. R. Colwell, "Survival Strategies of Bacteria in the Natural Environment," *Microbiological Reviews* 51, no. 3 (September 1987).

140 一連の研究：Charles Somerville and Ivor T. Knight, interviews, March 6, 2018; I. T. Knight, J. DiRuggiero, and R. R. Colwell, "Direct Detection of Enteropathogenic Bacteria in Estuarine Water Using Nucleic Acid Probes," *Water Scientific Technology* 24, no. 2 (1991): 261-66.

141 マイク・レヴィン：R. R. Colwell et al., "Viable but Non-culturable *Vibrio cholerae* O1 Revert to a Cultivable State in the Human Intestine," *World Journal of Microbiological Biotechnology* 12, no. 1 (1996): 28-31.

141 五十種以上の病原性細菌：Jim Oliver, "Healthy Waters, Healthy People: A Tribute to Rita Colwell," *Microbe* 11, no. 4 (May 30, 2015).

141 数えてみた：R. R. Colwell, "Global Climate and Infectious Disease: The Cholera Paradigm," *Science* 274, no. 5295 (December 20, 1996): 2025-31.

142 天然痘やポリオは，…ワクチンで根絶することができる：R. R. Colwell, "Cholera and the Environment: A Classic Model for Human Pathogens in the Environment"

(speech delivered at the American Association for the Advancement of Science annual meeting, Seattle, WA, February 14, 2004).

143 水を運ぶのは女性の仕事：Michelle L. Trombley, "Strategy for Integrating a Gendered Response in Haiti's Cholera Epidemic" (briefing note, UNICEF Haiti Child Protection Section/Gender-Based Violence Program, December 2, 2010).

143 ハーバード大学公衆衛生の研究者リチャード・キャッシュ：R. A. Cash et al., "Bacteriologic Responses to a Known Inoculum," *Journal of Infectious Diseases* 129, no. 11 (January 1, 1974).

143 世界銀行は…井戸を掘るプロジェクトに資金を投入した：M. F. Hossain, "Arsenic Contamination in Bangladesh: An Overview," *Agriculture Ecosystems and Environment* 113, no. 1 (April 2006).

144 サリーのろ過器：Anwar Huq et al., "A Simple Filtration Method to Remove Plankton-Associated *Vibrio cholerae* in Raw Water Supplies in Developing Countries," *Applied and Environmental Microbiology* 62, no. 7 (July 1996); Anwar Huq et al., "Simple Sari Cloth Filtration of Water Is Sustainable and Continues to Protect Villagers from Cholera in Matlab, Bangladesh," *mBio* 18, no. 1 (2010).

145 大地震：Centers for Disease Control and Protection, "Cholera in Haiti," www.cdc.gov/cholera/haiti/index.html, accessed February 14, 2019.

145 大流行の原因は何だったのか：Nur A. Hasan et al., "Genomic Diversity of 2010 Haitian Cholera Outbreak Strains," *PNAS* 109, no. 29 (July 17, 2012).

146 コーネル大学とバージニア大学の栄養学者たち：Jie Liu et al., "Pre-Earthquake Non-Epidemic *Vibrio cholerae* in Haiti," *Journal of Infection in Developing Countries* 8, no. 1 (2014): 120–22.

146 コレラの流行は一種類だけではない：Antarpreet S. Jutla et al., "Environmental Factors Influencing Epidemic Cholera," *American Journal of Tropical Medicine and Hygiene* 89, no. 3 (September 4, 2013): 597, 607.

147 「コレラ」の定義も見直す必要があるかもしれない：Brianna Lindsey et al., "Diarrheagenic Pathogens in Polymicrobial Infections," *Emerging Infectious Disease* 17, no. 4 (April 2011).

147 遺伝子の流動性：Nocmie Matthey et al., "Neighbor Predation Linked to Natural Competence Fosters the Transfer of Large Genomic Regions in *Vibrio cholerae*," *eLife* 8 (2019), DOI 10.7554/eLife.48212; Nik Papageorgiou, "The Cholera Bacterium Can Steal Up to 150 Genes in One Go," EPFL, October 8, 2019.

147 四カ国のうち三カ国：World Health Organization, "Number of Reported Cholera Cases," Global Health Observatory data, 2019.

147 地球温暖化に伴い，ビブリオやコレラを含むビブリオ感染症：Luigi Vezzulli et al., "Climate Influence on Vibrio and Associated Human Diseases during the Past Half-Century in the Coastal North Atlantic," *PNAS* 113, no. 34 (August 23, 2016).

148 NASAのランドサット衛星が…データを収集し始めた：Brad Lobitz et al., "Climate and Infectious Disease: Use of Remote Sensing for Detection of *Vibrio cholerae* by Indirect Measurement," *PNAS* 97, no. 4 (February 15, 2000).

149 ギヨーム・コンスタンタン・ド・マグニー：Guillaume Constantin de Magny et al., "Environmental Signatures Associated with Cholera Epidemics," *PNAS* 105, no.

46 (November 18, 2008); Timothy E. Ford et al., "Using Satellite Images of Environmental Changes to Predict Infectious Disease Outbreaks," *Emerging Infectious Diseases* 15, no. 9 (2009).
150 イエメンを…地域に分割した：Steve Cole, "NASA Investment in Cholera Forecasts Helps Save Lives in Yemen," NASA, press release, August 27, 2018, https://www.nasa.gov/press-release/nasa-investment-incholera-forecasts-helps-save-lives-in-yemen; Civil Service Awards 2019 (UK), "Fergus McBean," civilserviceawards.com/award-nominee/Fergus-McBean.

6　女性が増えれば科学は進歩する

152 一九九八年十一月二十七日：Official NSF appointment calendar for the director, courtesy of Kay Risen; Gaffney, phone interview with Colwell, n.d.
152 「米国海軍は，…はるかに攻略の難しい鉄壁の要塞だった」：Kathleen Crane, *Sea Legs: Tales of a Woman Oceanographer* (Boulder, CO: Westview Press, 2003), 293–98; Enrico Bonatti and Kathleen Crane, "Oceanography and Women: Early Challenges," *Oceanography* 25, no. 4 (October 2, 2015).
154 米国海軍は…完了したばかり：Margo H. Edwards, interview, June 11, 2018, and Edwards and Bernard J. Coakley, "The SCICEX Program: Arctic Ocean Investigations from a U.S. Navy Nuclear-Powered Submarine," *Arctic Research of the United States* 18 (September 22, 2004).
154 「地球温暖化に重大な意味を持つ証拠」：Office of Naval Research, "USS HAWKBILL in Transit to Arctic Ocean for SCICEX 99," press release, March 24, 1999.
154 「艦上にいれば，…」：M. H. Edwards, interview and emails; Edwards and Bernard J. Coakley, "The SCICEX Program Arctic Ocean: Investigations from a U.S. Navy Nuclear-Powered Submarine," n.d.; Dan Steele, "Punching through the Ice Pack," *Professional Mariner*, no. 551 (October/November 2000), www.usshawkbill.com/scicex99.htm; Office of Naval Research, "USS HAWKBILL in Transit to Arctic Ocean for Scicex 99," March 24, 1999; and www.usshawkbill.com. R. R. Colwell, "Polar Connections" (speech delivered at the University Corporation for Atmospheric Research/National Center for Atmospheric Research 40th anniversary and National Science Foundation 50th anniversary celebration, June 19, 2000), NSF Archives, Colwell speeches.
155 エドワーズの報告はネイチャー誌に掲載され：L. Polyak et al., "Ice Shelves in the Pleistocene Arctic Ocean Inferred from Glaciogenic Deep-Sea Bedforms," *Nature* 410, no. 6827 (March 22, 2001): 453–57.
156 著書『南極点より愛をこめて』でそのストーリーを語った：Jerri Nielsen and Maryanne Vollers, *Ice Bound: A Doctor's Incredible Battle for Survival at the South Pole* (New York: Hyperion, 2001)［邦訳：土屋 京 訳，『南極点より愛をこめて』，講談社（2002)］.
158 ジョン・S・トール：Paul Vitello, "John S. Toll Dies at 87; Led Stony Brook University," *New York Times*, July 18, 2011.
159 公然と助ける男性：David R. Hekman et al., "Does Diversity-Valuing Behavior Result in Diminished Performance Ratings for Nonwhite and Female Leaders?" *Acad-*

emy of Management Journal 60, no. 2 (March 3, 2016).

159 科学技術の革命は，つねに…を促してきた：Jeremy Berg, “Editorial: Revolutionary Technologies,” *Science* 361, no. 6405 (August 31, 2018).

159 「メリーランド大学は生物科学分野のリーダーになるべきだ」：Enrico Moretti, *The New Geography of Jobs* (Boston: Houghton Mifflin Harcourt, 2013).

165 戦時中の科学顧問であったヴァネヴァー・ブッシュ：Vannevar Bush, *Science: The Endless Frontier: A Report to the President on a Program for Postwar Scientific Research* (Washington, DC: U.S. Government Printing House, 1945).

168 最高裁判事のルース・ベーダー・ギンズバーグ：Adam Liptak, “As Gays Prevail in Supreme Court, Women See Setbacks,” *New York Times*, August 4, 2014.

168 ナンシー・ペロシ：Philip Galanes, “A Power Lunch, Times Two,” *New York Times*, April 4, 2014.

168 デニス・ファウストマン：Stephen Fiedler, “Women in Stem: Q&A with Dr. Denise Faustman of MGH,” *SciTech Connect* (blog), Elsevier, March 6, 2014.

169 グループがうまく機能するか：A. W. Woolley, T. W. Malone, and C. F. Chabris, “Why Some Teams Are Smarter Than Others,” *New York Times*, January 16, 2015; A. W. Woolley and T. W. Malone, “What Makes a Team Smarter? More Women,” *Harvard Business Review* 89, no. 6 (2011): 32–33.

170 多くの学生が退学に追いこまれ：Joseph Bordogna, interview, June 6, 2013; NSF ed., *The Power of Partnerships: A Guide from the NSF Graduate STEM Fellows in K12 Education (GK12) Program* (Washington, DC: American Academy for the Advancement of Science, 2013) では，NSF GK-12 プログラムと同様のプログラムをつくるためのガイドが提供されている.

173 ルゼナ・バジツィー：Ruzena Bajcsy, interview, September 24, 2018; Ruzena Bajcsy, an oral history conducted by Janet Abbate, Berkeley, CA, July 9, 2002, for the IEEE History Center (IEEE History Center Oral History Program interview #575).

175 数学における米国のリーダーシップ：National Research Council, *The Mathematical Sciences in 2025* (Washington, DC: National Academies Press, 2013), appendix A; Philippe Tondeur, interview, September 18, 2018, and Tondeur, “NSF: A Wake-Up Call,” *Notices of the American Mathematical Society* 52, no. 6 (June/July 2005).

176 議会から「生物複雑性とは何か」と質問された：Rita Colwell, testimony before the Senate Appropriations Committee Subcommittee on VA/HUD and Independent Agencies, May 4, 2000.

177 メアリー・E・クラッター：Mary E. Clutter, interview, August 17, 2013; AD/BBS Circular No. 14, NSF, January 23, 1989; Marcia Clemmit, “Toughest Federal Science Jobs Elude Women,” *The Scientist*, October 15, 1990; W. Franklin Harris, “NSF Policy,” letter to the editor, *The Scientist*, December 10, 1990.

179 元工学部長，ジョー・ボルドーニャ：Joseph Bordogna, interview, Philadelphia, June 6, 2013.

180 「どうやったらそれができるのか，教えてください」と私は言った：Margaret Leinen, interview, January 3, 2019.

180 「人類の百パーセント」：Bordogna, interview.

180 しかし，このような助成金はどのように作用したのだろうか：Bordogna, inter-

view; Sue V. Rosser, *Academic Women in STEM Faculty: Views Beyond a Decade After POWRE* (New York: Springer, 2017); Diana Bilimoria and Xiangfen Liang, *Gender Equity in Science and Engineering: Advancing Chang in Higher Education* (New York: Routledge, 2014), 7-14; "2003 Survey of Doctorate Recipients," NSF Division of Science Resources Statistics.

181 ギングリッチと会議をしていた：Rita Colwell, interview by Bill Aspray, July 31, 2017, transcript, National Science Foundation Directorate for Computer and Information Science and Engineering.

182 ボルドーニャはジョン・マケイン上院議員も…聞いた：Hearing Summary: Senate Committee on Health, Education, Labor and Pensions National Science Foundation Fiscal 2003 Budget Request, June 19, 2002, www.nsf.gov/about/congress/107/hs_061902help.jsp.

183 結局，…二倍にすることはできなかった：私がNSF長官に就任してから2004年に退任するまでに，NSFの予算は34億3000万ドルから55億8900万ドルへ63％増加した，この増加率は，増加額21億5900万ドル（55億8900万ドル－34億3000万ドル）を，就任時の予算額（34億3000万ドル）で除して求めた．以下は，在職期間のNSFの年間予算と前年比増加率（数値はすべてNSF傘下の米国立科学工学統計センターより）．

1998年：3,430,630,000ドル	（長官就任）
1999年：3,676,050,000ドル	7.15％増加
2000年：3,912,000,000ドル	6.41％増加
2001年：4,430,570,000ドル	13.26％増加
2002年：4,823,350,000ドル	8.87％増加
2003年：5,323,090,000ドル	10.36％増加
2004年：5,588,860,000ドル	4.99％増加

増加率を求める際の基準年として1998年の予算額を使用しているのは，1999年予算に対して私は直接取組んではいないものの，議会で証言し，行政管理予算局やホワイトハウスに対して働きかけを行ったからだ．NSFの公式な日々の記録によると，1998年8月に長官に就任したあと，十数人の議員を訪ね，予算に対する支持について話し合っている．

7　炭疽菌入りの手紙

186 私は，…ジョン・R・フィリップスに近づき：John R. Phillips, interview, Oakton, Virginia, March 20, 2013, and emails.

186 このプロジェクトの諮問委員会に招かれた：MEDEAとよばれるタスクフォースのメンバーとなった．これは，ビル・クリントン政権下でアル・ゴア副大統領とCIAのリンダ・ザールによって組織されたタスクフォースが発展したもので，もともとは情報衛星データを環境科学における不足データを補うために用いる方法を探索するためのものだった．MEDEAはブッシュ政権によって停止され，2008年のバラク・オバマ大統領当選直後にダイアン・ファインスタイン上院議員によって再開された；Phillips, interview; Linda Zall, interview, n.d.; John M. Deutch, "The Environment on the Intelligence Agenda" (speech delivered at the

World Affairs Council, Los Angeles, CA, July 25, 1996).

188　アルカイダが…に続いて：Jacob Weisberg, *The Bush Tragedy* (New York: Random House, 2008), 190–91.

188　可能性が最も高い生物兵器：Centers for Disease Control and Prevention, "Anthrax: The Threat," www.CDC.gov/anthrax/bioterrorism /threat.html; David Willman, *The Mirage Man: Bruce Ivins, the Anthrax Attacks, and America's Rush to War* (New York: Bantam Books, 2011), 15, 85; paperback with new title, *The Ames Strain: The Mystery Behind America's Most Deadly Bioterror Attack* (Brooklyn, NY: February Books, 2014).

188　炭疽菌は主に，…大型草食動物に感染する：World Health Organization, *Anthrax in Humans and Animals*, 4th ed. (Geneva, Switzerland: World Health, 2008).

190　気候変動の驚くべき初期の証拠：William Broad, "CIA Is Sharing Data with Climate Scientists," *New York Times*, January 4, 2010; Aant Elzinga, ed., *Changing Trends in Antarctic Research* (The Netherlands: Springer, 1993).

190　フィリップスをオフィスに招き：Phillips, interview, Oakton, Virginia, March 20, 2013, and emails.

191　FBIには微生物学者は二人しかおらず：Scott Decker, interview, January 15, 2015; B. Budowle, S. E. Schutzer, and R. G. Breeze, eds., *Microbial Forensics*, 1st ed. (The Netherlands: Elsevier Academic Press, 2005); R. R. Colwell, "Forward," in *Microbial Forensics*, eds. Budowle et al.; S. A. Morse and B. Budowle, "Microbial Forensics: Application to Bioterrorism Preparedness and Response," *Infectious Disease Clinics of North America* 20, no. 2 (2006): 455–73.

192　ホワイトハウスや議会は…学んでいた：George W. Bush, *Decision Points* (New York: Crown Publishing, 2010), 157–58［邦訳：伏見威蕃 訳，『決断のとき』，日本経済新聞出版社（2011)］; Leonard A. Cole, *The Anthrax Letters: A Bioterrorism Expert Investigates the Attacks That Shocked America* (New York: Skyhorse Publishing, 2009), 117; A. Scorpio et al., "Anthrax Vaccines: Pasteur to the Present," *Cellular and Molecular Life Sciences* 63, no. 19–20 (October 2006): 2237–48; Weisberg, *The Bush Tragedy*, 190–91; Fred Charatan, "Bayer Cuts Price of Ciprofloxacin After Bush Threatens to Buy Generics," *British Medical Journal* (*BMJ*) 323, no. 7320 (2008); L. M. Wein, D. L. Craft, and E. H. Kaplan, "Emergency Response to an Anthrax Attack," *PNAS* 100, no. 7 (April 1, 2003).

192　たった一人のテロリストが…炭疽菌兵器をつくることができる：G. F. Webb, "A Silent Bomb: The Risk of Anthrax as a Weapon of Mass Destruction," *PNAS* 100, no. 8 (April 15, 2003): 4355–56.

193　世界のある地域で発見された炭疽菌：Talima Pearson et al., "Phylogenetic Discovery Bias in *Bacillus anthracis* Using Single-Nucleotide Polymorphisms from Whole-Genome Sequencing," *PNAS* 101, no. 37 (September 14, 2004): 13536–41; P. Keim and K. L. Smith, "*Bacillus anthracis* Evolution and Epidemiology," in *Anthrax* (*Current Topics in Microbiology and Immunology*) vol. 271, ed. T. M. Koehler (Berlin: Springer, 2002), 21–32.

193　フレイザーを「微生物ゲノミクスの世界的リーダーであることに疑いはない」：Martin Enserink and Andrew Lawler, "Research Chiefs Hunt for Details in Proposal

for New Department," *Science* 296, no. 5575 (June 14, 2002): 1944–45.

194 「一度きりの常軌を逸した事件」：Claire M. Fraser, interview, April 4, 2013.

195 ラリー・M・ブッシュ医師：L. M. Bush et al., "Index Case of Fatal Inhalational Anthrax Due to Bioterrorism in the United States," *New England Journal of Medicine* 345 (November 29, 2001): 1607–10.

195 炭疽菌に対する懸念が広がっていた：T. V. Inglesby et al., "Anthrax as a Biological Weapon, 2002: Updated Recommendations for Management," *JAMA* 287 (2002): 2236–52; P. Keim et al., "Molecular Investigation of the Aum Shinrikyo Anthrax Release in Kameido, Japan," *Journal of Clinical Microbiology* 39, no. 12 (December 2001): 4566–67; Raymond A. Zilinskas, "The Soviet Biological Warfare Program and Its Uncertain Legacy," *Microbe* 9, no. 5 (2014): 191–97; Matthew Meselson et al., "The Sverdlovsk Anthrax Outbreak of 1979," *Science* 266, no. 5188 (November 18, 1994).

195 ニューヨークの会社員：Bella English, "Struggles Remain for Victim of Anthrax Attack," *Boston Globe*, September 16, 2012.

196 炭疽菌入りの手紙が届いた：Willman, *The Mirage Man*, 423, endnote 6; Michael R. Kuhlman, interview, November 18, 2015.

197 TIGRは助成金を申請した：NSF, NSF Archives Award Abstract #0202304 (October 26, 2001).

197 国土安全保障省のトム・リッジ長官："Gov. Ridge, Medical Authorities Discuss Anthrax," press briefing transcript, October 25, 2001, https://georgewbush-whitehouse.archives.gov/news/releases/2001/10/20011025-4.html.

197 ロスアラモス国立研究所の…の権威であるポール・L・ジャクソン：Paul L. Jackson, interview, September 5, 2014.

198 ケイムとポポビッチ：Paul Keim, interview, April 19, 2013; Phillips, interview, March 22, 2013.

201 エイムズ株が送られたのは，…三カ国の研究施設だけだった：Jeanne Guillemin, *American Anthrax: Fear, Crime, and the Investigation of the Nation's Deadliest Bioterror Attack* (New York: Macmillan, 2011), 146–47.

201 マイケル・R・カールマン：Kuhlman, interview.

201 テレサ（テリー）・G・アブシャー：Terry Abshire, interviews, June 18 and July 29, 2014.

204 「我々はパニックに陥った」：Richard Cohen, "Our Forgotten Panic," *Washington Post*, July 22, 2014.

204 ホワイトハウスの特別委員会は最近解散したばかり：Thomas A. Cebula, interview, April 10, 2013.

204 アリ・パトリノス：Ari A. N. Patrinos, interview, May 2, 2013.

206 十七以上の機関の長たちは：機関は次のとおり；NSF；情報機関，特にCIAの主任科学者フィリップスのオフィス；司法省とFBIの両方；NIH（疾病予防管理センターおよびアレルギー感染症研究所）；国土安全保障省の部局，のちに国土安全保障省自体；DARPA（国防高等研究計画局）；農務省とエネルギー省，のちに国立生物防御分析対策センターも加わる；FDA；EPA（米国環境保護庁）；米国陸軍感染症医学研究所（メリーランド州フレデリックのフォート・デトリッ

クにあり，炭疽菌やそのほかの病原体に対するワクチンを軍用に開発）；DTRA（国防脅威軽減局）；変革的医療技術イニシアティブ（国防総省の支援を受け生物兵器対策に重点をおく）；海軍医学研究センター：エッジウッド化学生物学センター；NSA（米国国家安全保障局）

207　SCIF：Keim, interview; Ronald. A. Walters, interview, March 15, 2013; Daniel Drell, interview, May 3, 2013.

207　NIHのマリア・ジョバンニは…資金を提供すると言い：Maria Giovanni, email, December 15, 2017.

208　ブルース・E・アイビンズは…見分けることはできません：Willman, *The Mirage Man*, 138–39.

208　「スター・ウォーズ」のようなこと：National Research Council, *Approaches Used During the FBI's Investigation of the 2001 Anthrax Letters* (Washington, DC: National Academies Press, 2011).

208　ブダウルはFBIの上司たちに…報告した：Bruce Budowle, interview, October 2014.

210　分析作業の流れ：Keim, interview; Timothy D. Read, interview, April 16, 2013; Jacques Ravel, interview, March 25, 2013; Steven L. Salzberg, interview, January 2015, and email, July 23, 2019; Mihai Pop, interview, July 24, 2019; Adam Phillippy, interview, July 2019.

212　ラヴェルと，…博士号を持つ数人のFBI捜査官：Scott T. Stanley, interview, January 15, 2015; R. Scott Decker, "Amerithrax: The Realization of Biological Terrorism," *The Grapevine*, October 2014.

212　二〇〇七年九月：Willman, *The Mirage Man*, 252–53; Ravel, interview, March 10, 2015.

213　「五年の歳月を費やした仕事が，何かの役に立ったのだという思いはあった」：Ravel, interview.

213　FBIは断言できるようになった：US Department of Justice, *The Science: Anthrax Press Briefing* (August 18, 2008); US Department of Justice, *Amerithrax Investigative Summary* (February 19, 2010), 25–26; Willman, *The Mirage Man*, 255.

215　「大量殺人を防ぐことができた可能性が高く」：Gregory Saathoff, *Amerithrax Case: The Report of the Expert Behavioral Analysis Panel* (Montreal: Libly, August 20, 2010), 8, 11.

215　FBIは…九十二ページの「米国炭疽菌事件調査概要」を発表した：US Department of Justice, *Amerithrax Investigative Summary*, 1.

216　今日，全ゲノム塩基配列決定法は：W. F. Fricke, D. A. Rasko, and J. Ravel, "The Role of Genomics in the Identification, Prediction, and Prevention of Biological Threats," *PLOS Biology* 7, no. 10 (October 2009); S. J. Joseph and T. D. Read, "Bacterial Population Genomics and Infectious Disease Diagnostics," *Trends in Biotechnology* 28, no. 12 (December 2010): 611–18.

8　オールドボーイズクラブから ヤングボーイズクラブ，そして慈善事業家まで

219　博士号取得者の半数はすでに…離れており：Katie Langin, "Private Sector Nears

Rank of Top PhD Employer," *Science* 363, no. 6432 (March 15, 2019): 1135.

219 科学分野の博士号を過剰に生み出している：Gina Kolata, "So Many Research Scientists, So Few Openings as Professors," *New York Times*, July 14, 2016.

220 「カタリスト」："The Promise of Future Leadership: Highly Talented Employees in the Pipeline," Catalyst, February 2001.

220 S&P500…の CEO のうち女性はわずか二十四人：C. C. Miller, K. Quealy, and M. Sanger-Katz, "The Top Jobs Where Women Are Outnumbered by Men Named John," *New York Times*, April 24, 2018; Shawn Tully, "Outnumbered by Jeffreys," *Fortune*, June 28, 2019.

221 クリスティーヌ・ラガルド：David Segal and Amie Tsang, "Call in the Woman: Lagarde to Steer Europe in Rough Economic Seas," *New York Times*, July 3, 2019.

221 私は思い切って…会社を興した：Rita Colwell interviewed Manoj Dadlani on December 4, 2019, and verbally relayed the section on CosmosID; Dadlani approved/agreed. On December 11, 2019, Colwell interviewed Bruce Grant and he acknowledged that Dadlani had agreed with the section.

222 誰にアドバイスを求めたらよいかわからなかった：Robbie Melton, interview, March 5, 2019.

223 男性は自分の能力を三十％も過大評価：Jena McGregor, "Yet Another Explanation for Why Fewer Women Make It to the Top," *Washington Post*, November 29, 2011; Kay and Claire Shipman, "The Confidence Gap," *The Atlantic*, May 2014.

223 アーネスト・ルーベン：Ernesto Reuben et al., "The Emergence of Male Leadership in Competitive Environments," *Journal of Economic Behavior and Organization* 83, no. 1 (2012): 111–17.

224 交渉する方法を知っている：Linda Babcock and Sara Laschever, *Women Don't Ask: Negotiation and the Gender Divide* (Princeton, NJ: Princeton University Press, 2003).

225 カティ・ケイとクレア・シップマンの記事：Kay and Shipman, "The Confidence Gap."

226 企業の収益がもっと増える：Credit Suisse Research Institute, *Gender Diversity and Corporate Performance*, July 31, 2012; *Ernst & Young:* Jenny Anderson, "Huge Study Finds that Companies with More Women Leaders Are More Profitable," Quartz, February 8, 2016; *McKinsey:* V. Hunt et al., "Delivering through Diversity," McKinsey & Company, January 2018; and Lily Trager, "Why Gender Diversity May Lead to Better Returns for Investors," Morgan Stanley, March 7, 2019.

226 国際通貨基金：Lone Christiansen et al., "Gender Diversity in Senior Positions and Firm Performance: Evidence from Europe," IMF, March 2016, quoted in Emily Chang, *Brotopia: Breaking Up the Boys' Club of Silicon Valley* (New York: Penguin, 2019), 254.

226 利益を上げるのは女性という存在ではない：Chang, *Brotopia*, 254.

226 役員の入れ替わり：Jeff Green, "Women May Not Reach Boardroom Parity for 40 Years, GAO says," *Bloomberg*, January 4, 2016.

227 この国の国内総生産成長の約二十五％：C. T. Hsieh et al., "The Allocation of Talent and U.S. Economic Growth," *Econometrica* 87, no. 5 (September 2019)；Paul

Gompers and Silpa Kovvali, "The Other Diversity Dividend," *Harvard Business Review*, July-August 2018; Emily Chasan, "The Last All-Male Board in the S&P 500 Finally Added a Woman," *Bloomberg*, July 24, 2019; Yaron G. Nili, "Beyond the Numbers: Substantive Gender Diversity in Boardrooms," *Indiana Law Journal* 94, no. 1 (2019).

227　米国の実業界と STEMM 分野の女性に関する最初の二つの大きな研究：S. A. Hewlett, B. C. Luce, and L. J. Servon, *The Athena Factor: Reversing the Brain Drain in Science, Engineering, and Technology* (Cambridge, MA: Harvard Business Review, May 2008); Caroline Simard and Andrea Davies Henderson, *Climbing the Technical Ladder: Obstacles and Solutions for MidLevel Women in Technology* (Palo Alto and Stanford, CA: Anita Borg Institute for Women and Technology in collaboration with the Clayman Institute for Gender Research, 2008); Kathleen Melymuka, "Why Women Quit Technology," *Computerworld*, June 16, 2008.

228　大学の友愛会のようなノリ：Dan Lyons, "Jerks and the Start-Ups They Ruin," *New York Times*, April 1, 2017.

228　他の初期のスタートアップ企業の社員たち：Josh Harkinson, "Welcome Back to Silicon Valley's Biggest Sausage Fest," *Mother Jones*, September 9, 2014; Lester Haines, "Apple Squashes Wobbly Jub App," *The Register*, February 19, 2010, https://www.theregister.co.uk/2010/02/19/app_squashed/; Betsy Morais, "The Unfunniest Joke in Technology," *The New Yorker*, September 9, 2013; Claire Cain Miller, "Technology's Man Problem," *New York Times*, April 5, 2014; Susan Fowler, "Reflecting on One Very, Very Strange Year at Uber," *Susan Fowler* (blog), February 19, 2017, https://www.susanjfowler.com/blog/2017/2/19/reflecting-on-one-very-strange-year-at-uber; Fowler, "I Wrote the Uber Memo. This is How to End Sexual Harassment," *New York Times*, April 12, 2018; Yoree Koh, "Uber's Party Is Over: New Curbs on Alcohol, Office Flings," *Wall Street Journal*, June 13, 2017; and Chang, *Brotopia*, 106–35.

228　ピーター・ティール：Peter Thiel, "The Education of a Libertarian," Cato Unbound, April 13, 2009, https://www.cato-unbound.org/2009/04/13/peter-thiel/education-libertarian.

228　有害な労働環境の結果：Chang, *Brotopia*, 14–15.

229　年齢差別が横行しており：Amy Millman, interview, May 1, 2019.

229　ベンチャーキャピタリストは…公益的な役割を担っている：Alison Wood Brooks et al., "Investors Prefer Entrepreneurial Ventures Pitched by Attractive Men," *PNAS* 111, no. 2 (March 25, 2014).

229　女性創業者の企業がベンチャーキャピタルから得た資金は全体の三％未満にとどまっている：Candida Brush, interview, April 16, 2019; The Diana Project, Babson College, Wellesley, MA, https://www.babson.edu/academics/centers-and-institutes/center-for-womens-entrepreneurial-leadership/thought-leadership/diana-international/diana-project/.

230　「唖然とするほど」同質的：Gompers and Kovvali, "The Other Diversity Dividend," 72–77.

230　ある世代のハイテク企業の起業家たちが：Margaret O'Mara, "Silicon Valley's Old

Money," *New York Times*, March 31, 2019.

230 男性に投資したがる：Brooks et al., "Investors Prefer Entrepreneurial Ventures Pitched by Attractive Men," 4427–31.

230 共同経営者に娘がいる場合：Paul A. Gompers and Sophie Q. Wang, "And the Children Shall Lead: Gender Diversity and Performance in Venture Capital"（National Bureau of Economic Research Working Paper No. 23454, May 2017）.

230 キャロル・A・ネイシー : Carol A. Nacy, interview, April 11, 2018.

231 大学は投資家が…許可している：Nancy Hopkins, interview, January 21, 2018; Hopkins, "Lost in the Biology-to-Biotech Pipeline: A Tale of 2 Leaks"（Rosalind Franklin Society board meeting, December 17, 2014）.

231 特に被害にあいやすいのは学生たち：Hopkins, interview with Colwell and McGrayne, March 15, 2018.

232 「科学慈善活動（サイエンス・フィランソロピー）」：Fiona Murray, "Evaluating the Role of Science Philanthropy in American Research Universities," in *Innovation Policy and the Economy*, vol. 13, eds. Josh Lerner and Scott Stern（Chicago: University of Chicago Press, 2013）: 23–60.

233 マーク・カストナー：Kate Zernike, "Gains, and Drawbacks, for Female Professors," *New York Times*, March 21, 2011.

233 寄付金には…は含まれていない：Marc Kastner, interview, August 6, 2019.

234 科学修士号を職業と結び付ける：R. R. Colwell, "Professional Science Master's Programs Merit Wider Support," *Science* 323, no. 5922（March 27, 2009）.

235 幸いなことに，…待たない女性もいる：Millman, interview; Brush, interview.

237 メキシコ湾研究イニシアティブ : www.gulfresearchinitiative.org.

238 たくさんの但し書きが必要だった：GoMRI, "About the Gulf of Mexico Research Initiative Research Board," https://gulfresearchinitiative.org/gri-research-board/.

240 GoMRI の科学者たちのおかげで，…より多くのことがわかるようになった：Charles "Chuck" Miller, interview, September 5, 2018; Claire B. Paris et al., "BP Gulf Science Data Reveals Ineffectual Subsea Dispersant Injection for the Macondo Blowout," *Frontiers in Marine Science*, October 30, 2018.

242 ソダーランドは…私に警告してきた：Karl Soderlund, interview, September 12, 2018.

242 世界保健機関とユニセフによると，地球上の三人に一人，…が安全な水に恵まれていないという："Drinking-water"（World Health Organization fact sheet）, www.who.int/en/news-room/fact-sheets/detail/drinking-water, accessed November 15, 2019.

9 個人ではなくシステムの問題

246 女子の方が良い成績を修めている：Daniel Voyer and Susan D. Voyer, "Gender Differences in Scholastic Achievement: A Meta-Analysis," *Psychological Bulletin* 140, no. 4（April 29, 2014）.

246 女性は自分の能力を過小評価しがちだが，男性は自分の能力をそれよりももっと大幅に過大評価する傾向がある：Mary A. Lundeberg, Paul W. Fox, and Judith Punćochaŕ, "Highly Confident but Wrong: Gender Differences and Similarities in

Confidence Judgments," *Journal of Educational Psychology* 86, no. 1 (1994).

246 女性に対して差別がもたらす莫大な損失：Nicole Smith, interviews, April 23, May 7, June 10, 2019, and email February 11, 2020.

248 社会学者は「無意識のバイアス」…のせいだと言う：Claude M. Steele, *Whistling Vivaldi: How Stereotypes Affect Us and What We Can Do* (New York: W. W. Norton, 2010)［邦訳：藤原朝子 訳,『ステレオタイプの科学――「社会の刷り込み」は成果にどう影響し，わたしたちは何ができるのか』，英治出版 (2020)］; and Mahzarin R. Banaji and Anthony G. Greenwald, *Blindspot: Hidden Biases of Good People* (New York: Penguin Random House, 2013).

248 無意識のバイアスは合理的かつ慎重な熟考によって克服することができる：Jay Van Bavel, interview, August 20, 2019.

248 新人演奏家のオーディションをカーテンで仕切って行い：Geoff Edgers, "Elizabeth Rowe Has Sued the BSO: Her Case Could Change How Orchestras Pay Men and Women," *Boston Globe*, December 11, 2018; Malcolm Bay, "BSO Flutist Settles Equal-Pay Lawsuit with Orchestra," *Boston Globe*, February 14, 2019.

249 ジェニファー・T・チェイズ：Jennifer T. Chayes, interview, January 28, 2019.

249 ジョー・ハンデルスマン：Jo Handelsman, interview, February 26, 2013; C. A. Moss-Racusin et al., "Science Faculty's Subtle Gender Biases Favor Male Students," *PNAS* 109, no. 41 (October 9, 2012).

251 ヴァージニア・ヴァリアン：Virginia Valian, *Why So Slow? The Advancement of Women* (Cambridge, MA: MIT Press, 1998); and Natalie Angier, "Exploring the Gender Gap and the Absence of Equality," *New York Times*, August 25, 1998.

251 ノーベル賞受賞者のエリザベス・ブラックバーン：Mallory Pickett, "I Want What My Male Colleague Has, and That Will Cost a Few Million Dollars," *New York Times Magazine*, April 18, 2019.

251 ジェイソン・シェルツァー：J. M. Sheltzer and J. C. Smith, "Elite Male Faculty in the Life Sciences Employ Fewer Women," *PNAS* 111, no. 28 (July 15, 2014).

251 サー・リチャード・T（ティム）・ハント：Rebecca Ratcliffe et al., "Nobel Scientist Tim Hunt: Female Scientists Cause Trouble for Men in Labs," *Guardian* (UK), June 10, 2015.

252 この科学界のスキャンダルの主役は，…有名な男性教授たちだった：Tamar Lewin, "Yale Medical School Removes Doctor after Sexual Harassment Finding," *New York Times*, November 14, 2014; Lewin, "Seven Allege Harassment by Yale Doctor at Clinic," *New York Times*, April 15, 2015; Alexandra Witze, "Astronomy Roiled Again by Sexual-Harassment Allegations," *Nature*, January 13, 2016; Jeffrey Mervis, "Caltech Suspends Professor for Harassment," *Science*, January 1, 2016; Dennis Overbye, "Geoffrey Marcy to Resign from Berkeley Astronomy Department," *New York Times*, October 14, 2015; Amy Harmon, "Chicago Professor Resigns amid Sexual Misconduct Investigation," *New York Times*, February 3, 2016; Michael Balter, "The Sexual Misconduct Case That Has Roiled Anthropology," *Science*, February 9, 2016; Katherine Long, "UW Researcher Michael Katze Fired After Sexual-Harassment Investigation," *Seattle Times*, August 3, 2017; Anemona Hartocollis, "Dartmouth Reaches $14 Million Settlement in Sexual Abuse Lawsuit,"

New York Times, August 6, 2019.
252 生物学部の男子学生千七百人：Daniel Z. Grunspan et al., "Male Biology Students Consistently Underestimate Female Peers, Study Finds," *PLOS ONE* 11, no. 2 (February 10, 2016).
253 女性の論文の方が引用されることが多く：Elizabeth Culotta, "Study: Male Scientists Publish More, Women Cited More," *The Scientist* (July 1993); Rachel Pells, "Male Authors Tend to Cite Male Authors More Than Female Authors," *Inside Higher Education*, August 16, 2018.
253 男性は，女性が書いたコンピューター・コードのほうがよいと思う：Tia Ghose, "Female Coders Get Less Respect When Their Gender Shows," *Washington Post*, February 23, 2016.
253 女性のための推薦状は短く：Kuheli Dutt et al., "Gender Differences in Recommendation Letters for Postdoctoral Fellowship in Geoscience," *Nature Geoscience* 9, no. 11 (October 3, 2016); Sarah-Jane Leslie et al., "Expectations of Brilliance Underlie Gender Distributions Across Academic Disciplines," *Science* 347, no. 6219 (January 16, 2015); Rachel Bernstein, "Belief That Some Fields Require 'Brilliance' May Keep Women Out," *Science*, January 15, 2015.
253 男性よりも三編多く：Lawrence K. Altman, "Swedish Study Finds Sex Bias In Getting Science Jobs," *New York Times*, May 22, 1997.
253 STEMM 分野の男性は男性の同僚とは仕事の話をよくする：S. E. Holloran et al., "Talking Shop and Shooting the Breeze: A Study of Workplace Conversation and Job Disengagement among STEM Faculty," *Social Psychological and Personality Science* 2, no. 1 (2011).
254 経済学のような分野では，…女性はまったく評価されない：Heather Sarsons, "Recognition for Group Work: Gender Differences in Academia," *American Economic Review* 107, no. 5 (May 2017).
254 PLOS ONE 誌に論文を投稿した二人の女性：Holly Else, " 'Sexist' Peer Review Causes Storm Online," *Times Higher Education*, April 3, 2015; Damian Pattinson, "PLOS ONE Update on Peer Review Process," *EveryONE* (blog), *PLOS ONE*, https://blogs.plos.org/everyone/2015/05/01/plos-one-update-peer-review-investigation/.
254 多様性を推進する女性やマイノリティーの経営者は，…ペナルティを受ける：David R. Hekman, "Does Diversity-Valuing Behavior Result in Diminished Performance Ratings for Nonwhite and Female Leaders?" *Academy of Management Review*, March 3, 2016.
254 STEMM 分野の男性教員は，男女差別に関する研究を女性よりも信じたがらない：Ian M. Handley et al., "Quality of Evidence Revealing Subtle Gender Biases in Science Is in the Eye of the Beholder," *PNAS* 112, no. 43 (October 27, 2017).
254 研修がかえって問題を大きくしてしまう：Virginia Gewin, "Why Some Anti- Bias Training Misses the Mark," *Nature*, April 22, 2019.
254 一流の研究施設であるソーク生物学研究所に対して：Mallory Pickett, "I Want What My Male Colleague Has, and That Will Cost a Few Million Dollars," *New York Times Magazine*, April 18, 2019; Meredith Wadman, "Salk Institute Hit with Dis-

crimination Lawsuit by Third Female Scientist," *Science*, July 20, 2017.

255　国立衛生研究所は男性により大きな助成金を与えており：Andrew Jacobs, "Another Obstacle for Women in Science: Men Get More Federal Grant Money," *New York Times*, March 5, 2019.

255　ふさわしい女性を講演に招待すること：Arturo Casadevall and Jo Handelsman, "The Presence of Female Conveners Correlates with a Higher Proportion of Female Speakers at Scientific Symposia," *mBio* 5, no. 1 (January/February 2014); Arturo Casadevall, "Achieving Speaker Gender Equity at the American Society for Microbiology General Meeting," *mBio* 6, no. 4 (August 4, 2015).

255　グレッグ・マーティンが計算したところ，「無作為に」男性だけの：Lauren Bacon, "The Odds That a Panel Would 'Randomly' Be All Men Are Astronomical," *The Atlantic*, October 20, 2015.

256　博士課程を卒業する黒人学生の数が全米で八番目に多い大学であること：Crystal Brown (chief communications officer, University of Maryland), email, September 26, 2014, and interview with email, October 27, 2019; Natifia Mullings (director of communications, University of Maryland), interview and email, October 27, 2019.

258　研究のために素晴らしいメンバー：National Academies of Sciences, Engineering, and Medicine, *Sexual Harassment of Women: Climate, Culture, and Consequences in Academic Sciences, Engineering, and Medicine* (Washington, DC: National Academies Press, 2018), v.

259　この報告書「女性へのセクシャルハラスメント」で明確な発見があった：National Academies of Sciences, Engineering, Medicine, *Sexual Harassment of Women*.

260　報告書が発表される数カ月前：France Córdova, email, April 16, 2020; France Córdova, "Leadership to change a culture of sexual harassment," *Science*, March 27, 2020; National Science Foundation, *Federal Register* 83, 47940 (2018).

260　現在，…報告するよう各機関に求めている：Alexandra Witze, "Top U.S. Science Agency Unveils Hotly Anticipated Harassment Policy," *Nature* 561, no. 7724 (2018); Megan Thielking, "It's Time for Systemic Change," STAT, September 20, 2018; Meredith Wadman, "In Lopsided Vote, U.S. Science Academy Backs Move to Eject Sexual Harassers," *Science*, April 30, 2019.

260　米国地球物理学連合は最近，ハラスメントを科学的不正行為の一形態と定義した：Maggie Kuo, "Scientific Society Defines Sexual Harassment as Scientific Misconduct," *Science*, September 20, 2017.

260　NIH のフランシス・コリンズは，…謝罪した：Jocelyn Kaiser, "National Institutes of Health Apologizes for Lack of Action on Sexual Harassers," *Science*, February 28, 2019; and Lenny Bernstein, "NIH Director Will No Longer Speak on All-Male Science Panels," *Washington Post*, June 12, 2019.

10　実現できる！

262　人口の百パーセントから生まれる最良の結果：Shirley Malcom, interview, April 12, 2019; Nia-Malika Henderson, "White Men Are 31 Percent of the American Population. They Hold 65 Percent of All Elected Offices," *Washington Post*, October 8,

2014; National Academy of Sciences, *Can Earth's and Society's Systems Meet the Needs of 10 Billion People?* (Washington, DC: National Academies Press, 2013).

264 「『ノー』を答えとして受け取ってはならない」：Florence Haseltine, interview, September 25, 2016.

264 クリスタル・N・ジョンソンの話：Crystal N. Johnson, speech at American Society for Microbiology meeting, New Orleans, Louisiana, May 2015.

265 「女の子に自立せよと教えなさい」：Shirley M. Tilghman, interview, May 21, 2019.

265 科学者やエンジニアを，…学校に招く：NSF ed., *The Power of Partnerships: A Guide from the NSF Graduate STEM Fellows in K-12 Education (GK-12) Program* (Washington, DC: American Association for the Advancement of Science, 2013).

266 女の子を，たとえ就学前であっても：Lin Bian, Sarah-Jane Leslie, and Andrei Cimpian, "Gender Stereotypes About Intellectual Ability Emerge Early and Influence Children's Interests," *Science* 355, no. 6323 (January 27, 2017).

266 幼稚園に通う前から，女の子に：Google, "Women Who Choose Computer Science—What Really Matters: The Critical Role of Encouragement and Exposure," May 26, 2014, https://edu.google.com/pdfs/women-who-choose-what-really.pdf.

268 STEMM 以外の学問分野も勉強しよう：Satyan Linus Devadoss, "A Math Problem around Pi Day," *Washington Post*, March 17, 2018.

269 学校に通い続けること：Peter Schmidt, "Men's Share of College Enrollments Will Continue to Dwindle, Federal Report Says," *Chronicle of Higher Education*, May 27, 2010.

271 科学ジャンキー：Tamar Barkay, interview, June 14, 2016.

272 現地調査旅行に参加しよう．ただし，事前に情報収集すること：K. B. H. Clancy et al., "Survey of Academic Field Experiences (SAFE): Trainees Report Harassment and Assault," *PLOS ONE* 9, no. 7 (July 16, 2014).

273 物理学者フェイ・アイゼンバーグ＝セラヴ：Fay Ajzenberg-Selove, *A Matter of Choices: Memoirs of a Female Physicist* (New Brunswick, NJ: Rutgers University Press, 1994).

273 博士課程の指導教員を選ぶ前に行うべき…ステップ：Constance L. Cepko, interview, February 7, 2018.

274 「科学が他の職業と異なるのは…」：Marcia McNutt, interview, July 21, 2019.

275 学術的な科学は，…家族生活に有利：Cepko, interview.

275 思い悩む必要はない：Ian Sample, "Nobel Winner Declares Boycott of Top Science Journals," *Guardian* (UK), December 9, 2013.

276 孤立していると感じたら：A. J. Cox et al., "For Female Physicists, Peer Mentoring Can Combat Isolation," *Physics Today*, October 18, 2014.

276 男性は女性よりも…四倍多く：Babcock and Laschever, *Women Don't Ask*.

277 あなたに値すると考える賞があるなら：Florence Haseltine, interview, September 25, 2016.

277 いつも他の女性を力づけるようにしよう：Haseltine, interview, September 25, 2016.

278 「しばらくは男性にやってもらいましょう」：Alice Huang, speaking at the Rosalind Franklin Society annual meeting, December 17, 2014.

278 「私の同僚は気のいい連中だが，…」：Confidential interview, August 30, 2016.

281　科学技術から女性を排除することは，国にとって大きなマイナスとなる：Marie Hicks, interview, March 27, 2018, and Hicks, *Programmed Inequality: How Britain Discarded Women Technologists and Lost Its Edge in Computing* (Cambridge, MA: MIT Press, 2017).

282　進化論を信じず：Megan Brenan, "40% of Americans Believe in Creationism," *Gallup News*, July 26, 2019.

283　女性科学者が発言しなければならない最重要事項は，保育だ：Helen Shen, "Inequality Quantified: Mind the Gender Gap," *Nature*, March 6, 2013; Claire Cain Miller, "The Gender Pay Gap Is Largely Because of Motherhood," *New York Times*, May 13, 2017, and "The 10-Year Baby Window That Is the Key to the Women's Pay Gap," *New York Times*, April 9, 2018; Holly Else, "Nearly Half of US Female Scientists Leave Full-Time Science after First Child," *Nature*, February 19, 2019; Katha Pollitt, "Day Care for All," *New York Times*, February 9, 2019.

284　三十六歳未満の科学者に与えられる全助成金の割合が：B. Alberts and V. Narayanamurti, "Two Threats to U.S. Science," *Science* 364, no. 6441 (May 17, 2019); John West, interviews, March 27 and 30, 2018.

284　スプリングボード・エンタープライズ社の創業者であるエイミー・ミルマン：Amy Millman, interview, May 1, 2019; Jeffrey Mervis, "Top Ph.D. Feeder Schools Are Now Chinese," *Science* 321, no. 5886 (July 11, 2008).

285　米国で教育した人たちが：Alberts and Narayanamurti, "Two Threats to U.S. Science."

285　女性の指導をしない科学者には責任をとらせる：Ben A. Barres, emails, September 11, 16, 18, and 19, 2016.

286　男性教員が税金でまかなわれた研究を利用して男性のみのハイテク企業を立ち上げる：Nancy Hopkins, interview with Colwell and McGrayne, March 15, 2018.

286　改革を制度化し：John West, interviews.

288　すべての学生に対して礼儀正しさと敬意：Ajzenberg-Selove, *A Matter of Choices*, 4.

288　セクハラ研修は，やぶへびになる場合もある：Michelle M. Duguid and Melissa C. Thomas-Hunt, "Condoning Stereotyping: How Awareness of Stereotyping Prevalence Impacts Expression of Stereotypes," *Journal of Applied Psychology* 100, no. 2 (March 2015): 343–59.

289　科学団体が団結して，…セクハラ撲滅に取り組んでいる：Becky Ham, "Societies Take a Stand Against Sexual Harassment with New Initiative," *Science* 363, no. 6434 (March 29, 2019).

290　ピーター・メダワーが…初めて書いてから：Peter Medawar, *Advice to a Young Scientist* (New York: HarperCollins Children's Books, 1979).